F*DEU GERAL

MARK MANSON
F*DEU GERAL

UM LIVRO SOBRE ESPERANÇA?

TRADUÇÃO DE GIU ALONSO
E JAIME BIAGGIO

Copyright © 2019 by Mark Manson

TÍTULO ORIGINAL
Everything is fucked: a book about hope

PREPARAÇÃO
Marcela Oliveira

REVISÃO
Marina Góes
Daniel Austie

PROJETO GRÁFICO
Leah Carlson-Stanisic

DIAGRAMAÇÃO
Julio Moreira | Equatorium Design

SPLASH DE TINTA DA CAPA
pio3 | Shutterstock

ADAPTAÇÃO DE CAPA
linesribeiro.com | Aline Ribeiro

CIP-BRASIL. CATALOGAÇÃO NA PUBLICAÇÃO

SINDICATO NACIONAL DOS EDITORES DE LIVROS, RJ

M249f

     Manson, Mark, 1984-
     Fodeu geral : um livro sobre esperança? / Mark Manson ; tradução
Giuliana Alonso , Jaime Biaggio. - 1. ed. - Rio de Janeiro : Intrínseca, 2019.
     288 p. ; 21 cm.

     Tradução de: Everything is fucked
     ISBN 978-85-510-0490-6

     1. Autorrealização. 2. Conduta. I. Alonso, Giuliana. II. Biaggio,
Jaime. III. Título.

19-56292   CDD: 158.1
                              CDU: 159.947
Meri Gleice Rodrigues de Souza - Bibliotecária CRB-7/6439

[2019]
Todos os direitos desta edição reservados à
EDITORA INTRÍNSECA LTDA.
Rua Marquês de São Vicente, 99, 3º andar
22451-041 – Gávea
Rio de Janeiro – RJ
Tel./Fax: (21) 3206-7400
www.intrinseca.com.br

Para Fernanda, é claro

Sumário

PARTE I: Esperança	9
CAPÍTULO 1: A Verdade Desconfortável	11
CAPÍTULO 2: Autocontrole é uma ilusão	29
CAPÍTULO 3: As Leis Emocionais de Newton	56
CAPÍTULO 4: Como fazer todos os seus sonhos se tornarem realidade	82
CAPÍTULO 5: Ter esperança é foda	115
PARTE II: Fodeu geral	139
CAPÍTULO 6: A Fórmula da Humanidade	141
CAPÍTULO 7: Dor é a constante universal	166
CAPÍTULO 8: A economia dos sentimentos	195
CAPÍTULO 9: A religião final	218
Agradecimentos	237
Notas	239

Parte I:
ESPERANÇA

1

A Verdade Desconfortável

Em um pequeno terreno no interior monótono da Europa Central, entre galpões de antigos alojamentos militares, viria a surgir um ponto de maldade geograficamente concentrada, mais denso e mais sombrio que qualquer coisa que o mundo já tinha visto. No decorrer de quatro anos, mais de 1,3 milhão de pessoas seriam sistematicamente divididas em classes, escravizadas, torturadas e assassinadas ali, e tudo isso em uma área um pouco maior que o Central Park, em Manhattan. E ninguém faria nada para impedir.

Exceto um homem.

É como aquelas histórias dos contos de fadas ou dos quadrinhos: um herói marcha impetuosamente pelas terríveis mandíbulas do inferno para enfrentar uma grande manifestação do mal. Suas chances são irrisórias. O plano é risível. E, ainda assim, nosso fantástico personagem nunca hesita, nunca recua. Ele segue confiante e derrota o dragão, destrói os invasores demoníacos, salva o planeta e talvez até acabe resgatando uma ou duas princesas.

E, por um breve espaço de tempo, há esperança.

Mas esta não é uma história sobre esperança. É uma história sobre como tudo está total e completamente fodido. Em proporções e escalas que hoje, com o conforto do nosso wi-fi grátis e cobertores enormes, eu e você temos dificuldade para imaginar.

* * *

Witold Pilecki já era um herói de guerra antes de decidir se infiltrar em Auschwitz. Na juventude, Pilecki tinha recebido condecorações pela Guerra Polaco-Soviética, de 1918. Ele já tinha chutado o saco dos comunistas antes que a maioria das pessoas sequer soubesse o que era um comuna. Depois da guerra, Pilecki se mudou para o interior da Polônia, casou-se com uma professora e teve dois filhos. Ele gostava de cavalgar, usar chapéus bonitos e fumar charutos. A vida era simples e boa.

Foi aí que toda aquela questão do Hitler aconteceu, e, antes mesmo que a Polônia conseguisse calçar as botas, os nazistas já tinham empreendido uma *blitzkrieg* em metade do país. A Polônia perdeu todo o seu território em menos de um mês. E o pior é que a briga não foi realmente justa: enquanto os nazistas invadiam pelo oeste, os soviéticos entravam pelo leste. Era como estar entre a cruz e a espada — só que a cruz era um assassino em massa megalomaníaco tentando conquistar o mundo, e a espada, um genocídio desenfreado e sem sentido. Eu ainda não descobri ao certo qual era qual.

No início, os soviéticos eram muito mais cruéis que os nazistas. Afinal, os caras já tinham feito essa merda antes — todo aquele negócio de "derrubar um governo e escravizar a população por causa de sua ideologia falha", sabe? Os nazistas ainda eram imperialistas virgens (quando olhamos para as fotos de Hitler com aquele bigodinho, não é difícil imaginar isso). Nos primeiros meses da guerra, estima-se que os soviéticos tenham capturado mais de um milhão de cidadãos poloneses, mandando-os para o leste. Pense nisso por um instante. Um milhão de pessoas, em questão de meses, desaparecidas. Algumas não pararam até chegar aos *gulags* na Sibéria; outras foram encontradas em valas comuns, décadas depois. Até hoje não se sabe o que aconteceu com muitas delas.

Pilecki entrou nas duas batalhas — tanto contra os alemães quanto contra os soviéticos. E, depois da derrota, ele e companheiros do Exército polonês criaram um grupo clandestino de resistência em Varsóvia, que batizaram de Exército Secreto Polonês.

Na primavera de 1940, o Exército Secreto Polonês ouviu falar que os alemães estavam construindo um imenso complexo prisional perto de alguma cidadezinha remota no sul do país. Os alemães deram a esse complexo o nome de Auschwitz. No verão daquele ano, milhares de oficiais militares e cidadãos de destaque tinham desaparecido da Polônia ocidental. Na resistência, surgiu o temor de que o mesmo tipo de encarceramento em massa que ocorrera no leste, pelos soviéticos, estivesse se repetindo no oeste. Pilecki e seu grupo suspeitavam que Auschwitz, uma prisão do tamanho de uma pequena cidade, estava envolvida nesses desaparecimentos e talvez já abrigasse milhares de antigos soldados poloneses.

Foi aí que Pilecki se ofereceu para entrar às escondidas no complexo. De início, era para ser uma missão de resgate — ele se deixaria ser capturado e, uma vez lá dentro, organizaria os outros soldados poloneses, coordenaria um motim e escaparia do campo.

A missão era tão suicida que praticamente daria no mesmo se ele tivesse pedido permissão ao comandante para beber um balde de água sanitária. Os superiores achavam que ele estava louco, e deixaram isso bem claro.

Mas, com o passar das semanas, o problema só piorava: milhares de soldados poloneses de elite desapareciam, e Auschwitz ainda era um imenso ponto cego na rede de inteligência dos Aliados. Eles não faziam ideia do que estava acontecendo lá e tinham pouquíssima chance de descobrir. Por fim, os comandantes de Pilecki cederam. Certa noite, em uma ronda de rotina em Varsóvia, Pilecki se permitiu ser preso pela SS por violar o toque de recolher. Em pouco tempo, estava sendo enviado a Auschwitz. Pelo que se sabe, foi o único homem a entrar voluntariamente em um campo de concentração nazista.

Quando chegou lá, percebeu que a realidade de Auschwitz era muito pior do que qualquer um suspeitava. Era comum prisio-

14 F*DEU GERAL

neiros serem mortos por transgressões mínimas como se mexer ou não ficar em pé direito. O trabalho braçal era extenuante e infinito. Homens trabalhavam literalmente até a morte, muitas vezes em tarefas inúteis ou sem importância. No primeiro mês de Pilecki no campo de concentração, 30% dos homens no seu alojamento morreram de exaustão ou pneumonia ou foram assassinados a tiros. Ainda assim, no fim de 1940, Pilecki, o super-herói de quadrinhos, tinha conseguido de alguma maneira montar uma operação de espionagem.

Ah, Pilecki — seu titã, seu maravilhoso, voando sobre o abismo —, como você conseguiu criar uma rede de inteligência enviando mensagens pelas cestas de roupa suja? Como você construiu um rádio transistorizado com sucata e pilhas roubadas, como se fosse um *MacGyver* europeu, e transmitiu com sucesso para o Exército Secreto Polonês em Varsóvia planos de ataque ao campo de prisioneiros? Como criou redes de contrabando para levar comida, remédios e roupas para os prisioneiros, salvando inúmeras vidas e dando esperança ao deserto mais remoto do coração humano? O que este mundo fez para merecer você?

Durante dois anos, Pilecki desenvolveu uma unidade de resistência dentro de Auschwitz. Havia uma cadeia de comando, com classes e oficiais; uma rede de logística; linhas de comunicação com o mundo exterior. E tudo isso passou quase dois anos despercebido pelos guardas da SS. O objetivo final de Pilecki era fomentar uma imensa revolta dentro do campo. Com ajuda e coordenação de fora, ele acreditava que poderia planejar uma fuga maciça, derrubar os guardas da SS, que estavam em menor número, e libertar dezenas de milhares de guerrilheiros poloneses altamente treinados. Ele enviou seus planos e relatórios para Varsóvia e passou meses esperando. Passou meses sobrevivendo.

Mas então chegaram os judeus. Primeiro, em ônibus. Depois, em trens abarrotados. Logo estavam chegando às dezenas de milhares, uma corrente inesgotável de pessoas flutuando em um oceano de morte e desespero. Despojados de todas as posses e de qualquer dignidade, eles eram forçados a entrar nos recém-modificados alojamentos dos "chuveiros", onde eram envenenados com gás e tinham os corpos incinerados.

Os relatórios de Pilecki para o mundo exterior ganharam tons de desespero. Estão assassinando dezenas de milhares de pessoas aqui todos os dias. A maioria, judeus. A contagem dos mortos talvez chegue à casa dos milhões. Ele implorou ao Exército Secreto Polonês que libertasse o campo imediatamente. Ele disse que, se não fosse possível libertar os presos, que pelo menos bombardeassem o complexo. Pelo amor de Deus, que pelo menos destruíssem as câmaras de gás. Pelo menos isso.

O Exército Secreto Polonês recebeu as mensagens, mas supôs que era exagero da parte de Pilecki. Nos recônditos mais profundos da mente deles, imaginaram que ninguém poderia ser tão escroto assim. Ninguém.

Pilecki foi a primeira pessoa a alertar o mundo sobre o Holocausto. Suas informações foram enviadas para vários grupos de resistência na Polônia, depois para o governo polonês, exilado no Reino Unido, que então repassou os relatórios para o Comando Aliado em Londres. A informação, por fim, chegou a Eisenhower e a Churchill.

Eles também acharam que Pilecki só podia estar exagerando.

Em 1943, Pilecki percebeu que seus planos de fazer um motim e uma fuga em massa jamais aconteceriam. O Exército Secreto Polonês não viria. Americanos e britânicos não viriam. E o mais provável era que os primeiros a chegar fossem os soviéticos — o que seria pior. Ele então concluiu que permanecer no campo era arriscado demais. Estava na hora de fugir.

Nosso herói fez parecer fácil, é claro. Primeiro, fingiu que estava doente para ser levado ao hospital do campo. Dali, mentiu para os médicos sobre o grupo de trabalho para o qual deveria retornar, dizendo que tinha um turno da noite na padaria, que ficava na fronteira do campo, perto de um rio. Quando os médicos o liberaram, ele seguiu para a padaria, onde "trabalhou" até as duas da manhã, horário da última fornada. A partir desse ponto, ele só precisou cortar o fio do telefone, abrir a porta dos fundos sem fazer barulho, vestir roupas civis roubadas sem que os guardas da SS percebessem, correr até o rio que ficava a um quilômetro e meio enquanto atiravam nele, e então retornar à civilização se guiando pelas estrelas.

Hoje, muita coisa no nosso mundo parece uma merda. Não no nível da merda que foi o Holocausto nazista (nem de longe), mas, ainda assim, bem merda.

Histórias como a de Pilecki são inspiradoras. Elas nos dão esperança, nos levam a dizer: "Ah, gente, as coisas eram *bem* piores naquela época, e *esse* cara conseguiu superar tudo isso. E o que *eu* fiz nos últimos tempos?" Até que, na nossa era de tuitaços e de notícias sensacionalistas, talvez seja bom que a gente se faça mesmo esse tipo de pergunta. Quando nos afastamos para ter uma perspectiva mais ampla, percebemos que enquanto heróis como Pilecki salvam o mundo, nós perseguimos inimigos imaginários e reclamamos que o ar-condicionado não está funcionando direito.

A história desse polonês é a coisa mais heroica que já vi na minha vida. Porque heroísmo não significa só ter coragem ou sagacidade. Esses elementos são comuns e usados muitas vezes de formas não heroicas. Ser heroico significa ter a habilidade de criar esperança onde ela não existe. De acender o fósforo que ilumina o breu. De mostrar a possibilidade de um mundo melhor — não um mundo melhor que *queremos* que exista, mas um que não sabíamos que *poderia* existir. De agir frente a uma situação em que tudo parece estar uma merda completa e de alguma maneira transformá-la em algo bom.

A Verdade Desconfortável 17

* * *

Coragem é comum. Resiliência é comum. O heroísmo, por outro lado, tem um componente filosófico. Existe um grande "Por quê?" que os heróis trazem — alguma causa ou crença incrível que permanece inabalável, não importa o que aconteça. E é por *isso* que, enquanto cultura, estamos tão desesperados por um herói hoje em dia: não porque as coisas necessariamente estejam tão ruins assim, mas porque perdemos a clareza da motivação que guiou as gerações anteriores.

Somos uma cultura que precisa não de paz ou de prosperidade ou de novos adornos para o capô dos nossos carros elétricos. Nós já temos tudo isso. Somos uma cultura que precisa de algo bem mais efêmero. Somos uma cultura e um povo que precisa de esperança.

Mesmo depois de testemunhar anos de guerra, tortura, morte e genocídio, Pilecki nunca perdeu a esperança. Apesar de ter perdido o país, a família, os amigos e quase perder a própria vida, ele nunca perdeu a esperança. Mesmo depois da guerra, durante a dominação soviética, ele nunca perdeu a esperança de ver uma Polônia livre e independente. Nunca perdeu a esperança de que os filhos tivessem uma vida feliz e tranquila. De poder salvar mais algumas vidas, ajudar mais algumas pessoas.

Depois da guerra, Pilecki voltou para Varsóvia e continuou seu trabalho de espionagem, dessa vez contra o Partido Comunista, que tinha acabado de tomar o poder. Novamente, ele seria a primeira pessoa a avisar ao Ocidente que algo ruim estava acontecendo: neste caso, que os soviéticos tinham se infiltrado no governo polonês e fraudado as eleições. Ele também seria o primeiro a documentar as atrocidades soviéticas cometidas no leste durante a guerra.

Dessa vez, porém, Pilecki foi descoberto. Avisado de que seria preso, ele teve uma chance de fugir para a Itália. Ainda assim, negou, dizendo que preferia ficar e morrer na Polônia do que fugir e

18   F*DEU GERAL

viver como algo que não reconhecia. Uma Polônia livre e independente era sua única fonte de esperança naquele momento. Sem isso, ele não era nada.

E, por isso, sua esperança também seria seu fim. Os comunistas o capturaram em 1947, e não pegaram leve com ele. Pilecki foi torturado por quase um ano, de forma tão brutal e constante que, segundo disse à esposa, "Auschwitz foi moleza" em comparação.

Mesmo assim, ele jamais colaborou com os interrogadores.

Por fim, percebendo que não tirariam qualquer informação dele, os comunistas decidiram transformá-lo em exemplo. Em 1948, fizeram um julgamento e acusaram Pilecki de tudo, de falsificação de documentos e violação do toque de recolher até espionagem e traição. Um mês depois, ele foi considerado culpado e sentenciado à morte. No último dia de julgamento, Pilecki teve permissão de falar. Ele declarou que sua lealdade sempre foi à Polônia e ao seu povo, e que nunca prejudicou nem traiu qualquer cidadão polonês, portanto, não se arrependia de nada. Ele concluiu dizendo: "Tentei viver minha vida de forma que no momento da minha morte eu sentisse alegria, não medo."

Se isso não é a coisa mais incrível que você já ouviu, então quero um pouco disso aí que você anda tomando.

Como posso ajudá-lo?

Se eu trabalhasse no Starbucks, em vez de escrever o nome das pessoas no copo de café, eu colocaria o seguinte:

Um dia, você e todos que você ama vão morrer. E com exceção de um pequeno grupo de pessoas por um intervalo extremamente breve de tempo, pouco do que você fizer ou disser vai significar alguma coisa. Esta é a Verdade Desconfortável da vida. Tudo que você pensa ou faz não passa de uma forma elaborada de evitar isso. Somos poeiras estelares irrelevantes, que toparam em um pontinho azul e perambulam sem rumo por ele. Imaginamos nossa própria importância. Inventamos nosso propósito; não somos nada.

Aproveite seu maldito café.

Eu teria que escrever isso em letras bem pequenininhas, é claro. E levaria um tempo para escrever, então a fila de clientes na hora do rush matinal iria até o lado de fora da loja. Em matéria de atendimento ao cliente, não é dos melhores, fato. Talvez essa seja só mais uma das razões pelas quais ninguém me contrata.

Mas, sério: como é possível, em sã consciência, desejar um bom-dia para alguém sabendo que todos os nossos pensamentos e motivações vêm de uma necessidade inesgotável de evitar a inerente falta de sentido da existência humana?

A questão é que, na infinita vastidão do espaço-tempo, o universo não se importa se a cirurgia de implante de quadril da sua mãe vai correr bem, ou se seus filhos vão para a faculdade, ou se seu chefe vai achar fantástica aquela planilha que você fez. Não se importa se os Democratas ou os Republicanos vão vencer as eleições americanas. Não se importa se uma celebridade é vista cheirando cocaína enquanto se masturba furiosamente no banheiro de um aeroporto (de novo). Não se importa se as florestas vão pegar fogo, ou se as calotas polares vão derreter, ou se o nível dos oceanos vai subir, ou se o ar vai ferver ou se vamos todos ser vaporizados por uma raça alienígena superior.

Você se importa.

Você se importa e, portanto, tenta desesperadamente se convencer de que deve haver algum significado cósmico por trás de tudo isso.

Você se importa porque, bem lá no fundo, precisa ter alguma sensação de importância para evitar a Verdade Desconfortável, para driblar a incompreensibilidade da sua existência e não ser destruído pelo peso da própria insignificância material. E então você — como eu, como todas as pessoas — projeta esse senso de importância imaginário no mundo ao seu redor, porque isso traz esperança.

Está muito cedo para essa conversa? Aqui, tome outro café. Eu até desenhei uma carinha sorridente no copo. Não é fofinho? Pode deixar que eu espero enquanto você posta no Instagram.

Beleza, onde estávamos? Ah, sim! Na incompreensibilidade da sua existência. Ora, você pode estar pensando: "Olha, Mark, acredito que estamos todos aqui por um motivo e que nada é coincidência. Todos importam porque todas as nossas ações afetam *alguém*, e se pudermos ajudar uma única pessoa, então ainda vale a pena, certo?"

Como você é fofo!

Entenda: isso é a sua esperança falando. Essa é a história que sua mente cria para fazer com que seja digno levantar da cama de manhã: *alguma coisa* tem que importar, senão não há razão para continuar vivendo. E alguma forma simples de altruísmo ou qualquer redução de sofrimento é sempre a nossa primeira tentativa de nos fazer sentir que vale a pena fazer qualquer coisa.

Assim como um peixe precisa de água, nossa psique precisa de esperança para sobreviver. Esperança é o combustível do nosso motor mental. É a manteiga no nosso pão. É todo tipo de metáfora brega. Sem esperança, todo o nosso aparato mental trava ou morre de fome. Se não acreditarmos que há alguma chance de que o futuro seja melhor que o presente, que nossa vida vai melhorar de alguma forma, então morremos espiritualmente. Afinal, se não há esperança de que as coisas possam melhorar, então para que viver? Para que fazer qualquer coisa?

Algo que muita gente não entende é que o oposto de felicidade não é tristeza ou raiva.[1] Estar triste ou com raiva significa que você ainda não ligou o foda-se para pelo menos alguma coisa. Significa que tem algo aí que ainda importa. Significa que você ainda tem esperança.[2]

Não, o oposto de felicidade é desesperança, um horizonte cinza infinito de resignação e indiferença.[3] É quando acreditamos que "fodeu geral", então para que fazer qualquer coisa?

A desesperança é um niilismo frio e desolador, uma sensação de que não há objetivo, então que se dane tudo — por que não correr segurando uma tesoura, ou transar com a esposa do seu chefe, ou sair atirando a esmo em uma escola? É a Verdade Desconfortável, uma percepção incômoda de que, em face ao infinito, tudo com que poderíamos nos importar chega a ser praticamente nada.

A desesperança é a raiz de transtornos mentais como ansiedade e depressão. É a fonte de toda a tristeza e a causa de todo vício. Isso não é exagero.[4] Ansiedade crônica é uma crise de esperança, é o medo de um futuro fracassado. Depressão é uma crise de esperança, é a crença em um futuro sem sentido. Desilusão, vício, obsessão... todos esses problemas são tentativas desesperadas e compulsivas da mente de gerar esperança, mesmo que seja com tiques neuróticos ou necessidades maníacas.[5]

Portanto, evitar a desesperança — ou seja, criar esperança — acaba se tornando o principal projeto da nossa mente. Todos os significados, tudo que compreendemos sobre nós mesmos e sobre o mundo, são construídos com o propósito de manter a esperança. Por isso, ela é a única coisa pela qual qualquer um de nós está disposto a morrer. A esperança é o nosso modo de sermos maiores que nós mesmos. Sem ela, cremos que não somos nada.

Meu avô morreu quando eu estava na faculdade. Por alguns anos, fiquei com uma sensação intensa de que tinha que viver para deixá-lo orgulhoso. Por alguma razão profunda, isso *parecia* razoável e óbvio, mas não era. Na verdade, não fazia nenhum sentido lógico. Eu não tinha uma relação próxima com o meu avô, nunca conversamos pelo telefone e não trocávamos cartas. A gente nem tinha se visto nos últimos cinco anos antes de sua morte.

Sem contar que: ele estava morto. Como "viver para deixá-lo orgulhoso" traria alguma mudança?

A morte do meu avô me fez entrar em contato com a Verdade Desconfortável. Então, minha mente começou a trabalhar, tentando, a partir daquela situação, criar esperança, para me sustentar e manter o niilismo longe. Minha mente concluiu que, como meu avô já não tinha mais a possibilidade de ter esperanças e aspirações, era importante que eu continuasse a ter esperanças e aspirações para honrá-lo. Esse era o resquício de fé criado em meu subconsciente, a minirreligião pessoal que me dava propósito.

E funcionou! Por um tempo, a morte dele deu uma injeção de importância e significado a experiências que de outra forma seriam banais e vazias. E esse propósito me deu esperança. Você provavelmente já sentiu algo parecido quando alguém próximo faleceu. É um sentimento comum. Você diz a si mesmo que vai viver de forma a dar orgulho ao seu ente querido. Que vai usar a *sua* vida para celebrar a *dele*. Você diz a si mesmo que isso é uma coisa boa, importante.

E essa "coisa boa" é o que nos sustenta nesses momentos de terror existencial. Eu andava por aí imaginando meu avô me seguindo, como um fantasma bem fofoqueiro, o tempo todo observando tudo que eu fazia. Um homem com quem eu mal tivera contato enquanto vivo estava agora extremamente interessado em como eu tinha ido na prova de cálculo. Era algo totalmente irracional.

Nossas psiques constroem pequenas narrativas como essa sempre que enfrentam adversidades, inventamos para nós mesmos essas histórias de antes e depois. E temos que manter vivos esses vieses de esperança, o tempo todo, mesmo quando eles se tornam irracionais ou destrutivos, pois são a única força estabilizadora que protege nossa mente da Verdade Desconfortável.

São essas narrativas de esperança que dão à nossa vida um senso de propósito. Não só sugerem que *existe* algo melhor no futuro, mas também que é possível sair e alcançar esse algo melhor.

A Verdade Desconfortável   23

Quando ficam tagarelando sobre a necessidade de encontrar "seu propósito na vida", o que as pessoas realmente querem dizer é que não conseguem mais ver com clareza o que é importante, que não sabem mais o que é um uso válido do seu tempo limitado aqui na Terra[6] — resumindo, não sabem mais em que depositar esperança. Essas pessoas estão com dificuldade para enxergar qual deveria ser o antes e depois da própria vida.

Essa é a parte complicada: descobrir o que o antes e depois significa para você. É difícil porque não há como ter a certeza de que você acertou. É por isso que muita gente busca a religião, porque tais doutrinas compreendem esse estado permanente de desconhecimento e exigem que você exercite a fé para encará-lo. Isso, em parte, talvez explique por que pessoas religiosas sofrem menos de depressão e cometem menos suicídios do que pessoas não religiosas: a prática da fé as protege da Verdade Desconfortável.[7]

Mas suas narrativas de esperança não precisam ser religiosas. Podem ser qualquer coisa. Este livro é a *minha* pequena fonte de esperança, pois me dá propósito e sentido. E a narrativa que construí em torno dessa esperança é: creio que este livro pode ajudar algumas pessoas, tornar tanto a minha vida quanto o mundo um pouco melhor.

Eu tenho certeza disso? Não. Mas é a minha historinha de antes e depois, e vou defendê-la. Ela me faz levantar de manhã e me deixa animado com a vida. E isso não só é uma coisa boa, como é a única coisa que importa.

Para algumas pessoas, a história de antes e depois é criar bem os filhos. Para outras, é salvar o meio ambiente. Para algumas, é ganhar um monte de dinheiro e comprar um barco caríssimo. Para outras, é simplesmente aprimorar a tacada no golfe.

Percebendo ou não, todos temos essas narrativas em que decidimos acreditar por qualquer razão que seja. Não importa se o alimento da sua esperança provenha da fé religiosa, de teorias baseadas em evidências, de uma instituição ou de discussões com bons argumentos — tudo isso produz o mesmo resultado: você tem uma crença de que (a) existe potencial para crescimento, melhora ou salvação no futuro, e (b) existem maneiras de abrir caminho para chegarmos lá. É isso. Dia após dia, ano após ano, nossas vidas são feitas de intermináveis interseções entre essas narrativas de esperança. Elas são as cenouras psicológicas na ponta da vareta.

Se tudo isso soa niilista, por favor, não me entenda mal. O propósito deste livro não é defender o niilismo. Pelo contrário, meu argumento é *contra* ele — tanto o que vem de nós quanto o que parece emergir do mundo moderno.[8] E, para argumentar de forma bem-sucedida contra o niilismo, tenho que começar por ele. Preciso começar na Verdade Desconfortável, para, a partir daí, construir aos poucos minha defesa da esperança. E não só qualquer esperança, mas uma forma de esperança que seja sustentável e benevolente. Uma esperança que pode nos unir, em vez de separar. Uma esperança robusta e poderosa, e ao mesmo tempo baseada na razão e na realidade. Uma esperança que pode nos alimentar até o fim dos nossos dias com um senso de gratidão e satisfação.

Não é uma tarefa fácil (óbvio). E, no século XXI, talvez seja mais difícil do que nunca. O niilismo e a pura indulgência do desejo que o acompanha dominam o mundo moderno. É o poder pelo poder. O sucesso pelo sucesso. O prazer pelo prazer. O niilismo não abarca nenhum "porquê" mais grandioso. Não adere a nenhuma grande verdade ou causa. É um simples "porque é gostoso". E isso, como veremos, é o que está fazendo tudo parecer tão ruim.

O paradoxo do progresso

Vivemos em uma época interessante, na qual podemos dizer que as coisas estão melhores do que nunca em relação a questões materiais. Mas, ao mesmo tempo, a sensação que temos é de que estamos todos enlouquecendo, pensando que o mundo é um imenso

A Verdade Desconfortável 25

vaso sanitário e que alguém está prestes a dar descarga. Ou seja, uma sensação irracional de desesperança se espalha pelo mundo rico e desenvolvido. É um paradoxo do progresso: quanto melhores as coisas estão, mais ansiosos e desesperados todos parecemos ficar.[9]

Nos últimos anos, escritores como Steven Pinker e Hans Rosling têm argumentado que estamos errados ao abraçar tamanho pessimismo, que as coisas, de fato, estão melhores do que nunca, e que a probabilidade é melhorarem ainda mais.[10] Os dois autores fizeram livros enormes com inúmeros gráficos e tabelas que começam em um canto e sempre parecem, de alguma forma, terminar no canto oposto.[11] Os dois explicaram detalhadamente as predisposições e suposições incorretas que todos nós temos e fazemos e que nos levam a achar que tudo é muito pior do que está na realidade. O progresso, defendem, seguiu sem interrupções por toda a história moderna. As pessoas têm mais acesso à educação do que nunca.[12] A tendência de queda na violência vem de décadas, se não séculos.[13] Racismo, machismo, discriminação e violência contra mulheres estão no ponto mais baixo de que se tem registro na história.[14] Nunca tivemos tantos direitos.[15] Metade do planeta tem acesso à internet.[16] A pobreza extrema está numa baixa histórica mundial.[17] As guerras têm proporções menores e são menos frequentes do que em qualquer outro período analisado.[18] As crianças morrem menos, e as pessoas em geral vivem mais.[19] Existe mais riqueza do que nunca.[20] Nós meio que temos cura para uma porção de doenças.[21]

E eles têm razão. É importante saber desses fatos. Por outro lado, ler esses livros também é um pouco como ouvir aquele tio chato tagarelar sobre como as coisas eram muito mais difíceis quando ele tinha sua idade. Ele pode até estar certo, mas isso não necessariamente faz você se sentir melhor sobre *seus* problemas.

A questão é que, apesar de todas as boas notícias publicadas hoje em dia, também temos algumas estatísticas preocupantes: nos Estados Unidos, sintomas de depressão e ansiedade estão em alta nos últimos oitenta anos entre os jovens e em alta entre a população adulta nos últimos vinte anos.[22] Não só as pessoas estão ficando deprimidas em maior número, como isso está acontecendo cada vez mais cedo a cada geração.[23] Desde 1985, homens e mulheres relatam níveis menores de satisfação pessoal.[24] Parte disso talvez tenha a ver com o fato de que os níveis de estresse só aumentaram nos últimos trinta anos.[25] Recentemente, overdoses bateram recorde histórico conforme a crise dos opiáceos destruiu parte considerável dos Estados Unidos e do Canadá.[26] Na população norte-americana, sentimentos de solidão e isolamento social estão em alta. Quase metade dos norte-americanos hoje relata se sentir isolada, excluída ou sozinha na vida.[27] A confiança social não está só em baixa no mundo desenvolvido, ela está despencando, o que significa que as pessoas nunca confiaram tão pouco no governo, na mídia e umas nas outras.[28] Nos anos 1980, quando os pesquisadores perguntaram aos participantes com quantos indivíduos eles haviam discutido questões pessoais importantes nos seis meses anteriores, a resposta mais comum era "três". Em 2006, a resposta mais comum foi "zero".[29]

Enquanto isso, o meio ambiente também está completamente fodido. Toda sorte de malucos tem acesso a armas nucleares ou está a um triz de conseguir. O extremismo continua a crescer no mundo, de todas as formas, religiosas ou seculares, em todos os pontos do espectro político. Conspiracionistas, milícias civis, "sobrevivencialistas" e "preparadores" (pessoas que estão se preparando para o Armagedom) vêm se tornando ícones de subculturas populares, a ponto de se tornarem quase comuns.

Basicamente, somos os seres humanos mais seguros e prósperos da história do mundo, mas sofremos com um nível sem precedentes de desesperança. Quanto melhores as coisas ficam, mais parecemos cair em desespero. Eis o paradoxo do progresso. E talvez ele possa ser resumido em um fato alarmante: quanto mais saudável e seguro é o lugar onde você mora, maior é a probabilidade de você cometer suicídio.[30]

A Verdade Desconfortável   27

* * *

O incrível progresso alcançado nas esferas da saúde, da segurança e da riqueza material nos últimos séculos é inegável, mas essas estatísticas são do passado, não do futuro. E é justamente aí que temos que encontrar nossa esperança: nas visões do futuro.

Porque a esperança não se baseia em estatísticas. Ela não liga para a tendência de queda das mortes relacionadas a armas de fogo ou a acidentes de trânsito. Não se importa que não tenha havido uma queda de avião comercial durante todo o ano passado ou que a alfabetização tenha batido recorde na Mongólia (bem, a não ser que você more na Mongólia).[31]

A esperança não liga para os problemas que já foram solucionados. A esperança só se importa com o que ainda precisa ser resolvido. Porque, à medida que o mundo melhora, mais temos a perder. E quanto mais temos a perder, menos achamos que devemos ter esperança.

Para criar e manter a esperança, precisamos de três coisas: a sensação de controle, a crença no valor de algo, e uma comunidade.[32] Controle significa a sensação de tomar as rédeas da própria vida, de que podemos comandar nosso destino. Por "Valor", queremos dizer acreditar que algo seja importante o bastante para nos dedicarmos a isso, que seja melhor, algo pelo que vale a pena lutar. E "comunidade" é fazer parte de um grupo que valoriza as mesmas coisas que nós e que está trabalhando para conquistá-las. Sem uma comunidade, nos sentimos isolados e nossos valores deixam de ter sentido. Sem valores, nada parece valer a pena. E sem controle, nos sentimos impotentes para perseguir seja lá o que for. Perdendo um desses três elementos, você perde os outros dois. Você perde a esperança.

Para que possamos entender por que estamos passando por uma crise de esperança dessa magnitude, precisamos compreender os mecanismos da esperança, como ela é gerada e o que é preciso fazer para mantê-la. Os próximos três capítulos vão se debruçar sobre como desenvolvemos essas três áreas da nossa vida: a sensação de controle (capítulo 2), nossos valores (capítulo 3) e nossas comunidades (capítulo 4).

Depois voltaremos à questão original: o que está acontecendo no nosso mundo que faz a gente se sentir pior, apesar de tudo estar melhorando de maneira consistente.

E a resposta vai surpreender você.

2

Autocontrole é uma ilusão

Tudo começou com uma dor de cabeça.[1]

"Elliot" era um homem bem-sucedido, executivo de uma empresa próspera. Querido pelos colegas de trabalho e vizinhos, era encantador, irresistivelmente divertido. Um marido, um pai, um amigo que tirava férias dos sonhos na praia.

Só que tinha dores de cabeça. O tempo todo. E não eram dores de cabeça comuns, do tipo toma-um-Advil-que-passa. Eram dores excruciantes, violentas, como se houvesse uma bola de demolição pendurada dentro dele, golpeando seus olhos.

Elliot tomava remédios. Tirava sonecas. Tentava relaxar, ficar na boa, deixar para lá, aguentar firme. Mas as dores continuavam. Aliás, só pioravam. Chegaram a um ponto em que Elliot não conseguia dormir à noite ou trabalhar de dia.

Finalmente ele foi ao médico, que fez lá aquelas coisas de médico, passou uns exames, recebeu os resultados e deu a Elliot a má notícia: ele tinha um tumor cerebral, bem ali no lóbulo frontal. Bem ali. Viu? Aquela mancha cinzenta, ali na frente. E, rapaz, é grande. Do tamanho de uma bola de beisebol, pelo que estou vendo.

O cirurgião retirou o tumor, e Elliot foi para casa. Voltou ao trabalho. Voltou para a família e os amigos. Tudo parecia tranquilo e normal.

E aí tudo deu muito errado.

Elliot não rendia no trabalho. Tarefas que antes ele fazia com o pé nas costas passaram a exigir uma alta dose de concentração e esforço. Decisões simples, como escolher entre uma caneta azul ou preta, tomavam-lhe horas. Cometia erros básicos e levava semanas para consertá-los. Sua agenda virou um buraco negro; ele perdia reuniões e estourava prazos como se cada um deles fosse um insulto ao próprio espaço/tempo.

Inicialmente, seus colegas ficaram com pena e seguraram a barra. Afinal, um tumor do tamanho de uma pequena cesta de frutas tinha acabado de ser retirado da cabeça do sujeito. Mas logo a barra começou a ficar muito pesada, e as desculpas de Elliot, muito descabidas. Você faltou a uma reunião de investidores para comprar um grampeador novo, Elliot? Sério? O que você tem na cabeça?[2]

Após meses de reuniões feitas de qualquer jeito e muita enrolação, a verdade era inegável: a cirurgia havia retirado mais do que um tumor de Elliot e, na visão dos colegas, esse algo era uma grana preta da empresa. Elliot acabou sendo demitido.

Enquanto isso, em casa, as coisas não estavam muito melhores. Siga a receita: pegue um pai negligente, deixe-o no sofá vegetando, tempere com uma pitada de reprises de *game shows* e leve-o ao forno a 175° C, 24 horas por dia. Essa era a nova vida de Elliot. Ele perdia as partidas de beisebol do filho. Faltou a uma reunião de pais e professores para assistir a uma maratona de James Bond na TV. Esquecia que a esposa gostava que ele falasse com ela mais de uma vez por semana.

Cada nova e inesperada rachadura deixava vazar uma briga — só que não dava para chamá-las propriamente de brigas. Uma briga requer o engajamento de no mínimo duas pessoas. E, enquanto sua esposa cuspia fogo, Elliot tinha dificuldade de acompanhar a situação. Em vez de agir com urgência para mudar ou consertar as coisas, para mostrar que amava e se importava com a família, ele continuava isolado e indiferente. Era como se habitasse outro fuso, fora do alcance de qualquer pessoa na Terra.

Até que sua esposa não aguentou mais. Na cirurgia, tiraram de Elliot mais do que aquele tumor, ela gritava. Tiraram a droga do coração também. Ela pediu o divórcio e levou as crianças. Elliot ficou sozinho.

Abatido e confuso, começou a procurar formas de recomeçar a carreira. Deixou-se levar por algumas empreitadas de risco. Um golpista abocanhou grande parte de suas economias. Uma interesseira o seduziu, convenceu-o a morar com ela e divorciou-se um ano depois, ficando com metade dos seus bens. Elliot vagou pela cidade, indo morar em apartamentos cada vez mais baratos e xexelentos, até que alguns anos depois se viu praticamente sem teto. O irmão o acolheu e passou a sustentá-lo. Amigos e família assistiam, estupefatos, a um homem que admiravam basicamente jogar a vida fora num curto espaço de tempo. Ninguém conseguia entender. Era inegável que algo em Elliot havia mudado, que aquelas dores de cabeça debilitantes haviam lhe causado mais do que dor.

A questão era: o que havia mudado?

O irmão de Elliot o levou a vários médicos. "Ele não está normal", dizia. "Tem algum problema. Ele parece bem, mas não está. Juro."

Os médicos fizeram lá aquelas coisas de médico e receberam resultados, que, infelizmente, só diziam que Elliot estava totalmente normal — em ao menos algo que se encaixava no que *eles* entendiam como normal, talvez até acima da média. As tomografias computadorizadas não acusavam nada. Seu QI ainda era alto. Seu raciocínio estava coerente. A memória, ótima. Era capaz de se estender sobre efeitos e consequências de suas más escolhas. Conversava sobre uma ampla gama de temas com bom humor e charme. Segundo o psiquiatra, Elliot não estava deprimido. Pelo contrário, tinha uma autoestima sólida e nenhum sinal de ansiedade crônica ou estresse — exibia uma calma quase zen, mesmo estando no olho do furacão causado pela própria negligência.

32 F*DEU GERAL

O irmão não conseguia aceitar. *Algo* estava errado. *Algo* estava faltando.

Finalmente, no desespero, Elliot foi encaminhado a um famoso neurocientista chamado António Damásio.

De início, Damásio fez as mesmas coisas que os outros médicos: submeteu Elliot a uma série de testes cognitivos. Memória, reflexos, inteligência, personalidade, relações espaciais, raciocínio moral — tudo normal. Elliot foi aprovado com louvor.

Então o neurocientista fez algo que nenhum outro médico havia cogitado: conversou com ele; conversou de verdade. Queria saber tudo: cada equívoco, cada erro, cada arrependimento. Como Elliot havia perdido o emprego, a família, a casa, as economias? Me explique cada decisão, a lógica de pensamento por trás de cada uma delas (ou, naquele caso, a falta de lógica).

Elliot era capaz de explicar em detalhes *quais* decisões havia tomado, mas não conseguia explicar o *motivo*. Rememorava fatos e sequências de eventos com uma fluidez perfeita e até mesmo certa carga dramática, mas quando lhe pediam que analisasse seu processo de tomada de decisão — por que achara que comprar um grampeador era mais importante do que encontrar um investidor?, por que havia considerado James Bond mais interessante que seus filhos? —, dava um branco. Não tinha respostas. E não só isso: não parecia sequer abalado. A verdade é que ele não dava a mínima.

Ali estava um homem que havia perdido *tudo* por causa de más escolhas e erros, que apresentava uma *ausência total de autocontrole* e tinha plena consciência do desastre em que sua vida se transformara, e no entanto não aparentava qualquer remorso, qualquer autorrepulsa, nem sequer um pouco de constrangimento. Muita gente cometia suicídio por menos. E ali estava ele, não apenas confortável com o próprio infortúnio, mas *indiferente*.

Foi quando Damásio teve uma percepção brilhante: os testes psicológicos a que Elliot fora submetido eram concebidos para medir sua capacidade de *pensar*, não sua capacidade de *sentir*. Todos os médicos haviam se preocupado tanto em identificar se ele estava apto a raciocinar que nenhum havia imaginado que os danos de Elliot talvez estivessem na sua *capacidade emotiva*. Mas mesmo que tivessem se dado conta disso, não existia uma forma padronizada de medir tais danos.

Um dia, um dos assistentes de Damásio imprimiu uma série de fotos grotescas e perturbadoras. Vítimas de queimaduras, cenas de assassinato horrendas, cidades devastadas pela guerra e crianças morrendo de fome. Então as mostrou para Elliot, uma a uma.

Elliot ficou completamente indiferente. Não sentiu nada. E sua falta de reação foi tão chocante que até ele mesmo comentou que era doentio. Admitiu que tais imagens com certeza o teriam abalado no passado, que seu coração teria se contorcido de empatia e horror, que teria virado o rosto com aversão. Mas naquele momento... Sentado ali, diante das mais sombrias distorções da experiência humana, Elliot não sentia nada.

E este, concluiu Damásio, era o problema: embora o conhecimento e o raciocínio de Elliot estivessem intactos, o tumor e/ou a cirurgia para removê-lo haviam debilitado sua capacidade de empatia e sentimento. Seu mundo interior já não abarcava luz e sombra, mas se resumia a um infinito miasma cinzento. Assistir ao recital de piano da filha evocava nele toda a vibração e o esfuziante orgulho paternal de comprar um par de meias. Perder um milhão de dólares lhe causava tantas emoções quanto encher o tanque do carro, pôr os lençóis para lavar ou assistir a um *game show*. Ele havia se tornado uma máquina ambulante de indiferença. E sem dispor da habilidade de fazer juízos de valor, de diferenciar o melhor do pior, independentemente de quão inteligente fosse, Elliot havia perdido seu autocontrole.[3]

Mas isso levantava uma grande questão: se as habilidades cognitivas de Elliot (sua inteligência, sua memória, sua atenção) estavam todas em perfeito estado, por que ele já não era mais capaz de tomar decisões efetivas?

Aquilo intrigava Damásio e sua equipe. Todos já desejamos em algum momento não sentir emoções, pois elas muitas vezes nos levam a fazer bobagens das quais nos arrependemos depois. Durante séculos, psicólogos e filósofos partiram do pressuposto de que represar ou suprimir as emoções era a solução para todos os problemas da vida. E, entretanto, ali estava um homem inteiramente destituído de suas emoções e de sua empatia, alguém a quem haviam restado apenas a inteligência e o raciocínio, e cuja vida havia se degenerado depressa. Seu caso contrariava todo o senso comum a respeito de decisões racionais e autocontrole.

Mas havia uma segunda questão, igualmente desconcertante: se Elliot tinha inteligência aguçada e conseguia resolver qualquer problema através da lógica, por que seu rendimento profissional despencara? Por que a sua produtividade tinha ido ladeira abaixo? Por que, em termos práticos, abandonara a família sabendo muito bem quais seriam as consequências negativas? Mesmo que você já não dê a mínima para sua esposa ou seu trabalho, deveria ser capaz de concluir *racionalmente* a importância de mantê-los, certo? Convenhamos, até os psicopatas compreendem isso. Como Elliot não compreendeu? Falando sério, o que custa aparecer numa partida de beisebol juvenil vez ou outra? De alguma forma, ao perder a capacidade de sentir, Elliot também havia perdido a capacidade de tomar decisões. Havia perdido a habilidade de controlar a própria vida.

Todos já passamos pela experiência de saber o que *deveríamos* fazer, mas, mesmo assim, não conseguir sair do lugar. Todos já adiamos tarefas importantes, ignoramos pessoas queridas e deixamos de agir em benefício próprio. Sendo que, na maioria das vezes, quando deixamos de fazer algo necessário, é sob o pressuposto de que não conseguimos controlar nossas emoções tanto quanto precisávamos. Nos falta a disciplina, ou então o conhecimento.

O caso de Elliot, porém, colocou tudo isso em dúvida. Colocou em dúvida a própria ideia de autocontrole, segundo a qual podemos nos forçar por meio da lógica a fazer coisas que trarão benefícios, independentemente de nossos impulsos e emoções. Para criar esperança em nossa vida, precisamos primeiro sentir que temos controle sobre ela. Precisamos sentir que estamos no caminho do que é bom e certo; que estamos em busca de "algo melhor". E, no entanto, muitos de nós lutamos contra a falta de habilidade em matéria de autocontrole. O caso de Elliot seria um dos mais reveladores para se entender por que isso ocorre. Esse homem, pobre, isolado e solitário, olhando fotos de corpos mutilados e destroços de terremotos que serviriam facilmente de metáfora para sua própria vida; esse homem que havia perdido tudo, absolutamente tudo, e ainda sorria ao contar a história... seria o segredo para revolucionar nossa compreensão da mente humana, de como tomamos decisões e de quanto autocontrole de fato temos.

A Suposição Clássica

Certa vez, quando lhe perguntaram sobre sua relação com a bebida, o músico Tom Waits resmungou a célebre resposta: "Prefiro uma garrafa na minha frente do que uma lobotomia frontal." Aparentava estar bêbado ao dizer aquilo. Ah, sim, e foi na televisão, em rede nacional.[4]

A lobotomia frontal é uma forma de cirurgia cerebral: abre-se um buraco no crânio através do nariz, e o lóbulo frontal é delicadamente fatiado com um picador de gelo.[5] O procedimento foi inventado em 1935 por um neurologista chamado António Egas Moniz.[6] Ele descobriu que, se pegássemos gente com ansiedade extrema, depressão suicida ou outros problemas mentais (por exemplo, crises de desesperança) e mutilássemos seus cérebros na medida exata, eles sossegariam o facho.

Egas Moniz acreditava que a lobotomia, uma vez aperfeiçoada, poderia curar todas as doenças mentais, e foi assim que ele vendeu sua técnica ao mundo. No fim dos anos 1940, o procedimento era um sucesso e foi utilizado em dezenas de milhares de pacientes por todo o globo. Egas Moniz chegaria a ganhar um Prêmio Nobel por sua descoberta.

Mas, por volta dos anos 1950, as pessoas começaram a se dar conta de que — por mais louco que pareça — fazer um furo no meio da testa e raspar o cérebro de alguém como quem tira gelo do para-brisa de um carro pode produzir alguns efeitos colaterais negativos. E por "alguns efeitos colaterais negativos" entenda-se o paciente virar um vegetal. Ainda que frequentemente "curasse" pacientes de suas flutuações emocionais extremas, o procedimento também os deixava incapazes de se concentrar, tomar decisões, manter uma carreira, fazer planos de longo prazo ou exercer o pensamento abstrato a respeito de si próprios. Viravam essencialmente zumbis anestesiados. Viravam um Elliot.

A União Soviética, logo quem, foi o primeiro país a proibir a lobotomia. Segundo os soviéticos, o procedimento era "contrário aos princípios humanos" e "transformava uma pessoa insana num idiota"[7]. De certa forma, foi um choque de realidade para o resto do mundo, pois, convenhamos, quando Josef Stalin dá um sermão sobre ética e decência humana, é sinal de que deu merda.

Depois disso, outras nações começaram lentamente a banir a prática. Nos anos 1960, a lobotomia já era universalmente odiada. A última ocorreria nos Estados Unidos em 1967, e o paciente morreria. Dez anos depois, Tom Waits, bêbado, resmungaria sua famosa frase na televisão e o resto, como se diz por aí, é história.

Tom Waits era um tremendo alcoólatra e passou a maior parte dos anos 1970 tentando manter os olhos abertos e lembrar onde tinha deixado os cigarros.[8] Ainda arrumou tempo para compor e gravar sete álbuns brilhantes naquele período. Tão prolífico quanto profundo, ganhou prêmios e vendeu milhões de discos celebrados mundialmente. Era daqueles raros artistas dotados de uma percepção surpreendente sobre a condição humana.

A piadinha de Waits sobre a lobotomia nos faz rir, mas traz uma sabedoria oculta: é melhor ter que lidar com a paixão pela garrafa do que não ter paixão nenhuma; é melhor encontrar esperança na sarjeta do que em lugar nenhum; é compreender que não somos nada sem nossos impulsos indisciplinados.

Basicamente, sempre houve uma suposição tácita de que nossas emoções são a causa de todos os problemas e que nossa razão precisa chegar de supetão para organizar a bagunça. Essa linha de pensamento remete a Sócrates, que declarava ser a razão a raiz de toda virtude.[9] Na aurora do Iluminismo, Descartes defendeu que nossa razão era separada de nossos desejos animalescos e que ela teria de aprender a controlar esses impulsos.[10] Kant disse algo parecido.[11] Freud também, só que meteu um monte de pênis no meio.[12] E quando Egas Moniz lobotomizou a primeira paciente, em 1935, tenho certeza de que ele acreditou que tinha descoberto uma forma de fazer o que filósofos já diziam ser necessário havia dois mil anos: entregar à razão o domínio sobre as paixões desgovernadas, ajudar a maldita humanidade a finalmente ter algum controle sobre si mesma.

Esta suposição (de que devemos usar nossa racionalidade para dominar as emoções) se espalhou pelos séculos e continua a definir grande parte de nossa cultura. Vamos chamá-la de "Suposição Clássica". Diz a Suposição Clássica que, se uma pessoa é indisciplinada, desobediente ou maliciosa, isso se deve à incapacidade de subjugar os próprios sentimentos. Ela não tem força de vontade suficiente ou é simplesmente toda errada. A Suposição Clássica enxerga paixão e emoção como falhas, erros inerentes à psique humana que precisam ser superados e consertados na própria pessoa.

Hoje em dia, é geralmente com base na Suposição Clássica que julgamos os outros. Obesos são ridicularizados e culpabilizados porque a obesidade é encarada como uma falha de autocontrole. *Eles sabem* que deveriam ser magros, mas continuam a comer. Por quê? Só pode ter algo errado com eles, supomos. Mesma coisa com os fumantes. Os dependentes químicos, sem dúvida, recebem o mesmo tratamento, mas muitas vezes com um estigma extra, o de criminosos.

Pessoas deprimidas e com tendências suicidas são submetidas à Suposição Clássica de uma maneira perigosa, pois ouvem que a incapacidade de criar esperança e sentido para a própria vida é culpa delas, cacete, e que se fizessem só um pouquinho mais de esforço, se enforcar com a própria gravata talvez não fosse uma ideia tão atraente assim.

Sucumbir a nossos impulsos é visto como uma deficiência moral. Vemos a falta de autocontrole como sinal de falha de caráter. Por outro lado, gente que reprime as emoções é celebrada. Temos tesão por atletas, empresários e líderes implacáveis e de eficiência robótica. Se um CEO dorme debaixo da mesa do escritório e passa seis semanas sem ver os filhos — isso que é determinação, porra! Viu? Qualquer um pode ser bem-sucedido!

É bem fácil enxergar como a Suposição Clássica pode levar a algumas... ahn, bem, suposições danosas. Se ela for verdade, *devemos* ser capazes de exibir autocontrole, evitar rompantes emocionais e crimes passionais e afastar vícios e indulgências pura e simplesmente pelo esforço mental. E qualquer fracasso nesse sentido reflete uma falha inerente ou um problema interno.

É por isso que frequentemente nos entregamos à falsa crença de que precisamos mudar quem somos. Pois, se não conseguimos atingir nossas metas, se não conseguimos perder peso, ser promovidos ou desenvolver certa habilidade, isso significa alguma deficiência interna. Para manter a esperança, é preciso *mudar quem somos*, virar alguém totalmente novo e diferente. Desse desejo de mudar a nós mesmos, portanto, renasce a esperança. O "velho eu" não conseguiu se livrar do maldito cigarro, mas o "novo eu" conseguirá. E lá vamos nós à luta de novo.

O desejo constante de mudar a si mesmo se torna então um vício à parte: cada ciclo de "mudança do nosso jeito de ser" resulta em fracassos semelhantes de autocontrole e termina nos convencendo de que precisamos de uma nova "mudança do nosso jeito de ser". Cada ciclo nos reabastece com a esperança necessária. E nesse ínterim, a raiz do problema, a Suposição Clássica, jamais é abordada ou questionada, muito menos descartada.

Nos últimos séculos, toda uma indústria brotou (feito espinhas na puberdade) em torno dessa ideia de "mudar nosso jeito de ser". Uma indústria repleta de falsas promessas e pistas para o segredo da felicidade, do sucesso e do autocontrole. Contudo, a única coisa que ela faz é reforçar os mesmos impulsos que, para começo de conversa, levam as pessoas a se sentirem inadequadas.[13]

A verdade é que a mente humana é muito mais complexa do que qualquer "segredo". Não dá para uma pessoa simplesmente mudar, e digo mais: ela não deveria ficar o tempo todo achando que precisa fazer isso.

Nós nos agarramos à narrativa do autocontrole porque a crença de sermos capazes de controlar a nós mesmos por completo é uma grande fonte de esperança. *Queremos* acreditar que mudar quem somos é tão simples quanto saber o que mudar. *Queremos* acreditar que a capacidade de fazer algo é tão simples quanto tomar essa decisão, basta apenas ter força de vontade suficiente. *Queremos* acreditar que somos mestres de nosso próprio destino, capazes de fazer qualquer coisa que sonharmos.

Isso foi o que tornou a descoberta de Damásio com "Elliot" tão importante: ela mostrou como a Suposição Clássica estava errada. Se estivesse correta, se a vida fosse tão simples quanto aprender a controlar as emoções e tomar decisões com base na razão, era para Elliot ter sido um cara imbatível, incansavelmente aplicado e um tomador de decisões implacável. Da mesma forma, se a Suposição Clássica estivesse correta, as lobotomias estariam em voga até hoje. Economizaríamos para fazer essa cirurgia como se economiza para colocar silicone.

Mas lobotomias *não* funcionam, e a vida de Elliot foi destruída.

Precisamos de mais do que força de vontade para obter autocontrole. No fim das contas, nossas emoções são fundamentais em nosso processo de tomada de decisão. Só que nem sempre nos damos conta disso.

Temos dois cérebros, e eles se comunicam muito mal entre si

Faça de conta que a sua mente é um carro. Vamos chamá-lo de "Carro da Consciência". Seu Carro da Consciência segue pela estrada da vida, por cruzamentos, entradas e saídas de vias expressas. Essas rodovias e cruzamentos representam as decisões que você precisa tomar ao dirigir e que vão determinar seu destino.

Dentro do Carro da Consciência viajam dois passageiros: o Cérebro Pensante e o Cérebro Sensível.[14] O Cérebro Pensante representa os pensamentos conscientes, a habilidade de fazer cálculos, a capacidade de analisar várias opções de forma racional e de expressar ideias por meio da linguagem. O Cérebro Sensível representa as emoções, os impulsos, a intuição e o instinto. Enquanto o Cérebro Pensante está pensando quando a fatura do cartão de crédito vai fechar, o Cérebro Sensível quer vender tudo e fugir para o Taiti.

Cada um tem pontos fortes e fracos. O Cérebro Pensante é meticuloso, exato e imparcial. É metódico e racional, mas também lento. Demanda esforço e energia e, como um músculo, precisa ser esculpido ao longo do tempo e pode sofrer fadiga se sobrecarregado.[15] O Cérebro Sensível, contudo, chega a conclusões de forma rápida e sem esforço. O problema é que elas são frequentemente imprecisas e irracionais. O Cérebro Sensível é ainda meio dramático e tem o mau hábito de reagir de forma exagerada.

Quando pensamos em nós e em nosso processo decisório, em geral partimos do pressuposto de que o Carro da Consciência está sendo guiado pelo Cérebro Pensante enquanto o Sensível fica no banco do carona gritando para onde quer ir. Estamos seguindo nosso caminho, cumprindo nossas metas e descobrindo como fazer para chegar em casa quando o Cérebro Sensível, esse desgraçado, de repente avista algo brilhante, sexy ou curioso, e gira o volante naquela direção, nos jogando na contramão, causando danos a Carros da Consciência alheios e ao nosso.

Essa é a Suposição Clássica, a crença de que a razão basicamente está no controle da nossa vida e de que temos que treinar as emoções para sentarem a bunda na cadeira e calarem a boca enquanto o adulto dirige. E então nos parabenizamos quando raptamos e mantemos as emoções em cárcere privado e elogiamos nosso próprio autocontrole.

Mas o Carro da Consciência não funciona assim. Quando o tumor foi extirpado, o Cérebro Sensível de Elliot foi atirado para fora do veículo mental em movimento, e nada melhorou para ele. Na verdade, seu Carro da Consciência empacou. Pacientes lobotomizados tiveram os Cérebros Sensíveis amarrados e jogados no porta-malas, o que resultou em nada mais do que pessoas sedadas e indolentes, incapazes de botar o pé fora da cama ou, muitas vezes, até de se vestirem sozinhas.

Tom Waits, enquanto isso, era puro Cérebro Sensível e ganhava uma nota preta para aparecer bêbado na TV. É isso aí.

Eis a verdade: o Cérebro Sensível é quem dirige o Carro da Consciência. Dane-se se você se acha muito científico ou quantos títulos tem: você é gente como a gente, ok? Um robô doido, de carne e osso, conduzido pelo Cérebro Sensível que nem todo mundo. E vê se vira esses perdigotos para lá.

O Cérebro Sensível conduz nosso Carro da Consciência, pois, em última análise, *só a emoção nos faz agir*. Isso porque ação é emoção.[16] A emoção é o sistema hidráulico biológico que impulsiona o movimento do corpo. O medo não é algo mágico que nosso cérebro inventa. Não, ele de fato acontece no corpo. É o aperto no estômago, a tensão nos músculos, a descarga de adrenalina, o desejo opressivo por espaço. Enquanto o Cérebro Pensante existe tão somente no interior das sinapses dentro do crânio, o Cérebro Sensível é a sabedoria e a estupidez do corpo inteiro. A raiva impele o corpo ao movimento. A ansiedade o leva a se retrair. A alegria acende os músculos da face, ao passo que a tristeza tenta encobrir nossa existência. Emoção inspira ação. Ação inspira emoção. As duas são inseparáveis.

Assim chegamos à mais simples e mais óbvia resposta para a maior questão de todos os tempos: por que não fazemos as coisas que sabemos que temos que fazer?

Porque não estamos *a fim*.

Todo problema de autocontrole não é um problema de informação, disciplina ou razão, mas de *emoção*. Autocontrole é um problema emocional; preguiça é um problema emocional; procrastinação é um problema emocional; baixo rendimento é um problema emocional; impulsividade é um problema emocional.

Que droga. Porque é muito mais difícil lidar com problemas emocionais do que com problemas lógicos. Há equações que ajudam você a calcular as contas do mês ou a prestação do carro. Mas não há fórmula que ajude a terminar um relacionamento, por exemplo.

E, como você já deve ter deduzido a esta altura, a compreensão intelectual do que fazer para mudar de comportamento não muda o comportamento (vai por mim, já li uns doze livros sobre nutrição e estou comendo um burrito enquanto escrevo isso). A gente *sabe* que deveria parar de fumar ou de ingerir açúcar ou de falar mal dos amigos pelas costas, mas continua fazendo. E não é por falta de noção; é por falta de vontade. Problemas emocionais são irracionais, ou seja, não adianta argumentar. E isso nos leva a uma notícia ainda pior: problemas emocionais só podem ter soluções emocionais. Está tudo nas mãos do Cérebro Sensível. E caso você não tenha visto como a maioria dos Cérebros Sensíveis dirigem, é de se borrar de medo.

Enquanto tudo isso acontece, o Cérebro Pensante está no banco do carona se imaginando no controle da situação. Se o Cérebro Sensível é o motorista, o Cérebro Pensante é nosso GPS: ele tem uma coleção de mapas da realidade, que foi desenhando e guardando ao longo da vida. É capaz de dar meia-volta e encontrar caminhos alternativos para o mesmo destino. Conhece as armadilhas e os atalhos. Enxerga a si mesmo, corretamente, como o cérebro racional, inteligente, e acredita que isso lhe dê certo privilégio na direção do Carro da Consciência. Mas, infelizmente, não dá. Como disse Daniel Kahneman certa vez, o Cérebro Pensante é "o coadjuvante que se acha herói".[17]

Ainda que por vezes não se aturem, nossos dois cérebros precisam um do outro. O Cérebro Sensível gera as emoções que nos impelem a agir; o Cérebro Pensante sugere como direcionar nossos atos. A palavra-chave aqui é *sugere*. Ainda que o Cérebro Pensante não controle o Cérebro Sensível, pode *influenciá-lo*, às vezes em alto grau. O Cérebro Pensante pode convencer o Cérebro Sensível a buscar uma nova estrada para um futuro melhor, a fazer o retorno após cometer um erro ou a considerar novas rotas e territórios antes ignorados. Mas o Cérebro Sensível é teimoso e, se quiser seguir em determinada direção, vai fazê-lo não importa quantos fatos e dados o Cérebro Pensante lhe forneça. O psicólogo moral Jonathan Haidt compara os dois cérebros a um elefante e seu condutor: o humano pode gentilmente guiar e induzir o animal a determinada direção, mas, no fim das contas, o elefante vai para onde quiser.[18]

O Carro de Palhaço

Por melhor que seja, o Cérebro Sensível tem seu lado sombrio. No Carro da Consciência, ele se assemelha a um namorado abusivo que se recusa a encostar o carro e pedir informações: *odeia* que lhe digam para onde ir e pode ter certeza de que vai infernizar sua vida se você o questionar ao volante.

Para evitar tais confusões psicológicas e manter certa esperança, o Cérebro Pensante costuma desenhar mapas para explicar ou justificar o caminho que o Cérebro Sensível já decidiu pegar. Se o Cérebro Sensível quer sorvete, em vez de contradizê-lo com informações sobre açúcar refinado e calorias em excesso, o Cérebro Pensante decide pensar: "Quer saber? Trabalhei para cacete hoje. *Eu mereço* tomar um sorvete." Então o Cérebro Sensível reage com uma sensação de tranquilidade e bem-estar. Se seu Cérebro Sensível conclui que seu parceiro é um babaca e você não fez nada de errado, a reação imediata do Cérebro Pensante será lembrar ocasiões nas quais você foi de fato um bastião de paciência e humildade enquanto seu parceiro conspirava em segredo para arruinar sua vida.

Dessa forma, os dois desenvolvem um relacionamento realmente doentio que talvez lembre seus pais no carro durante as viagens em família quando você era pequeno. O Cérebro Pensante inventa coisas que o Cérebro Sensível quer ouvir. E este, em troca, promete não jogar o carro para fora da pista e matar todo mundo.

É incrivelmente fácil deixar o Cérebro Pensante cair na armadilha de desenhar mapas apenas para os caminhos que o Cérebro Sensível quer trilhar. Isso se chama "viés autosservidor", e é a base de praticamente tudo de horrível na humanidade.

Em geral, o viés que serve a si mesmo só nos torna preconceituosos e ligeiramente autocentrados. Começamos a acreditar que se *soa* certo, *está* certo. Fazemos juízos de valor instantâneos sobre pessoas, lugares, grupos e ideias, muitos dos quais injustos ou até mesmo um pouco intolerantes.

Mas em sua forma extrema, o viés que serve a si mesmo pode virar puro e simples delírio e nos levar a crer numa realidade inexistente, borrando lembranças e exagerando fatos, tudo a serviço dos desejos inesgotáveis do Cérebro Sensível. Se o Cérebro Pensante for fraco e/ou ignorante, ou se o Cérebro Sensível estiver descontrolado, o primeiro acabará sucumbindo aos caprichos incendiários e à direção perigosa do segundo. Perderá a capacidade de pensar por si ou de contradizer as conclusões do Cérebro Sensível.

Para todos os efeitos, isso transforma o Carro da Consciência em um Carro de Palhaço, com rodas vermelhas e molengas gigantes e música de circo tocando no alto-falante o tempo todo.[19] O Carro da Consciência vira o Carro de Palhaço quando o Cérebro Pensante capitula por completo ao Cérebro Sensível, quando nossas metas de vida são determinadas puramente pela autogratificação, quando a verdade é distorcida até virar uma caricatura de presunções egoístas, quando todas as crenças e princípios se perdem em um mar de niilismo.

O Carro de Palhaço invariavelmente leva ao vício, ao narcisismo e à compulsão. Pessoas com mentes configuradas dessa forma são facilmente manipuladas por qualquer pessoa ou grupo que as faça, de forma consistente, se sentirem bem — seja um líder religioso, um político, um guru de autoajuda ou um fórum de mensagens escabroso na internet. Um Carro de Palhaço passará por cima de outros Carros da Consciência (ou seja, outras pessoas) com suas grandes rodas vermelhas de borracha, sem a menor cerimônia, pois seu Cérebro Pensante justificará o ato dizendo que eles mereciam: eram maus, inferiores ou parte de algum problema inventado.

Alguns Carros de Palhaço tomam apenas o rumo da diversão: só querem saber de beber, trepar e cair na farra. Já os que buscam poder são os mais perigosos, pois seus Cérebros Pensantes arregaçam as mangas para justificar comportamentos abusivos e dominadores por meio de teorias com verniz intelectual sobre economia, política, etnia, genética, gênero, biologia, história e por aí vai. Um Carro de Palhaço por vezes também buscará o ódio, que oferece uma dose bizarra de satisfação e autoconfiança. Mentes assim tendem a desenvolver uma raiva cheia de razão, asseguradas de sua superioridade moral por alvos externos. Isso inevitavelmente leva à destruição de outros, pois é só através da destruição e da dominação do mundo externo que seus inesgotáveis impulsos internos podem ser satisfeitos.

Quando uma pessoa entra no Carro de Palhaço, é difícil tirá-la de lá. O Cérebro Pensante já apanhou e sofreu tanto na mão do Cérebro Sensível que acaba desenvolvendo uma espécie de síndrome de Estocolmo: é incapaz de imaginar uma vida com outro propósito que não agradá-lo e justificá-lo. A ideia de contradizê-lo ou de questionar seus caminhos é insondável, e ele se ressente de quem sugira algo parecido. No Carro de Palhaço, não existe pensamento independente nem habilidade de medir contradições ou modificar crenças ou opiniões. De certa forma, a pessoa com uma mente de Carro de Palhaço deixa de ter qualquer identidade individual.

É por isso que líderes de cultos sempre encorajam as pessoas logo de cara a desligar o máximo possível dos Cérebros Pensantes. Isso de início *soa* profundo, pois o Cérebro Pensante vive corrigindo o Cérebro Sensível, apontando os caminhos errados que já pegaram. Portanto, silenciar o Cérebro Pensante proporcionará uma ótima sensação a curto prazo. E as pessoas sempre confundem sensações boas com algo que seja de fato bom.

Este metafórico Carro de Palhaço foi o que inspirou filósofos da antiguidade a alertar contra a complacência excessiva e a adoração dos sentimentos.[20] Foi o medo do Carro de Palhaço que inspirou gregos e romanos a pregar as virtudes e, posteriormente, levou a Igreja Católica a vender a mensagem de abstinência e abnegação.[21] Tanto os filósofos clássicos quanto a Igreja haviam

Autocontrole é uma ilusão 47

sido testemunhas da destruição provocada por narcisistas e megalomaníacos no poder. E ambos acreditavam só haver uma maneira de administrar o Cérebro Sensível: privando-o, dando-lhe o mínimo de oxigênio possível, impedindo assim que ele explodisse e destruísse o mundo ao redor. Essa ideia gestou a Suposição Clássica: a única forma de ser uma pessoa boa é através do domínio do Cérebro Pensante sobre o Cérebro Sensível, do triunfo da razão sobre a emoção, do dever sobre o desejo.

Na maior parte da história da humanidade, as pessoas foram brutais, supersticiosas e ignorantes. Gente na Idade Média torturava gatos por esporte e levava os filhos à praça da cidade para assistir à mutilação dos testículos do ladrãozinho das redondezas.[22] Eram todos uns babacas, sádicos e impulsivos. Durante a maior parte da história, o mundo não foi um lugar agradável de se viver, e isso em grande parte porque os Cérebros Sensíveis estavam desenfreados.[23] Muitas vezes foi apenas a Suposição Clássica que separou a civilização da total anarquia.

Então, nos últimos duzentos anos mais ou menos, algo aconteceu. As pessoas construíram trens, carros, inventaram aquecimento central, essas coisas. A prosperidade econômica deixou para trás os impulsos humanos. As pessoas já não ficavam com tanto medo de não ter o que comer ou de serem mortas por insultar o rei. A vida se tornou mais confortável e fácil. As pessoas passaram a ter tempo de sobra para se sentar, pensar e refletir sobre todo tipo de porcaria existencial que nunca haviam considerado.

O resultado foi a eclosão de vários movimentos de defesa do Cérebro Sensível ao fim do século XX.[24] E, de fato, a libertação do Cérebro Sensível da opressão do Cérebro Pensante foi incrivelmente terapêutica para milhões de pessoas (e continua a ser).

O problema é que as pessoas começaram a ir para o extremo oposto. Se antes reconheciam e honravam os próprios sentimentos, passaram, mais tarde, a acreditar que esses sentimentos eram *a única coisa que importava*. Sobretudo a classe média branca das grandes cidades criada sob a égide da Suposição Clássica, que cresceu infeliz até entrar em contato com seus Cérebros Sensíveis bem mais tarde na vida. Como essas pessoas nunca haviam enfrentado problemas de verdade, a não ser por se sentirem mal, passaram a acreditar erroneamente que só os sentimentos importavam e os inconvenientes mapas do Cérebro Pensante serviam apenas para dispersar sua atenção de tais sentimentos. Muitas chamavam esse desligamento dos Cérebros Pensantes em favor dos Cérebros Sensíveis de "desenvolvimento espiritual", convencendo-se de que serem estúpidas e alienadas as tornava mais esclarecidas,[25] quando, na verdade, só estavam satisfazendo o velho Cérebro Sensível. Era o clássico Carro de Palhaço com uma nova carcaça espiritualizada.[26]

Entregar-se excessivamente às emoções leva a uma crise de esperança, mas reprimi-las também.[27]

Quem nega seu Cérebro Sensível torna-se insensível ao mundo a redor. Ao rejeitar as próprias emoções, a pessoa rejeita fazer juízos de valor, ou seja, a capacidade de avaliar que uma coisa é melhor que outra. Como resultado, torna-se indiferente à vida e aos resultados de suas decisões. Tem dificuldades para se envolver com os demais. Seus relacionamentos são prejudicados. E sua indiferença crônica acaba por acarretar na visita desagradável da Verdade Desconfortável. Afinal, se nada tem importância de mais ou de menos, não há razão para fazer qualquer coisa. E, se não há razão para fazer qualquer coisa, então para que viver?

Enquanto isso, quem nega seu Cérebro Pensante torna-se impulsivo e egoísta, distorce a realidade para que caiba em seus caprichos e fantasias, que jamais são saciados. Sua crise de esperança deriva do fato de que, não importa o quanto coma, beba, domine ou trepe, nunca será o suficiente — nunca vai fazer tanta diferença, nunca vai ter tanto sentido. A pessoa estará presa a uma esteira perpétua de desespero, sempre correndo sem jamais sair do lugar.

E se parar em algum momento, a Verdade Desconfortável a alcançará de imediato.

Eu sei. Estou sendo dramático de novo. Mas preciso ser, Cérebro Pensante. Caso contrário, o Cérebro Sensível vai se entediar e fechar este livro. Aliás, já se perguntou por que você não consegue largar um livro muito bom? Não é *você* quem não consegue, seu idiota: é o Cérebro Sensível. É a expectativa e o suspense; a alegria da descoberta e a satisfação da resolução. A boa escrita é aquela capaz de falar aos dois cérebros e estimulá-los ao mesmo tempo.

E este é justamente o problema: como falar a ambos os cérebros, integrá-los num todo unificado, cooperativo, coordenado? Porque, se o autocontrole é uma ilusão criada pelo amor-próprio exagerado do Cérebro Pensante, é a autoaceitação que vai nos salvar — aceitar nossas emoções e trabalhar com elas ao invés de contra elas. Mas desenvolver isso vai dar trabalho, Cérebro Pensante. Vejo você na próxima seção.

Carta aberta ao Cérebro Pensante

E aí, Cérebro Pensante?

Como é que estão as coisas? Como vai a família? E aquele negócio lá do imposto de renda, já resolveu?

Ah, peraí. Deixa para lá. Esqueci que não estou nem aí para essa merda.

Olha só, sei que o Cérebro Sensível está complicando sua vida. Talvez seja um relacionamento importante. Talvez esteja levando você a fazer ligações constrangedoras às três da manhã. Talvez esteja se medicando com substâncias que muito provavelmente não deveriam ser ingeridas. Sei que você gostaria de controlar um ou outro aspecto seu, mas não consegue. E imagino que às vezes este problema faça você perder a esperança.

Mas escuta aqui, Cérebro Pensante, tudo isso que você odeia tanto no Cérebro Sensível — os desejos, os impulsos, as péssimas decisões... Você precisa dar um jeito de desenvolver empatia em relação a isso tudo. Porque esse é o único idioma que o Cérebro Sensível entende de verdade: empatia. Ele é uma criatura sensível; afinal, é composto dessa porcaria que você chama de sentimentos. Eu sei. Eu também gostaria que não fosse assim. Gostaria que bastasse mostrar uma planilha para que ele entendesse — como *a gente* entende, sabe? Mas não basta.

Em vez de bombardear o Cérebro Sensível com *fatos* e *bom senso*, pergunte como ele está se sentindo. Fale alguma coisa do tipo "e aí, Cérebro Sensível, o que você acha de ir à academia hoje?" ou "já pensou em mudar de carreira?" ou "que tal vender tudo e se mudar pro Taiti?".

O Cérebro Sensível não vai responder com palavras. Não, ele é agitado demais para isso. Vai responder com sentimentos. É, eu sei que é óbvio, mas você às vezes é meio tapado, Cérebro Pensante.

Talvez o Cérebro Sensível reaja com certa preguiça ou ansiedade. Talvez até misture emoções, um pouco de entusiasmo com uma pitada de raiva. Enfim. É seu papel como Cérebro Pensante (ou seja, a parte responsável dentro do crânio) não o julgar independentemente dos sentimentos que expresse. Preguiça? Tudo bem; todo mundo sente preguiça de vez em quando. Autorrejeição? Talvez seja um convite para levar esta conversa adiante. A academia fica para depois.

É importante deixar o Cérebro Sensível botar para fora todos os sentimentos desagradáveis ou doentios. Deixe todos eles darem uma volta em um lugar onde possam respirar. Quanto mais respiram, com menos força seguram o volante do Carro da Consciência.[28]

Então, quando sentir que chegou a um acordo com o Cérebro Sensível, é hora de recorrer a ele de uma forma que ele entenda: através de sentimentos. Pensar talvez em todos os benefícios de algum novo comportamento desejado. Mencionar de repente tudo que há de sexy, brilhante e divertido no destino desejado. Talvez lembrar a ele como é boa a sensação de se exercitar, como vai ser legal ficar bem de sunga ou biquíni no verão, o respeito que temos por nós mesmos quando damos sequência às nossas metas, como ficamos felizes quando vivemos de acordo com nossos valores, quando damos exemplo aos que amamos.

Basicamente, você precisa barganhar com o Cérebro Sensível da mesma forma que faria ao comprar algo na feira: ele precisa acreditar que está fazendo um bom negócio, senão vai ser só um monte de gestos e gritaria sem resultado. Você pode talvez aceitar fazer alguma coisa que ele goste, se ele topar fazer alguma coisa que não goste. Deixe ele assistir a sua série favorita, desde que seja na esteira da academia. Deixe ele sair com os amigos, desde que as contas do mês estejam pagas.[29]

Pegue leve no início. Lembre-se: o Cérebro Sensível é mesmo muito sensível, totalmente irracional.

Quando a oferta parece ser fácil e conter benefícios emocionais (por exemplo, o bem-estar pós-exercício; a busca por uma carreira significativa; ser admirado e respeitado pelos filhos), o Cérebro Sensível reage com outra emoção, positiva ou negativa. Se for positiva, ele se mostrará disposto a caminhar um pouquinho naquela direção — mas só um pouquinho! Lembre-se de que sentimentos nunca duram. Por isso é preciso começar aos poucos. Calce o tênis hoje, Cérebro Sensível, só isso. Vamos ver o que acontece.[30]

Se a reação dele for negativa, deixe registrado e ofereça outra concessão. Veja como ele reage. Enxágue e repita.

Seja como for, *não brigue* com o Cérebro Sensível porque isso só vai piorar as coisas. Para início de conversa, você não vai ganhar. Nunca. Ele está sempre no comando. Em segundo lugar, brigar com o Cérebro Sensível por causa de algum mal-estar só vai fazer ele se sentir pior. Para que você vai fazer isso? Era para você ser a parte esperta, Cérebro Pensante.

Essa conversa com o Cérebro Sensível vai continuar da mesma forma, esse mesmo bate-bola, dia sim, dia não, por dias, semanas ou até mesmo meses. Putz, anos. Esse diálogo entre cérebros requer prática. Para alguns, isso implica em reconhecer a emoção à qual o Cérebro Sensível está recorrendo. Os Cérebros Pensantes de algumas pessoas ignoram os Cérebros Sensíveis há tanto tempo que demora até que aprendam a escutá-lo de novo.

Outras pessoas terão o problema oposto: treinar o Cérebro Pensante a falar mais alto, forçá-lo a propor um pensamento independente (uma nova direção) distinto dos sentimentos do Cérebro Sensível. Essas pessoas precisarão se perguntar: e se meu Cérebro Sensível estiver errado em se sentir assim? E então considerar as alternativas. A princípio, será difícil, mas quanto mais esse diálogo se repetir, mais os dois vão começar a escutar um ao outro. O Cérebro Sensível passará a transmitir emoções diferentes, e o Cérebro Pensante terá uma visão melhor de como ajudar seu parceiro a se locomover pela estrada da vida.

Na psicologia, isso é denominado "regulação emocional", e basicamente se trata de aprender a instalar uma série de *barreiras de proteção* e sinais de mão única na porra da estrada da vida para impedir o Cérebro Sensível de despencar precipício abaixo.[31] Dá muito trabalho, mas talvez seja o único trabalho a ser feito.

Porque a gente não controla os sentimentos, Cérebro Pensante. Autocontrole é uma ilusão que ocorre quando os dois cérebros estão alinhados e voltados para a mesma estratégia. É uma ilusão feita para dar esperança às pessoas. E quando o Cérebro Pensante não está alinhado ao Cérebro Sensível, uma sensação de impotência acomete as pessoas e o mundo ao redor parece desesperador. A única forma de criar regularmente essa ilusão é a comunicação constante e o alinhamento dos cérebros numa mesma sintonia de valores. É uma habilidade, tanto quanto jogar polo aquático ou fazer malabarismo com facas. Dá trabalho. E o fracasso virá. Há o risco de cortar o braço e sujar tudo de sangue. Mas esse é o preço da admissão.

Foque no que você tem, Cérebro Pensante. Você pode não ter autocontrole, mas tem o controle do *significado*. É esse o seu superpoder. É o seu dom. Você controla o *significado* dos seus impulsos e sentimentos. Você os decifra da forma que achar melhor. Você é quem desenha o mapa. E isso é muito poderoso, pois é o significado que atribuímos aos nossos sentimentos que frequentemente pode alterar a reação que causam no Cérebro Sensível.

E é assim que se produz esperança. É assim que se produz a sensação de que o futuro pode ser prolífico e agradável; interpretando de maneira profunda e funcional todas as merdas que o Cérebro Sensível atira na gente. Em vez de justificar os impulsos e de se tornar escravo deles, desafie-os e analise-os. Mude sua natureza e sua forma.

Basicamente é nisso que consiste uma boa terapia, claro. Autoaceitação, inteligência emocional, e coisas assim. Por sinal, todo esse negócio de "ensine seu Cérebro Pensante a decifrar seu Cérebro Sensível e cooperar com ele em vez de julgá-lo e encará-lo como um monstro do mal" é a base da terapia cognitivo-comportamental (TCC), da terapia de aceitação e compromisso (TAC) e de vários outros acrônimos divertidos criados pela psicologia clínica para melhorar nossa vida.

As crises de esperança frequentemente se iniciam com uma ligeira sensação de que não temos controle sobre nós mesmos e sobre o nosso destino. Nos sentimos vítimas do mundo ou, pior, de nossa própria mente. Lutamos contra o Cérebro Sensível, tentamos subjugá-lo. Ou então fazemos o oposto e o seguimos sem questionar. Ridicularizamos a nós mesmos e nos escondemos do mundo por causa da Suposição Clássica. Sendo que, em vários aspectos, a afluência e a conectividade do mundo moderno só pioram a dor da ilusão do autocontrole.

Mas esta é sua missão, Cérebro Pensante, caso queira aceitá-la: conquiste o Cérebro Sensível nos termos dele. Crie um ambiente que atraia seus melhores impulsos e o melhor da sua intuição, em vez de seu lado mais sombrio. Aceitar e trabalhar *com*, não contra, tudo o que o Cérebro Sensível despeja na sua direção.

Todo o resto (todos os julgamentos, presunções e autopropaganda) é ilusório. E sempre foi. Você não controla nada, Cérebro Pensante. Nunca controlou nem vai controlar. Mas nem por isso precisa perder a esperança.

António Damásio acabou por escrever um celebrado livro chamado *O erro de Descartes* sobre suas experiências com "Elliot" e muitas outras pesquisas. Nele, defende a tese de que, da mesma maneira que o Cérebro Pensante produz conhecimento de natureza lógica, factual, o Cérebro Sensível desenvolve a própria forma de conhecimento atrelado a certos valores.[32] O Cérebro Pensante produz associações entre fatos, dados e observações. E o Cérebro Sensível também faz juízos de valor com base nos mesmos fatos, dados e observações. O Cérebro Sensível decide o que é bom e o que é ruim; o que é desejável e o que é indesejável; e, o mais importante, o que *merecemos* e o que *não merecemos*.

O Cérebro Pensante é objetivo e factual. O Cérebro Sensível, subjetivo e relativo. E não importa o que façamos, não conseguiremos traduzir uma forma de conhecimento para a outra.[33] Esse é o *verdadeiro* problema da esperança. É raro que não tenhamos a compreensão *intelectual* de como cortar carboidratos, acordar mais cedo ou parar de fumar. A questão é que, em algum lugar lá no fundo de nossos Cérebros Sensíveis, concluímos que não *merecemos* fazer tais coisas, que não somos dignos delas. E é por isso que essas coisas nos deixam tão mal.

Esse sentimento de indignidade costuma ser o resultado de algum trauma que sofremos. Ao longo da vida, todos nós passamos por experiências terríveis, e nosso Cérebro Sensível conclui que *merecemos* sofrer o que estamos sofrendo. E assim se condiciona a repetir e reviver esse sofrimento, independentemente do bom senso do Cérebro Pensante.

Aí está o problema fundamental do autocontrole. Aí está o problema fundamental da esperança — não um Cérebro Pensante ignorante, mas um Cérebro Sensível ignorante que adota e aceita juízos de valor equivocados sobre si mesmo e sobre o mundo. E aí está, de fato, o desafio de qualquer coisa que se aproxime de uma cura psicológica: tornar claros nossos valores para nós mesmos a fim de que possamos torná-los claros para o mundo.

Colocando a coisa de outra forma, o problema não é não saber *como evitar* um soco na cara. O problema é que, em dado momento, provavelmente muito tempo atrás, levamos um soco na cara e, em vez de revidar, concluímos que merecíamos.

3

As Leis Emocionais de Newton

Na primeira vez que levou uma porrada na cara, Isaac Newton estava de pé em uma plantação. O tio dele estava explicando por que o trigo tinha que ser organizado em fileiras diagonais, mas Isaac não prestou muita atenção. Ele estava olhando para o sol, se perguntando do que a luz era feita. Ele tinha sete anos na época.[1]

O tio então deu um tabefe tão forte na bochecha de Isaac que seu senso de realidade se desfez temporariamente assim que ele caiu. O garoto perdeu toda a sensação de coesão pessoal. E, à medida que partes da sua psique voltavam a se reunir, algum pedacinho secreto dele permaneceu no chão, deixado para trás em um lugar de onde jamais seria recuperado.

O pai de Isaac morreu antes de ele nascer, e a mãe o abandonou quando ainda era pequeno para se casar com um velho rico do vilarejo vizinho. Por isso, Isaac passou seus anos de formação sendo empurrado entre tios, primos e avós. Na verdade, ninguém o queria. Ninguém sabia o que fazer com o garoto, que se tornara um fardo. O amor vinha a duras penas, mas em geral ele não recebia amor algum.

O tio de Isaac era um bêbado sem instrução, mas sabia contar as fileiras plantadas nos campos. Era sua única habilidade intelec-

As Leis Emocionais de Newton   57

tual, e, portanto, ele provavelmente fazia isso mais do que o necessário. Isaac muitas vezes o acompanhava nessas sessões de contagem porque era o único momento em que o tio prestava atenção nele. E, como água num deserto, qualquer atenção que o menino recebesse era absorvida avidamente.

Acontece que Isaac era uma espécie de prodígio. Aos oito anos, ele já conseguia prever a quantidade de ração necessária para alimentar as ovelhas e os porcos na estação seguinte. Aos nove, era capaz de fazer de cabeça os cálculos de hectares de trigo, cevada e batatas.

Aos dez anos, Isaac concluiu que agricultura era uma coisa idiota e voltou suas atenções para o cálculo da trajetória exata do Sol durante as estações do ano. O tio dele não se importava com a trajetória exata do Sol porque isso não colocaria comida na mesa — pelo menos não diretamente —, por isso, bateu em Isaac mais uma vez.

A escola não ajudava. Isaac era uma criança magrela, pálida e distraída. Não tinha qualquer habilidade social. Gostava dessas porcarias nerds, como relógios de sol, planos cartesianos e cálculos para determinar se a Lua era mesmo uma esfera. Enquanto as outras crianças jogavam críquete ou brincavam de pega-pega na floresta, Isaac ficava parado, encarando os riachos por horas, se perguntando como o olho humano era capaz de ver a luz.

Os primeiros anos de vida de Isaac Newton foram uma porrada atrás da outra. E, a cada golpe, seu Cérebro Sensível aprendia a *sentir* uma verdade imutável: tinha que haver algo de inerentemente *errado* com ele. Por que os pais o abandonaram? Por que os colegas o ridicularizavam? Que outra explicação poderia dar para sua solidão quase constante? Enquanto seu Cérebro Pensante se ocupava desenhando gráficos caprichados e monitorando eclipses lunares, seu Cérebro Sensível internalizava em silêncio a ideia de que havia algo muito errado com aquele garotinho inglês de Lincolnshire.

Um dia, ele escreveu no seu caderno da escola: "Sou um rapaz pequeno. Pálido e fraco. Não existe lugar para mim. Nem em casa, nem no fundo do inferno. O que posso fazer? Eu sirvo para quê? Só consigo chorar."[2]

Até aqui, tudo que você leu sobre Newton é verdade — ou pelo menos altamente plausível. Mas vamos fingir por um momento que exista um universo paralelo. E digamos que nesse universo paralelo exista outro Isaac Newton, bem parecido com o nosso. Ele ainda vem de uma família abusiva e disfuncional. Ainda tem uma vida de isolamento e raiva. Ainda calcula e mensura de forma prodigiosa tudo o que encontra pela frente.

Mas digamos que, em vez de medir e calcular obsessivamente o mundo externo, físico, esse Newton do Universo Paralelo decide direcionar sua obsessão para medir e calcular o mundo interior, psicológico, o mundo da mente e do coração humano.

Isso não é tão difícil de imaginar, pois vítimas de abuso muitas vezes são grandes observadoras da natureza humana. Para pessoas como eu ou você, observar os outros pode ser uma atividade divertida para se fazer num domingo qualquer no parque. Mas, para quem sofre abusos, é uma estratégia de sobrevivência. Para essas pessoas, a violência pode surgir a qualquer momento, e por isso elas desenvolvem um senso de observação agudo, quase sobre-humano, para se proteger. Um tom de voz mais alterado, uma sobrancelha arqueada, a profundidade de um suspiro: tudo isso pode disparar seus alarmes internos.

Então, vamos imaginar que esse Newton do Universo Paralelo, esse "Newton Emo", tenha voltado sua obsessão às pessoas ao redor. Ele fazia anotações, catalogando todos os comportamentos observáveis dos colegas e familiares. Anotava sem parar, documentando cada ação, cada palavra. Encheu centenas de páginas com observações sem importância sobre o tipo de coisa que as pessoas nem percebem que fazem. O Newton Emo torcia para que, se cálculos pudessem ser usados para prever e controlar o mundo natural, como as formas e configurações do Sol, da Lua e das estrelas, então também deveriam ser capazes de prever e controlar o mundo interior, emocional.

Com suas observações, o Newton Emo descobriu algo doloroso que todos nós meio que já sabemos, mas que poucos querem admitir: que todas as pessoas mentem. É um hábito nosso mentir constantemente.[3] Mentimos tanto sobre coisas importantes quanto fúteis. E em geral não fazemos isso por malícia — na verdade, mentimos para os outros porque temos o hábito de mentir para nós mesmos.[4]

Newton percebeu que a luz se refratava no coração das pessoas de formas que elas pareciam não perceber; que as pessoas diziam amar aqueles que, pelo visto, odiavam; que declaravam acreditar em algo enquanto agiam de outra forma; que se imaginavam corretas embora cometessem atos de grande desonestidade e crueldade. Ainda assim, na própria mente, elas de alguma forma acreditavam que suas ações eram consistentes e verdadeiras.

Ele concluiu que não deveria confiar em ninguém. Nunca. E calculou que sua dor era inversamente proporcional ao quadrado da distância entre ele e o mundo. Portanto, ele se mantinha à margem, sem entrar na órbita de ninguém, afastando-se da atração gravitacional de qualquer outro coração. Ele não tinha amigos; na verdade, não queria amigos. Isaac compreendeu que o mundo era um lugar sombrio e miserável, e o único valor na sua vida patética era a habilidade de documentar e calcular essa miséria.

Apesar de tanta rabugice, não faltava ambição a Newton. Ele queria saber a trajetória do coração humano, a velocidade de sua dor. Queria saber a força dos seus valores e a massa de suas esperanças. Mais importante, ele queria entender as relações entre todos esses elementos.

Então decidiu escrever as Três Leis Emocionais de Newton.[5]

PRIMEIRA LEI EMOCIONAL DE NEWTON

Para cada ação há uma reação emocional oposta e de igual intensidade

Imagine que eu lhe desse um soco na cara. Sem motivo. Sem justificativa. Só pela violência pura e simples.

Sua resposta instintiva seria algum tipo de retaliação. Poderia ser física, retribuindo o soco. Poderia ser verbal, me xingando com todo tipo de palavrão. Ou sua retaliação poderia ser social, chamando a polícia ou alguma outra autoridade que tivesse o poder de me punir por ter atacado você.

Independentemente de qual fosse a sua escolha, você sentiria uma onda de emoções negativas dirigidas a mim, e com razão — porque eu claramente sou uma péssima pessoa. Afinal, a ideia de que eu possa lhe infligir dor sem qualquer justificativa, sem que você *mereça*, provoca uma sensação de injustiça. Um tipo de *lacuna moral* se abre entre a gente: a sensação de que um de nós está inerentemente correto, e o outro não passa de um merdinha.[6]

A dor cria lacunas morais, e não só entre pessoas. Se um cachorro morde você, seu instinto é puni-lo. Se você bate com o dedinho na quina da mesa, o que faz? Grita com a porcaria da mesa. Se sua casa é derrubada por uma tempestade, você é dominado pela tristeza e fica furioso com Deus, com o universo, com a vida.

Todos esses são exemplos de lacunas morais. São a sensação de que algo de errado aconteceu, e você (ou alguém) *merece* ser recompensado. Sempre que há dor, cria-se um senso inerente de superioridade e inferioridade. E sempre há dor.

Quando confrontados com lacunas morais, nós desenvolvemos emoções esmagadoras em direção à *equalização*, ou seja, um retorno à equidade moral. Esse desejo ganha a forma de *merecimento*. Como lhe dei um soco, você sente que eu *mereço* levar um também, ou ser punido de

As Leis Emocionais de Newton 61

alguma forma. Essa sensação (de eu merecer sentir dor) vai fazer com que você tenha emoções fortes em relação a mim (provavelmente, raiva). Você também terá emoções fortes a partir da conclusão de que *não merecia* levar um soco, que não fez nada de errado, e que *merecia* ser mais bem tratado por mim e por todas as outras pessoas ao redor. Esses sentimentos podem assumir a forma de tristeza, autopiedade ou confusão.

Todo esse conceito de "merecer" algo é um juízo de valor que fazemos ao encararmos uma lacuna moral. Concluímos que uma coisa é melhor do que outra, que alguma pessoa é mais correta ou justa que outra, que um acontecimento é menos vantajoso que outro. Lacunas morais são onde se criam nossos valores.

Agora, vamos fingir que eu peça desculpas pelo soco. Eu digo: "Putz, cara, aquilo foi muito injusto e, nossa, perdi totalmente a linha. Isso nunca mais vai acontecer, é sério. E, para demonstrar meu profundo arrependimento, toma, fiz esse bolo para você. Ah, e fique com esses cem dólares. Divirta-se."

Vamos fingir também que isso esteja de bom tamanho para você. Você aceita minhas desculpas, meu bolo e os cem dólares e realmente sente que ficou tudo bem. Agora estamos "equalizados". A lacuna moral entre nós sumiu. Você foi "compensado" e talvez até diga que estamos "quites": ninguém é melhor ou pior do que o outro, ninguém merece tratamento melhor ou pior. Estamos operando no mesmo plano moral.

Essa equalização restaura a esperança. Significa que não há nada necessariamente errado com você ou com o mundo, que você pode seguir em frente com uma sensação de autocontrole, cem dólares e um bolo delicioso.

Vamos imaginar outro cenário. Agora, em vez de dar um soco em você, digamos que eu tenha lhe dado uma casa de presente.

Sim, leitor, eu acabei de comprar a porra de uma casa para você.

Isso vai abrir outra lacuna moral entre nós. Mas, em vez de uma sensação esmagadora de querer igualar a dor que lhe causei, você vai sentir um desejo imenso de equalizar a alegria que proporcionei. Você pode me abraçar, agradecer mil vezes, me dar um presente em troca, ou prometer cuidar do meu gato de hoje até o fim dos tempos.

Ou, se for particularmente bem-educado (e tiver algum autocontrole), você pode até *tentar recusar* minha oferta, porque reconhece que isso vai abrir uma lacuna moral entre nós que você nunca seria capaz de superar. Você pode expressar isso dizendo para mim: "Eu agradeço, mas não posso aceitar, de jeito nenhum. Eu jamais conseguiria *recompensá-lo*."

Com a lacuna moral positiva, você se sentirá em débito comigo, sentirá que "me deve" alguma coisa, que eu mereço algo bom, ou que você tem que "retribuir" de alguma forma o que fiz. Você terá sentimentos intensos de gratidão e apreço dirigidos a mim. Talvez até chore de alegria (que fofo!).

É nossa inclinação psicológica natural equalizar as lacunas morais, retribuir ações: positiva com positiva, negativa com negativa. As forças que nos impelem a realizar tais movimentos são as nossas emoções. Nesse sentido, cada *ação* demanda uma *reação* emocional oposta e de igual intensidade. Essa é a Primeira Lei Emocional de Newton.

Essa primeira lei está constantemente ditando o fluxo da nossa vida, porque é o algoritmo pelo qual nosso Cérebro Sensível interpreta o mundo.[7] Se um filme mais provoca do que alivia dor, você fica entediado, ou talvez até irritado. (Pode ser que você tente equalizar isso exigindo o dinheiro do ingresso de volta.) Se sua mãe esquece seu aniversário, você pode equalizar isso ignorando-a pelos próximos seis meses. Ou, se você for uma pessoa mais madura, pode comunicar sua decepção a ela.[8] Se seu time sofre uma derrota humilhante, você pode se sentir impelido a ir a menos partidas, ou a torcer com menos afinco. Se descobre que tem talento para desenhar, a admiração e a satisfação que obtém da sua competência vão inspirá-lo a investir tempo, energia, emoção e dinheiro na arte.[9] Se o seu país elege um palhaço que você é incapaz de suportar, você vai sentir uma desconexão com o governo, e até com os outros cidadãos. Também vai sentir que merece algo em troca por aguentar as medidas que estão lhe impondo.

A equalização está presente em todas as experiências porque *o impulso de equalizar é a própria emoção*. A tristeza é um sentimento de impotência para compensar o que percebemos como perda. A raiva é o desejo de equalizar por meio da força e da agressão. A felicidade é a sensação de estar livre de dor, enquanto a culpa é a sensação de que você merecia uma dor que nunca chegou.[10]

Esse desejo de equalização está na base do nosso senso de justiça. Ele tem sido sistematizado no curso da história em regras e leis, como no clássico do rei babilônio Hamurabi, "olho por olho, dente por dente", ou na Regra de Ouro bíblica: "Tratem os outros como gostariam de ser tratados." Na biologia evolutiva, isso é conhecido como "altruísmo recíproco",[11] e na teoria de jogos, chamado de estratégia *"tit for tat"*.[12]

A Primeira Lei Emocional de Newton cria nosso senso de moralidade, baseia nossa percepção de justiça. É a essência de todas as culturas humanas. E...

É o sistema operacional do Cérebro Sensível.

Enquanto nosso Cérebro Pensante cria conhecimento factual com base em lógica e observação, sua contraparte elabora valores com base em experiências dolorosas. Experiências que nos *causam* dor criam uma lacuna moral em nossa mente, e o Cérebro Sensível considera essas experiências inferiores e indesejáveis. Experiências que *aliviam* a dor criam uma lacuna moral na direção oposta, e o Cérebro Sensível as considera superiores e desejáveis.

Uma forma de compreender isso é considerar que o Cérebro Pensante cria conexões laterais entre eventos (igualdade, contraste, causa/consequência etc.), enquanto o Cérebro Sensível estabelece conexões hierárquicas (melhor/pior, mais desejável/menos desejável, moralmente superior/moralmente inferior).[13] Nosso Cérebro Pensante raciocina de maneira horizontal (como essas coisas estão *relacionadas*?), enquanto o Cérebro Sensível pensa verticalmente (qual dessas coisas é *melhor ou pior*?). Nosso Cérebro Pensante decide como as coisas *são*, e nosso Cérebro Sensível decide como elas *deveriam ser*.

64   F*DEU GERAL

O Cérebro Sensível cria um tipo de *hierarquia de valores* para as nossas experiências.[14] É como se tivéssemos uma imensa estante em nosso inconsciente onde as melhores e mais importantes experiências da vida — com familiares, amigos, burritos — estão na prateleira de cima e as menos desejáveis — morte, impostos, indigestão —, na prateleira de baixo. Nosso Cérebro Sensível então toma decisões simplesmente buscando experiências que estejam na prateleira mais alta possível.

Os dois cérebros têm acesso à hierarquia de valores. Enquanto o Cérebro Sensível determina em que prateleira fica cada coisa, o Cérebro Pensante consegue avaliar como certas experiências estão conectadas e sugerir como essa hierarquia de valores poderia ser organizada. Isso basicamente é "crescer": priorizar da melhor maneira sua hierarquia de valores.[15]

Por exemplo, já tive uma amiga que provavelmente era a maior festeira que já conheci. Ela ficava acordada a noite toda nas baladas, e depois ia direto das festas para o trabalho de manhã, sem dormir nem um minuto. Ela achava muito sem graça acordar cedo ou ficar em casa numa sexta à noite. Sua hierarquia de valores era mais ou menos assim:

- DJs maravilhosos
- Drogas maravilhosas
- Trabalhar
- Dormir

Dá para prever o comportamento dela baseando-se somente nessa hierarquia. Ela preferia trabalhar a dormir. Preferia sair e ficar doidona a trabalhar. E *tudo* girava em torno da música.

Até que um dia ela foi fazer uma dessas viagens internacionais de voluntariado, em que os jovens passam alguns meses trabalhando com órfãos em um país em desenvolvimento e, bem... isso mudou tudo. A experiência teve um impacto emocional tão contundente nela que

As Leis Emocionais de Newton   65

alterou por completo sua hierarquia de valores. A hierarquia dela agora é mais ou menos assim:

- Evitar que crianças sofram
- Trabalhar
- Dormir
- Sair à noite

De repente, como num passe de mágica, ela parou de viver nas noitadas. Por quê? Porque sair à noite interferia no seu novo valor principal: ajudar crianças que passavam por necessidade. Ela mudou de carreira e passou a se dedicar somente ao trabalho. Passa quase todas as noites em casa, não bebe nem usa drogas. E dorme bem — afinal, precisa de muita energia para salvar o mundo.

Os amigos dos tempos de noitada olharam para ela com pena; julgaram a minha amiga segundo os valores deles, que eram os que ela cultivava antigamente. Pobre garota festeira que precisa dormir cedo e trabalhar de manhã. Coitada, não pode mais sair e tomar ecstasy todo fim de semana.

Só que o engraçado sobre hierarquias de valores é o seguinte: quando elas mudam, você não perde nada, na verdade. Minha amiga não decidiu abrir mão das saídas por causa da carreira, mas porque já não achava as festas tão divertidas assim. O conceito de "diversão" é um produto da nossa hierarquia de valores. Quando paramos de dar valor a determinada coisa, ela deixa de ser divertida ou interessante para nós. Portanto, não há uma sensação de perda quando deixamos de fazê-la. Ao contrário: a gente olha para trás e se pergunta como conseguiu passar tanto tempo se importando com uma coisa tão boba e trivial, por que gastamos tanta energia em questões e causas que não importavam. Essas pontadas de arrependimento ou vergonha são um bom sinal: significam que estamos crescendo. São o resultado de alcançar nossas esperanças.

SEGUNDA LEI EMOCIONAL DE NEWTON

Nossa autoestima é igual à soma das nossas emoções ao longo do tempo

Voltemos ao exemplo do soco, só que, desta vez, vamos fingir que eu existo em um campo de força mágico que me protege de qualquer consequência. Você não pode me bater de volta. Não pode falar nada para mim. Não pode nem mesmo dizer algo a meu respeito para outras pessoas. Sou intocável — um babaca onipotente, onisciente e horrível.

A Primeira Lei Emocional de Newton estabelece que quando alguém (ou algo) nos causa dor, uma lacuna moral se abre, e o Cérebro Sensível evoca emoções ruins para nos motivar a equalizar a situação.

Mas e se essa equalização não acontecer? E se alguém (ou algo) nos faz mal, mas não temos como retaliar ou nos reconciliar com aquilo? E se formos impotentes, incapazes de tomar qualquer medida para equalizar ou "resolver as coisas"? E se meu campo de força for simplesmente forte demais para você ultrapassar?

Quando persistem por tempo suficiente, as lacunas morais acabam sendo normalizadas.[16] Elas se tornam a expectativa-padrão, estabilizando-se em nossa hierarquia de valores. Se alguém nos dá um soco e nós não podemos revidar, mais cedo ou mais tarde nosso Cérebro Sensível vai chegar a uma conclusão assustadora:

"A gente merecia levar aquele soco."

Afinal, a gente conseguiria equalizar as coisas se não merecesse, certo? O fato de que não conseguimos igualar a situação significa que deve haver algo inerentemente inferior em nós, e/ou algo inerentemente superior na pessoa que nos bateu.

Isso também é parte da nossa resposta de esperança. Porque, se a equalização parece impossível, o Cérebro Sensível chega à segunda melhor estratégia disponível: desistir, aceitar a derrota e julgar-se inferior. Quando alguém nos maltrata, nossa reação imediata em geral é:

As Leis Emocionais de Newton   67

"Ele é um idiota e eu estou certo." Mas se não somos capazes de equalizar e agir de acordo com esse princípio, nosso Cérebro Sensível vai acreditar na única explicação alternativa possível: "Eu sou um idiota e *ele* está certo."[17]

Essa desistência diante de lacunas morais reincidentes é parte fundamental da natureza do Cérebro Sensível. E essa é a Segunda Lei Emocional de Newton: o modo como estabelecemos o valor de tudo que nos diz respeito é influenciado pela soma das nossas emoções ao longo do tempo.

Essa desistência e a ideia de que somos inerentemente inferiores são muitas vezes chamadas de vergonha ou baixa autoestima. Dê o nome que quiser, mas a conclusão é a mesma: a vida o maltrata um pouco, e você não tem forças para impedir que isso aconteça. Logo, seu Cérebro Sensível conclui que você talvez mereça essas coisas.

É claro que a lacuna moral inversa também é verdade. Se recebemos uma porção de coisas sem merecer (troféus de participação e medalhas de ouro pelo nono lugar), acabamos com a crença (falsa) de que somos inerentemente superiores ao que somos de verdade. Por isso desenvolvemos uma versão iludida de uma *autoestima alta*, ou, como é mais conhecido, viramos uns babacas.

Autoestima é uma questão de contexto. Se você sofreu bullying porque usava óculos e tinha um nariz engraçado quando criança, seu Cérebro Sensível vai "saber" que você é nerd, mesmo que você cresça e se transforme num poço de beleza e sensualidade. Pessoas que são criadas em ambientes religiosos rígidos e recebem punições severas por seus impulsos sexuais muitas vezes crescem com o Cérebro Sensível "sabendo" que sexo é errado, mesmo que o Cérebro Pensante já tenha concluído há muito tempo que sexo é uma coisa natural e maravilhosa.

Autoestima baixa e alta parecem diferentes à primeira vista, mas são dois lados da mesma moeda falsa. Não importa se você se sente melhor ou pior do que todas as pessoas, a verdade é uma só: você está imaginando que é especial, como um ser à parte do mundo.

Um indivíduo que acredita merecer tratamento especial por ser incrível não é tão diferente de alguém que acredita merecer tratamento especial por ser um bosta. Os dois são narcisistas. Ambos se acham especiais e acreditam que o mundo deveria tratá-los como exceções, dobrando-se, antes e acima de tudo, aos seus valores e sentimentos.

Narcisistas oscilam entre sentimentos de superioridade e inferioridade.[18] Ou todos o amam ou todos o odeiam. Tudo é incrível, ou tudo é uma merda. Dado evento ou foi o melhor momento da vida deles, ou totalmente traumático. Com o narcisista, não existe meio-termo, porque reconhecer a realidade indecifrável e cheia de nuances exigiria que ele abrisse mão da sua ideia privilegiada de que é, de alguma maneira, especial. Em geral, narcisistas são pessoas insuportáveis, pois acham que tudo gira em torno deles, e exigem que as pessoas à volta façam o mesmo.

Se prestarmos atenção, podemos ver esse troca-troca entre baixa e alta autoestima em todo lugar: assassinos em série, ditadores, crianças mal-educadas, sua tia insuportável que sempre estraga o Natal. Hitler dizia que o mundo só havia tratado a Alemanha tão mal depois da Primeira Guerra Mundial porque os outros países tinham medo da superioridade germânica.[19] E mais recentemente, em uma universidade na Califórnia, um atirador justificou sua tentativa de ataque a uma irmandade com o argumento de que as mulheres transavam com homens "inferiores" enquanto ele era forçado a permanecer virgem.[20]

Talvez você até encontre esses traços na sua personalidade, se for honesto consigo mesmo. Quanto mais inseguro for sobre determinado assunto, mais você vai oscilar entre sentimentos delirantes de superioridade ("Eu sou foda!") e sentimentos delirantes de inferioridade ("Eu sou um merda!").

Autoestima é uma ilusão.[21] É uma construção psicológica que o Cérebro Sensível tece para prever o que vai ser útil e o que vai atrapalhar. No fim, temos que sentir *algo* sobre nós mesmos para podermos sentir algo a respeito do mundo, e sem esses sentimentos é impossível encontrar a esperança.

Todos nós temos algum grau de narcisismo. É inevitável, porque tudo que sabemos ou vivenciamos aconteceu conosco ou foi absorvido por nós. A natureza da nossa consciência exige que tudo aconteça *através de nós*. É natural, então, que nossa suposição imediata seja que estamos no centro de tudo — porque estamos de fato no centro de todas as *nossas* experiências.[22]

Todo mundo superestima as próprias habilidades e intenções, assim como subestima habilidades e intenções dos outros. A maioria das pessoas acredita que tem inteligência e habilidade acima da média em quase tudo, principalmente quando não é esse o caso.[23] Todos tendemos a acreditar que somos mais honestos e éticos do que somos de verdade.[24] Sempre que temos chance, nos iludimos e acreditamos que o que é bom para nós também é bom para todo mundo.[25] Quando fazemos merda, tendemos a achar que foi só um acidente,[26] mas, quando outras pessoas fazem, imediatamente corremos para julgá-las.[27]

Um narcisismo básico e persistente é natural, mas também é provavelmente a origem de muitos dos nossos problemas sociopolíticos. Não é uma questão de direita ou esquerda, de gerações mais velhas ou mais novas, de Ocidente e Oriente.

É uma questão humana.

Todas as instituições vão se deteriorar e se corromper. Todas as pessoas, se receberem mais poder e menos limites, vão se aproveitar desse poder em benefício próprio, como é de se esperar. Cada indivíduo vai deixar de enxergar os próprios defeitos e ao mesmo tempo buscar as falhas mais óbvias nos demais.

Bem-vindo ao planeta Terra. Aproveite sua estadia.

Nossos Cérebros Sensíveis deformam a realidade de tal maneira que acreditamos que nossos problemas e dores são especiais e únicos no mundo, apesar de todas as provas mostrando o contrário. Exigimos esse nível de narcisismo inato porque o narcisismo é nossa última linha de defesa contra a Verdade Desconfortável. Porque, convenhamos: as pessoas são péssimas e a vida é difícil e imprevisível demais. A maioria de nós vive na base do improviso, ou não faz a mínima ideia de para onde ir. E, se não tivéssemos alguma crença falsa em nossa superioridade (ou inferioridade), um credo ilusório de que somos extraordinários em *algo*, acabaríamos fazendo fila para pular da ponte mais próxima. Sem um pouquinho desse autoengano narcisista, sem essa mentira perpétua que contamos a nós mesmos sobre a nossa excepcionalidade, provavelmente perderíamos a esperança.

Mas esse narcisismo inerente tem um preço. Seja acreditando que você é o melhor do mundo, seja acreditando que é o pior, uma coisa também é verdade: você está separado do mundo.

E é essa separação que no fim perpetua o sofrimento desnecessário.[28]

TERCEIRA LEI EMOCIONAL DE NEWTON

Sua identidade vai permanecer como sua identidade até que uma nova experiência se oponha a ela

Vou contar uma história triste e bem comum. Garoto trai garota. Garota fica arrasada e se desespera. Garoto larga garota, e a dor da garota continua por anos. Garota se sente um lixo. Para que seu Cérebro Sensível não perca a esperança, seu Cérebro Pensante precisa escolher uma explicação dentre duas disponíveis. Ela pode acreditar que (a) todos os garotos são péssimos ou (b) ela é péssima.[29]

Que merda. Nenhuma opção é boa.

Mas ela decide escolher a opção (a), "todos os garotos são péssimos", porque, afinal, ela ainda precisa conviver consigo mesma. Perceba que essa escolha não é feita de maneira consciente. Meio que simplesmente acontece e pronto.[30]

Agora vamos dar um pulo para alguns anos mais à frente. Garota conhece outro garoto. Esse garoto não é péssimo. Na verdade, ele é o contrário disso: é bem legal, carinhoso e se importa com ela. Tipo, de verdade.

Mas agora a garota está diante de um enigma. Como esse garoto pode ser real? Como pode estar falando a verdade? Afinal, ela *sabe* que todos os garotos são péssimos. É verdade, tem que ser. Ela tem cicatrizes emocionais que comprovam isso.

Infelizmente, concluir que esse garoto não é péssimo é doloroso demais para o Cérebro Pensante da garota, então ela se convence de que ele também é péssimo. Ela aponta até as menores falhas dele. Ela percebe cada palavra incorreta, cada gesto fora de hora, cada toque desajeitado. Ela se concentra nos erros mais insignificantes até que pulsem em sua mente como uma luz estroboscópica berrando: "Fuja! Salve-se!"

72 F*DEU GERAL

Então é o que ela faz. Foge. E faz isso da pior forma possível: ela larga o garoto por outro. Afinal, se todos são péssimos, qual é o problema de trocar um merda por outro? Não significa nada.

Garoto fica de coração partido e se desespera. A dor permanece por anos e se transforma em vergonha. Essa vergonha o coloca em uma posição difícil. Porque agora o seu Cérebro Pensante precisa decidir: ou (a) todas as garotas são péssimas ou (b) ele é péssimo.

Nossos valores não são apenas o resultado de uma coleção de sentimentos. Eles são histórias.

Quando o Cérebro Sensível sente alguma coisa, o Cérebro Pensante começa a construir uma narrativa para *explicar* isso. Perder o emprego não é só uma merda; você construiu uma grande narrativa em torno disso, concluindo que aquele seu chefe babaca o sacaneou depois de anos de lealdade! Você se dedicou de corpo e alma àquela empresa! E o que ganhou em troca?

Nossas narrativas têm aderência, prendem-se às nossas mentes e se colam às nossas identidades como roupas molhadas apertadas. Carregamos essas criações por toda a parte e nos definimos a partir delas. Trocamos narrativas com os outros, procurando pessoas com narrativas que combinem com as nossas. Chamamos essas pessoas de amigos, aliados, companheiros. E quem carrega narrativas que contradizem as nossas? Essas são as pessoas que chamamos de más.

Nossas narrativas sobre nós mesmos e sobre o mundo são fundamentalmente baseadas em (a) o valor de algo ou de alguém e (b) se esse algo/alguém merece esse valor. Todas as narrativas são construídas da seguinte maneira:

Coisa ruim acontece com pessoa/coisa, e ela não merece isso.
Coisa boa acontece com pessoa/coisa, e ela não merece isso.
Coisa boa acontece com pessoa/coisa, e ela merece isso.
Coisa ruim acontece com pessoa/coisa, e ela merece isso.

As Leis Emocionais de Newton   73

Cada livro, mito, fábula, história — todo significado humano acumulado e transmitido é simplesmente mais um elo na corrente dessas pequenas narrativas carregadas de valor, uma depois da outra, daqui até a eternidade.[31]

Essas histórias que inventamos para nós mesmos em torno do que é ou não importante, do que é ou não merecedor, permanecem conosco e nos definem, determinando como nos encaixamos no mundo e entre as outras pessoas. Estabelecem também como nos sentimos sobre nós mesmos — se merecemos ou não uma vida boa, o amor do próximo, o sucesso etc. — e delimitam o que sabemos e compreendemos a nosso respeito.

Essa rede é a nossa *identidade*. Quando você pensa consigo mesmo, *Eu sou um capitão de barco muito foda rá-rá-rá*, essa é a narrativa que construiu para se definir e se conhecer. É um componente do seu eu, que você apresenta aos outros e espalha nas redes sociais. Você pilota um barco e é bonzão nisso, e por isso merece tudo de melhor.

Mas o curioso é: ao adotar essas pequenas narrativas como identidade, você as protege e reage emocionalmente como se elas fossem parte inerente do seu eu. Assim como levar um soco vai causar uma reação emocional violenta, alguém chegar e lhe dizer que você é um péssimo capitão vai provocar uma reação negativa similar, porque essas respostas visam proteger o corpo metafísico da mesma maneira que protegemos o corpo físico.

Nossas identidades viram uma bola de neve ao longo da vida, acumulando mais e mais valores e significados à medida que vão rolando por aí. Por exemplo, vamos supor que você tenha uma relação próxima com sua mãe quando jovem, e que esse relacionamento lhe traga esperança. Você então constrói uma história na sua cabeça que passa a definir parte de quem você é, assim como seu cabelo volumoso, seus olhos castanhos ou suas unhas do pé esquisitas. Sua mãe é uma grande parte da sua vida, uma mulher incrível. Você deve tudo a ela… e outras babaquices que as pessoas dizem quando ganham um Oscar. Aí você protege esse aspecto dessa identidade como se fosse parte de quem é.

74   F*DEU GERAL

Alguém vem e começa a falar mal da sua mãe, e você perde a cabeça e sai quebrando tudo.

E então *essa experiência* cria uma nova narrativa e um novo valor na sua mente. Você conclui que tem problemas de temperamento... especialmente no que tange a sua mãe. E agora *isso* vira parte inerente da sua identidade.

E por aí vai.

Quanto mais tempo levamos mantendo um valor, mais no centro da bola de neve ele vai estar, e mais fundamental será para a forma como enxergamos a nós mesmos e o mundo. Como juros num empréstimo bancário, nossos valores crescem exponencialmente com o tempo, tornam-se mais fortes e influenciam experiências futuras. Não é só o bullying sofrido na infância que ferra a sua vida. É o bullying *mais* toda a autoaversão e todo o narcisismo que você levou para os seus relacionamentos durante décadas, fazendo tudo dar errado.

Os psicólogos não têm certeza de muitas coisas,[32] mas, sem dúvida alguma, de um negócio eles sabem: traumas de infância acabam com a gente.[33] Esse "efeito bola de neve" com os primeiros valores é o motivo pelo qual nossas experiências na infância, tanto as boas quanto as ruins, geram consequências duradouras em nossa identidade e os valores fundamentais que definem boa parte da nossa vida. Suas primeiras experiências se transformam nos seus valores centrais, e se seus valores centrais forem escrotos, criarão um efeito dominó que se estenderá pelos anos, infestando experiências com sua aura tóxica.

Quando somos jovens, temos identidades pequenas e frágeis. Acumulamos poucas experiências. Somos completamente dependentes dos cuidados de terceiros, e, sem exceção, estas pessoas vão cometer algum erro. Negligência ou dor causam reações emocionais extremas, resultando em enormes lacunas morais que nunca são equalizadas. Seu pai sai de casa, e seu Cérebro Sensível de três anos chega à conclusão de que você nunca poderá ser amado. Sua mãe o abandona por causa de um marido rico, e você decide que é impossível ter intimidade com alguém, que nunca vai poder confiar em outra pessoa.

As Leis Emocionais de Newton   75

Não é de se surpreender que Newton fosse tão rabugento e solitário.[34]

E o pior é que, quanto mais tempo levamos presos a essas narrativas, menos somos conscientes de sua existência. Elas se tornam um ruído de fundo dos nossos pensamentos, a decoração do interior da nossa mente. Apesar de serem arbitrárias e completamente inventadas, elas parecem não só naturais como inevitáveis.[35]

Os valores que acumulamos durante a vida se cristalizam, sedimentando a nossa personalidade.[36] A única forma de mudar nossos valores é ter experiências *contrárias*. E qualquer tentativa de se livrar deles por meio de experiências novas ou contraditórias inevitavelmente causará dor e desconforto.[37] É por isso que não existe mudança sem dor, crescimento sem desconforto. Isso explica por que é impossível se tornar alguém novo sem antes sofrer a perda da pessoa que você era.

Quando perdemos nossos valores, lamentamos a morte dessas narrativas definidoras como se estivéssemos perdendo parte de quem somos — porque *de fato* perdemos. Sofremos como sofreríamos pela perda de um ente querido, de um emprego, de uma casa, de uma comunidade, de uma crença espiritual ou de uma amizade. Tudo isso é parte fundamental e definidora do seu eu, e, quando isso é arrancado, a esperança que essas coisas traziam para a sua vida também se perde, deixando-o exposto, mais uma vez, à Verdade Desconfortável.

Existem duas maneiras de se curar — ou seja, de substituir valores antigos e problemáticos por exemplos melhores e mais saudáveis. A primeira é reexaminar as experiências do passado e reescrever as narrativas em torno delas. Espera aí, será que ele me deu um soco porque *eu* sou uma pessoa péssima, ou porque *ele* é péssimo?

Essa análise em retrospecto nos permite uma segunda chance para decidir: sabe, talvez eu não fosse um capitão tão bom assim no fim das contas, e tudo bem. Muitas vezes, com o tempo, percebemos que o que antes acreditávamos ser importante sobre o mundo na verdade não é.

76 F*DEU GERAL

Em outras ocasiões, *aumentamos* a história para ter uma visão mais clara da nossa autoestima — ah, ela me largou porque algum idiota largou *ela*, e ela sentia vergonha e achava que não seria valorizada em nenhum relacionamento—, e de repente fica mais fácil aceitar um término.

Outra forma de fazer esse movimento é começar a escrever as narrativas do seu eu futuro, visualizar como a vida *seria* se você cultivasse determinados valores ou adotasse certa identidade. Ao visualizar o futuro que queremos para nós mesmos, permitimos que nosso Cérebro Sensível experimente esses valores, veja como é a sensação antes de nos comprometermos com eles. Mais cedo ou mais tarde, depois de repetir bastante esse exercício, o Cérebro Sensível se acostuma com os novos valores e começa a acreditar neles.

Esse tipo de "projeção futura" em geral é ensinada da pior forma possível. "Imagine que você é podre de rico e tem uma frota de iates! Um dia isso vai virar realidade!"[38]

Infelizmente, visualizações como essa não estão substituindo um valor atual nocivo (materialismo) por outro melhor, mas apenas "masturbando" seu valor atual. A mudança verdadeira teria que partir da imagem de como seria *não querer mais iates, para começo de conversa.*

Uma visualização produtiva deve ser um pouco desconfortável. Deve ser desafiadora, difícil de conceber. Caso contrário, significa que nada está mudando.

O Cérebro Sensível não sabe a diferença entre passado, presente e futuro; essa é a área do Cérebro Pensante.[39] E uma das estratégias que o Cérebro Pensante usa para indicar ao Cérebro Sensível o caminho certo a tomar é fazer perguntas que comecem com "e se": E se você odiasse barcos, e em vez disso passasse o tempo ajudando crianças com deficiência? E se você não tivesse que provar nada às pessoas para que elas gostassem de você? E se a falta de tempo das pessoas tiver mais a ver com a vida delas do que com você?

Outras vezes, você pode simplesmente contar histórias ao Cérebro Sensível que não sejam necessariamente verdadeiras, mas que *pareçam* ser. Jocko Willink, antigo agente especial da Marinha dos Estados

Unidos e escritor, diz no seu livro *Discipline Equals Freedom: Field Manual* [Disciplina é igual a liberdade: Manual de campo] que ele acorda todos os dias às quatro e meia da manhã porque imagina que seu inimigo está à solta pelo mundo.[40] Ele não sabe exatamente onde, mas supõe que esse inimigo deseja matá-lo. E ele sabe que terá uma vantagem se acordar mais cedo. Willink desenvolveu essa narrativa enquanto servia no Iraque, onde realmente havia inimigos que queriam matá-lo, mas a manteve depois de voltar à vida civil.

Olhando pelo lado racional, essa narrativa que ele criou para si não faz o menor sentido. Inimigo? Onde? Mas figurativamente, pela parte emocional, é muito poderosa. O Cérebro Sensível de Willink ainda acredita nesse cenário, e por isso faz com que ele acorde toda manhã antes mesmo de algumas pessoas terem terminado a bebedeira da noite anterior. *Essa* é a ilusão do autocontrole.

Sem essas narrativas — sem desenvolver uma visão clara do futuro que desejamos, dos valores que queremos adotar, das identidades que queremos deixar para trás ou assumir —, estaremos sempre condenados a repetir nossos erros. As histórias do passado definem nossa identidade. As histórias do futuro definem nossas esperanças. E é a nossa habilidade de entrar nessas narrativas e vivenciá-las, de torná-las realidade, que dá significado à vida.

Gravidade emocional

Newton Emo estava sentado sozinho em seu quarto de criança. Estava escuro lá fora. Ele não sabia quanto tempo havia passado acordado, que horas ou que dia era. Estava trabalhando sozinho havia semanas. A comida que sua família deixara para ele estava intocada ao lado da porta, apodrecendo.

Ele pegou uma folha de papel e desenhou um círculo. Então marcou pontos na borda do círculo e, com linhas pontilhadas, indicou o empuxo de cada ponto em direção ao centro. Logo abaixo do desenho, escreveu: "Há uma gravidade emocional em nossos valores: atraímos para a nossa órbita aqueles que têm valores semelhantes aos nossos e instintivamente repelimos, como se por um magnetismo inverso, aqueles cujos valores são contrários.[41] Essas atrações formam grandes órbitas de pessoas com pensamentos semelhantes em torno do mesmo princípio. Cada uma segue o mesmo caminho, girando em torno da mesma ideia estimada."

Ele então desenhou outro círculo, adjacente ao primeiro. As linhas dos dois círculos quase se tocavam. Em seguida, desenhou linhas de tensão entre as bordas dos dois círculos, os pontos em que a gravidade exercia sua força nas duas direções, atrapalhando a perfeita simetria de cada órbita. Então escreveu:

"Grandes grupos de pessoas se reúnem, formando tribos e comunidades baseadas em avaliações semelhantes de suas histórias emocionais. Pode ser que você valorize a ciência, por exemplo. Eu também valorizo a ciência. Logo, existe um magnetismo emocional entre nós. Nossos valores se atraem e nos fazem entrar perpetuamente na órbita um do outro, em uma dança metafísica de amizade. Nossos valores se alinham, nossa causa é uma só!

"Mas digamos que um cavalheiro veja valor no puritanismo, e outro, no anglicanismo. Eles habitam gravidades relacionadas porém diferentes. Isso faz com que um atrapalhe a órbita do outro, provocando tensão entre as hierarquias de valor, desafiando a identidade do outro e, portanto, gerando emoções negativas que irão afastá-los e impedi-los de compartilhar a mesma causa.

"Essa gravidade emocional, eu declaro, é o que compõe a organização fundamental de todo conflito e objetivo humano."

Com isso, Isaac pegou outra folha e desenhou vários círculos de tamanhos diferentes.

"Quanto mais forte é o valor que temos", escreveu, "ou seja, quanto mais convictos estamos ao determinar algo como superior ou inferior a todo o restante, mais forte é a sua gravidade, mais estreita é sua ór-

As Leis Emocionais de Newton   79

bita, e mais difícil é que forças externas atrapalhem seu caminho e seu propósito.[42]

"Portanto, nossos valores mais fortes exigem ou a afinidade ou a antipatia alheia — quanto mais pessoas compartilham o mesmo valor, mais elas começam a se reunir e a se organizar em uma instituição única e coerente em torno dele: cientistas com cientistas, religiosos com religiosos. Pessoas que amam a mesma coisa amam umas às outras. Pessoas que odeiam a mesma coisa também se amam. E pessoas que amam ou odeiam coisas diferentes se odeiam. Todos os sistemas humanos, mais cedo ou mais tarde, chegam a um equilíbrio se reunindo e se encaixando em constelações de sistemas de valores partilhados — as pessoas se unem e alteram suas narrativas pessoais até que elas se unifiquem, e a identidade pessoal consequentemente se torne a identidade do grupo.

"Você talvez diga: 'Mas, Newton, meu bom homem! A maioria das pessoas não valoriza as mesmas coisas? A maioria das pessoas não quer simplesmente um pedaço de pão e um lugar seguro para dormir à noite?' E minha resposta é: você tem toda a razão, meu amigo!

"Todas as pessoas são mais parecidas do que diferentes. Em geral, todos nós queremos as mesmas coisas na vida. Mas pequenas diferenças provocam emoções, que, por sua vez, geram um senso de importância. A partir disso, passamos a atribuir relevância desproporcional às nossas diferenças, deixando de lado as semelhanças. E essa é a maior tragédia da humanidade: estarmos condenados a um conflito perpétuo por diferenças mínimas.[43]

"Essa teoria da gravitação emocional, a coerência e a atração de valores semelhantes, explica a história dos povos.[44] Cada parte do mundo tem seus fatores geográficos. Uma região pode ser de difícil acesso, escarpada e bem protegida contra invasores. As pessoas dali naturalmente passariam a valorizar a neutralidade e o isolamento, o que então se tornaria a identidade daquele grupo. Outra região talvez tenha comida e vinho em abundância, e os habitantes dali valorizariam a hospitalidade, as festas e a família. Isso também se tornaria sua identidade. Outra

80   F*DEU GERAL

região pode ser árida e difícil de se viver, mas com uma paisagem aberta e uma vista que a conecte a muitas terras distantes, o que faria seus habitantes valorizarem autoridade, liderança militar e domínio absoluto. Isso também é a identidade deles.[45]

"E assim como o indivíduo protege sua identidade através de crenças, racionalizações e preconceitos, da mesma maneira comunidades, tribos e nações protegem as delas.[46] Com o tempo, essas culturas se solidificam em nações, que se expandem, trazendo mais e mais pessoas para seus sistemas de valor. Em algum momento, essas nações entrarão em contato, e seus valores contraditórios irão colidir.

"A maioria das pessoas não dá mais valor a si do que aos valores de sua cultura ou grupo. Logo, muitas estão dispostas a morrer por seus valores mais importantes — pela família, pelos entes queridos, pela nação, pelo deus em que acreditam. E como estão dispostas a morrer por isso, essas colisões culturais inevitavelmente resultam em guerras.[47]

"A guerra não passa de um teste de esperança. O país ou povo que adotou valores que melhor maximizam os recursos e as esperanças de seus habitantes inevitavelmente sairá vitorioso. Quanto mais uma nação conquista povos vizinhos, mais seus habitantes sentirão que *merecem* dominar os outros, e mais irão enxergar os valores da sua nação como as verdadeiras luzes que guiam a humanidade. Uma vez cristalizada, a supremacia desses valores vitoriosos será repassada em histórias, em contos; eles serão transmitidos a gerações futuras para lhes dar esperança. Com o tempo, quando esses valores perderem sua eficácia, serão subjugados por valores de uma nação mais nova, e a história seguirá em frente, com o desdobramento de uma nova era.

"Assim, eu declaro, configura-se o progresso humano."

Assim que terminou de escrever, Newton colocou sua teoria da gravitação emocional na mesma pilha que suas três Leis Emocionais e então parou para refletir sobre suas descobertas.

Naquele momento de quietude e escuridão, Isaac Newton olhou para os círculos na folha de papel e chegou a uma conclusão perturba-

As Leis Emocionais de Newton   81

dora: ele próprio não tinha órbita. Ao longo de anos de traumas e fracassos sociais, havia voluntariamente se separado de tudo e de todos, como uma estrela solitária em trajetória própria, sem empecilhos ou influências do empuxo gravitacional de qualquer sistema.

Ele percebeu que não valorizava ninguém — nem a si mesmo —, e isso lhe provocou uma solidão e uma tristeza avassaladoras, porque nenhuma lógica, nem todos os cálculos do mundo compensavam o desespero das infinitas tentativas do seu Cérebro Sensível de encontrar esperança no mundo.

Eu adoraria poder dizer que o Newton do universo paralelo, ou Newton Emo, superou a tristeza e a solidão. Eu gostaria muito de poder dizer que ele aprendeu a dar valor a si mesmo e aos outros. Mas, como o Isaac Newton do nosso universo, Newton Emo passaria o resto dos seus dias sozinho, rabugento e deprimido.

As perguntas respondidas por ambos os Newtons naquele verão de 1665 intrigavam filósofos e cientistas havia gerações. Ainda assim, em questão de meses, aquele cara de 25 anos rabugento e antissocial descobriu o mistério, decifrou o código. E lá, nas fronteiras das revelações intelectuais, ele largou suas descobertas em um canto mofado e esquecido do escritório apertado, em uma remota vila do interior, a um dia de viagem a norte de Londres.

E lá elas permaneceriam, juntando poeira, desconhecidas pelo mundo.[48]

4

Como fazer todos os seus sonhos se tornarem realidade

Imagine só: são duas da manhã e você ainda está acordado no sofá de frente para a televisão. Seus olhos não enxergam mais nada e seu cérebro está turvo. Por quê? Vai saber. Graças à inércia, é muito mais fácil continuar ali diante da TV do que se levantar e ir para a cama. Então é isso que você faz.

Perfeito, porque é aí que eu te pego: quando você está se sentindo apático, perdido, totalmente passivo diante do seu destino. Ninguém fica sentado na frente da TV até as duas da manhã se tiver algo importante para fazer no dia seguinte. Ninguém perde horas só para reunir forças para levantar a bunda do sofá se não estiver passando por alguma crise interna de esperança. E é exatamente com essa crise que eu quero falar.

Eu apareço na tela da TV. Sou um redemoinho de energia. Cores berrantes, incômodas, efeitos sonoros cafonas. Estou quase gritando. Mas meu sorriso, de certa forma, é tranquilo, relaxante. Conforta. É como se eu estivesse olhando só para você:

— E se eu te disser que posso resolver todos os seus problemas? — pergunto.

Pfff, tá bom..., você pensa. *Você não sabe da missa a metade, amigo.*

— E se eu te disser que posso fazer todos os seus sonhos se tornarem realidade?

Claro, claro, e eu sou o coelhinho da Páscoa.

— Cara, eu sei como você se sente — digo.

Ninguém sabe como eu me sinto, você pensa instintivamente, surpreso com quão automática é a reação.

— Eu também já me senti perdido — digo. — Me senti sozinho, isolado, sem esperança. Também passava noites em claro sem nenhuma razão especial, me perguntando se haveria algo de errado comigo, que força invisível era aquela me separando dos meus sonhos. E sei que é isso que você está sentindo também. Que perdeu alguma coisa. Mas não sabe o quê.

Na verdade, digo essas coisas porque todo mundo passa por isso. É um fato da condição humana. Todos nos sentimos sem forças para equilibrar a culpa que faz parte da nossa existência. Todos sofremos e nos vitimizamos em algum grau, sobretudo quando somos jovens. E todos passamos a vida inteira tentando compensar esse sofrimento.

E nos momentos em que as coisas não vão tão bem, isso nos leva ao desespero.

Mas como a maioria das pessoas que estão sofrendo, você se enfurnou tanto na própria dor que não percebe mais que ela é algo comum e que esse conflito não é exclusividade sua — pelo contrário, é universal. E, por ter esquecido isso, tem a sensação de que estou falando apenas com você; como se, em um passe de mágica, eu estivesse espiando dentro da sua alma e recitando o conteúdo do seu coração. Por isso você se ajeita no sofá e começa a prestar atenção.

— Porque — repito — eu tenho a solução para *todos* os seus problemas. Posso fazer com que *todos* os seus sonhos se tornem realidade. — Agora estou apontando para você e meu dedo parece gigantesco na tela da TV. — Tenho todas as respostas. Detenho o segredo da felicidade duradoura e da vida eterna, e ele é...

84 F*DEU GERAL

E saio falando coisas tão bizarras, tão ridículas, tão absolutamente perversas e cínicas que você começa a achar que podem mesmo ser verdade. O problema é que você *quer* acreditar em mim. Você *precisa* acreditar em mim. Eu represento a esperança e a salvação pelas quais seu Cérebro Sensível clama desesperadamente, das quais ele tanto precisa. E assim, aos poucos, seu Cérebro Pensante chega à conclusão de que a minha ideia é tão absurdamente louca que pode até dar certo.

A ladainha comercial continua e aos poucos a necessidade existencial de encontrar sentido em algum lugar, *não importa onde*, derruba suas defesas psicológicas e me deixa entrar. Afinal, eu *de fato* comprovei ter um conhecimento surreal da sua dor, ter acesso a uma passagem secreta direto para sua verdade oculta, atingi a veia profunda que conduz ao seu coração. Você percebe então que, em meio àqueles dentes brilhantes e palavras gritadas, eu falei: "Já estive tão na merda quanto você... e descobri como sair dela. Vem comigo."

Agora estou a mil por hora. Os ângulos da câmera mudam o tempo todo, me captam ora de lado, ora de frente. Surge uma plateia de estúdio. As pessoas estão empolgadas com cada palavra que digo. Uma mulher está chorando. Um homem está de queixo caído. O seu também cai. Não te dou um segundo de folga. Vou fazer você se sentir realizado para sempre, cara. Vou dar conta de tudo sem deixar furo nenhum. Está muito barato, assina aqui. Quanto vale sua felicidade? Quanto vale sua esperança? Anda, babaca.

Assina agora.

Era o que faltava para você pegar o celular, acessar o site, preencher o cadastro.

Verdade, salvação, felicidade eterna. Tudo isso pode ser seu. Será seu. Você está pronto?

COMO CRIAR SUA RELIGIÃO

Uma introdução a um sistema testado e aprovado que ajudará você a obter a felicidade e a salvação eternas!

(OU SEU DINHEIRO DE VOLTA)

Bem-vindo, e parabéns por ter dado o primeiro passo para a realização de todos os seus sonhos! Ao final deste curso você terá resolvido todos os seus problemas. Viverá uma vida de abundância e liberdade. Estará cercado de amigos queridos e das pessoas que você ama. É garantido!*

É muito fácil, qualquer um consegue. Não é preciso ter qualquer tipo de formação ou diploma. Com acesso à internet e um teclado que funcione você poderá criar sua própria religião.

Sim, é isso mesmo que você ouviu. Você pode dar início à sua religião — HOJE — e começar a desfrutar das vantagens de ter milhares de seguidores enlouquecidamente devotos que lhe oferecerão adoração incondicional, compensação financeira e mais likes do que você é capaz de administrar.

Neste programa de seis passos tão simples que qualquer um pode seguir, abordaremos:

Sistemas de crenças. Você deseja criar uma religião espiritual ou secular? Com foco no passado ou no futuro? Violenta ou não violenta? Todas essas perguntas são importantes, mas não se preocupe, *só eu* tenho as respostas.

Como achar seus primeiros seguidores. E o mais importante: qual seria o perfil deles? Ricos? Pobres? Homens? Mulheres? Veganos? Estou por dentro de tudo!

---

* Sujeito a termos e condições.

Rituais, rituais, rituais! Coma isso. Fique ali. Recite aquilo. Curve--se, ajoelhe-se e bata palmas! Faça a dancinha e dê meia-volta! É isso aí! A parte mais divertida da religião é inventar bobagens que todo mundo vai achar que fazem sentido. Fornecerei a você o guia completo para desenvolver os rituais mais bacanas e descolados. As crianças só vão falar disso; principalmente porque serão obrigadas.

Como eleger um bode expiatório. Nenhuma religião está completa sem um inimigo no qual projetar a perturbação interior de seus fiéis. A vida é complicada, mas por que lidar com os próprios problemas se dá para jogar a culpa em outra pessoa? É isso mesmo, você descobrirá qual a melhor forma de eleger um bicho-papão (ou bicha-papona!) e convencer seus seguidores a odiá-lo/a. Nada nos une mais do que odiar o mesmo inimigo. Prepare suas armas de combate!

E, por fim, como ganhar dinheiro. Afinal, por que fundar uma religião se não for para lucrar? Meu guia fornecerá dicas detalhadas para sugar seus seguidores ao máximo. Esteja você atrás de dinheiro, fama, poder ou orgias de sangue, deixe comigo!

Veja bem, todos nós precisamos de comunidades para nos munir de esperança. E todos precisamos de esperança para não ficarmos loucos de pedra e começarmos a cheirar sais de banho. Religiões são a base dessa esperança comunal. E vamos aprender a criar uma do zero.

Religiões são lindas. Quando uma quantidade suficiente de pessoas com os mesmos valores está reunida, elas agem de forma que jamais agiriam se estivessem sós. A esperança de cada uma é amplificada numa espécie de efeito de rede e a validação social de fazer parte de um grupo sequestra seus Cérebros Pensantes e deixa os Cérebros Sensíveis tomarem conta de tudo.[1]

Religiões reúnem grupos de pessoas para validação mútua e para que elas se façam sentir importantes. Trata-se de um grande acordo tácito de que, se nos unirmos em nome de um propósito comum, nos

Como fazer todos os seus sonhos se tornarem realidade   87

sentiremos valiosos e dignos, e a Verdade Desconfortável estará um pouquinho mais longe.[2]

Isso é *tremendamente* satisfatório em nível psicológico. As pessoas ficam loucas! E, o melhor de tudo, tornam-se altamente sugestionáveis. O paradoxo é: somente em um ambiente coletivo sobre o qual não tem nenhum controle é que o indivíduo terá a percepção do autocontrole absoluto.

O perigo desse acesso imediato ao Cérebro Sensível, porém, é a tendência de grandes grupos de pessoas a cometer atos altamente impulsivos e irracionais. Por um lado, as pessoas se sentem plenas, compreendidas e amadas. Por outro, às vezes se transformam em uma turba raivosa e sanguinária.[3]

Este guia vai ensinar em detalhes como estabelecer a sua própria religião, para que você desfrute das vantagens oferecidas por milhares de seguidores sugestionáveis. Vamos começar.

COMO CRIAR SUA RELIGIÃO

Primeiro passo: vender esperança aos desesperados

Nunca vou me esquecer da primeira vez que escutei que tinha sangue nas mãos. Lembro como se fosse ontem.

Era uma bela manhã ensolarada de 2005 em Boston, Massachusetts. Eu estava na universidade, a caminho da aula, tranquilão, quando vi uma garotada mostrando fotos dos ataques terroristas do 11 de Setembro com a legenda "Os Estados Unidos mereceram".

Eu não me considero nem de longe a pessoa mais patriota do mundo, mas acho que quem ergue um cartaz desses à luz do dia está pedindo um soco.

Parei e fui falar com eles, perguntar o que estavam fazendo. Haviam montado uma mesa onde colocaram alguns panfletos. Um deles trazia uma foto de Dick Cheney com chifres de demônio e as palavras "assassino em massa" escritas embaixo. Em outro, George W. Bush com um bigode de Hitler.

Aqueles alunos integravam o Movimento Juvenil LaRouche, grupo fundado em New Hampshire pelo ideólogo de extrema esquerda Lyndon LaRouche. Seus seguidores passavam horas e horas nos arredores de campus de faculdades no nordeste do país, distribuindo panfletos a universitários suscetíveis. Ao me deparar com eles, levei dez segundos para entender o que eram de fato: uma religião.

É isso. Eram uma religião ideológica: uma religião antigoverno, anticapitalista, antivelhos, antissistema. Defendiam que a ordem mundial internacional era corrupta do começo ao fim. Que a única razão para a Guerra do Iraque tinha sido dar mais dinheiro aos amigos de Bush. Que terrorismo e tiroteios em massa não existiam e que tais eventos não passavam de esforços governamentais altamente coordenados para controlar a população. Não se preocupem, meus amigos de direita,

Como fazer todos os seus sonhos se tornarem realidade   89

pois anos depois eles desenhariam o mesmo bigode de Hitler e fariam as mesmas alegações sobre Obama — se isso faz vocês se sentirem melhor (não deveria).

O que o Movimento Juvenil LaRouche (LYM) faz é absolutamente genial. Procura universitários descontentes e inquietos (geralmente rapazes), uma galera tão raivosa quanto assustada (assustada com as súbitas responsabilidades que foram obrigados a assumir e raiva da intransigente e decepcionante vida adulta) e prega uma mensagem simples: "Não é culpa de vocês."

Sim, meu jovem, você achava que era tudo culpa do papai e da mamãe, mas não é. Nananinanão. E sei que você achava que era tudo culpa dos seus professores de merda e daquela faculdade que era um roubo. Negativo. Também não foram eles. Você deve até ter achado que era tudo culpa do governo. Está chegando perto, mas ainda não.

Veja só, é culpa do *sistema*, essa entidade pomposa e vaga da qual você sempre ouviu falar.

Esta era a fé vendida pelo LYM: se conseguirmos derrubar "o sistema", *tudo* vai ficar bem. Não haverá mais guerra. Não haverá mais sofrimento. Não haverá injustiça.

Lembre-se de que, para termos esperança, precisamos vislumbrar um futuro melhor (valores); precisamos nos sentir capazes de alcançar este cenário (autocontrole); e precisamos encontrar outras pessoas que compartilhem dos nossos valores e deem apoio aos nossos esforços (comunidade).

A juventude é um período em que muita gente enfrenta problemas com valores, controle e comunidade. Pela primeira vez na vida, os jovens ganham o direito de decidir o que querem ser. Medicina? Administração? Psicologia? Tantas opções podem ter um efeito paralisante.[4] E a inevitável frustração faz muitos questionarem seus valores e perderem a esperança.

Além disso, o autocontrole é um problema nessa fase da vida.[5] Pela primeira vez, essas pessoas não estão vinte e quatro horas por dia sendo vigiadas por alguma autoridade. Por um lado, há a sensação de liberdade, o entusiasmo. Por outro, elas passam a ser responsáveis pelas próprias decisões. E caso não sejam lá muito boas em acordar na hora certa, ir à faculdade ou ao trabalho e estudar o suficiente, é difícil admitir que não há ninguém a quem culpar a não ser elas mesmas.

Por fim, os jovens estão particularmente preocupados em encontrar uma turma e se encaixar.[6] O que não só é importante para seu desenvolvimento emocional como também os ajuda a encontrar e solidificar a própria identidade.[7]

Gente como Lyndon LaRouche usa jovens perdidos e sem rumo como capital. LaRouche deu a eles uma explicação política distorcida para justificar a insatisfação que sentiam. Ofereceu a sensação de controle e os fez sentir mais fortes ao traçar uma estratégia para (supostamente) mudar o mundo. E, por fim, forneceu uma comunidade na qual eles "se encaixam" e sabem quem são.

Portanto, deu a eles esperança.[8]

— Vocês não acham que estão exagerando um pouquinho? — perguntei naquele dia aos alunos membros do LYM, apontando para as fotos das torres do World Trade Center nos panfletos.[9]

— De jeito nenhum, cara! É até pouco! — respondeu um deles.

— Olha só, eu também não votei no Bush e não concordo com a Guerra do Iraque, mas...

— Não importa em quem você vota! Um voto para qualquer um é um voto para o sistema corrupto e opressor! Você tem sangue nas mãos!

— Como é que é?

Eu nem *sabia* dar um soco, mas já estava fechando a mão. Quem aquele filho da mãe achava que era?

— Se você participa desse sistema, você perpetua ele — continuou o garoto. — E é cúmplice, portanto, do assassinato de milhões de civis inocentes mundo afora. Aqui, ó, dá uma lida nisso. — E jogou um panfleto em cima de mim.

Peguei e dei uma olhada, frente e verso.

— Isso é uma completa estupidez — falei.

Nossa "conversa" continuou nessa levada por mais alguns minutos. Na época, eu não soube a melhor forma de agir. Ainda achava que esse tipo de coisa se baseava na razão e nas evidências, não em sentimentos e valores. E não se muda valores pela razão, só a partir da experiência. Depois de me irritar bastante, acabei resolvendo sair dali. Já estava indo embora quando o garoto tentou me inscrever num seminário gratuito.

— Você tem que abrir sua cabeça, cara — disse ele. — A verdade é assustadora.

Olhei para ele e respondi com uma citação de Carl Sagan que tinha lido certa vez num fórum on-line.

— Sua cabeça está tão aberta que o cérebro caiu![10]

Me senti esperto e superior. Presumo que ele também. Naquele dia, ninguém mudou a cabeça de ninguém.

É quando estamos pior que nos deixamos impressionar mais.[11] Quando nossa vida está desmoronando, significa que nossos valores não nos serviram para nada, e tateamos no escuro em busca de valores novos. Quando uma religião cai, abre-se espaço para outra. Gente que perde a fé no deus espiritual vai procurar por um deus mundano. Quem perde a família se entrega à sua raça, ao seu credo, à sua nação. Quem perde a fé no governo ou no país vai buscar esperança em ideologias extremistas.[12]

Há uma razão para todas as principais religiões do mundo terem em seu histórico o envio de missionários aos cantos mais pobres e miseráveis do planeta: quem está passando fome acredita naquilo que botar comida na mesa. A melhor estratégia para sua nova religião é pregar a mensagem àqueles que estiverem na merda: os pobres, os párias, os maltratados, os esquecidos. Gente que passa o dia no Facebook, sabe?[13]

Jim Jones arregimentou seus seguidores recrutando sem-teto e minorias marginalizadas, fazendo uso de uma mensagem socialista mesclada à sua visão (deturpada) do cristianismo. Calma aí, o que estou dizendo? Jesus Cristo fez a mesmíssima coisa.[14] Buda também. Moisés...

Bem, vocês já entenderam. Líderes religiosos pregam aos pobres, aos oprimidos, aos escravizados, dizendo que eles *merecem* o Reino dos Céus — basicamente dizem um belo "foda-se" para as elites corruptas de sua época. É uma mensagem fácil de corroborar.

Hoje é mais fácil do que nunca se dirigir aos desesperançados. Basta ter um perfil em uma rede social: comece a postar umas maluquices extremistas e deixe o algoritmo se encarregar do resto. Quanto mais loucos e extremos seus posts, mais atenção eles vão gerar e mais desesperançados vão atrair, assim como bosta de vaca faz com as moscas. Não é nada complicado.

Mas não basta entrar na internet e dizer qualquer coisa. É preciso ter uma mensagem (semi)coerente. É preciso ter uma visão. Porque é fácil irritar e enfurecer as pessoas por causa de bobagem: o jornalismo criou todo um modelo de negócios a partir disso. Mas, para ter esperança, as pessoas precisam sentir que fazem parte de algum movimento maior, sentir que estão se juntando ao lado vencedor da história.

E, para isso, é preciso dar fé a elas.

COMO CRIAR SUA RELIGIÃO

Segundo passo: escolher sua fé

Todos precisamos ter fé em alguma coisa. Sem fé não há esperança.

Quem não é religioso sente calafrios ao ouvir falar em *fé*, mas é inevitável tê-la. Evidências e ciência se baseiam em experiências passadas. A esperança, em experiências futuras. E sempre é preciso se munir de algum grau de fé de que algo novo vá ocorrer no futuro.[15] Você paga a hipoteca por ter fé na realidade do dinheiro, na realidade do crédito e no banco ficando com tudo que é seu.[16] Você manda seus filhos fazerem o dever de casa por ter fé de que a educação é importante para eles e de que isso irá torná-los adultos mais felizes e saudáveis. Você tem fé na existência e na possibilidade da felicidade. Você tem fé de que vale a pena viver bastante e por isso procura manter-se em segurança e com saúde. Você tem fé na importância do amor, do emprego e de todas essas coisas.

Portanto, o ateísmo não existe. Bem, mais ou menos. Depende do que você chama de "ateísmo".[17] A questão é que todos precisamos crer, por pura fé, na *importância de algo*. Até um niilista acredita, por pura fé, não haver nada cuja importância seja maior do que todo o resto.

No fim das contas, tudo se baseia em fé.[18]

A pergunta fundamental, portanto, é: fé no quê? No que escolhemos acreditar?

Quaisquer que sejam os valores adotados como referência por nossos Cérebros Sensíveis, uma vez posicionados no topo da hierarquia esses valores se tornarão a lente através da qual passaremos a interpretar todos os demais valores. Chamemos este valor mais alto de "valor-deus".[19] Para algumas pessoas é o dinheiro. Elas enxergam todo o resto (família, amor, prestígio, política) pelo prisma do dinheiro. Sua família só os amará se tiverem bastante dinheiro. Só serão respeitados se tiverem dinheiro. Todos os seus conflitos, frustrações, ciúmes, ansiedade — tudo é pautado pelo dinheiro.[20]

Para outras o valor-deus é o amor. Essas pessoas enxergam todos os outros valores pelo prisma do amor — são contra todas as formas de conflito, são contra qualquer coisa que separe ou divida os outros.

Obviamente, muitos adotam Jesus Cristo, ou Maomé, ou o Buda, como seu valor-deus. Passam então a interpretar tudo o que vivem sob o prisma dos ensinamentos do líder espiritual escolhido.

Algumas pessoas têm a si como valor-deus — melhor dizendo, seu próprio prazer e fortalecimento. Estes são os fiéis do narcisismo: a religião do autoengrandecimento.[21] A fé de tais pessoas é depositada em sua própria superioridade e merecimento.

Para outras o valor-deus é outro indivíduo. A isso frequentemente é dado o nome de "codependência".[22] Tais pessoas extraem toda a esperança dessa conexão e sacrificam a si e seus interesses em nome do outro. Passam a basear todo o seu comportamento, suas decisões e crenças no que possivelmente agradará àquela outra pessoa — seu pequeno Deus pessoal. Os resultados característicos desse comportamento são relacionamentos verdadeiramente doentios com — adivinhou! — narcisistas. Afinal de contas, o valor-deus do narcisista é ele mesmo, e o do codependente é consertar e salvar o narcisista. Portanto, essa relação meio que funciona, de uma forma bastante perturbadora e doentia (mas no fundo não funciona, não).

Todas as religiões precisam de um valor-deus tendo a fé como alicerce. Não importa no que seja. Venerar gatos, acreditar em impostos baixos, nunca deixar que as crianças coloquem o pé fora de casa — sempre é um valor baseado na fé em que a melhor realidade futura será produzida por *aquele elemento* e portanto dele derivará o máximo da esperança. Organizamos então nossa vida e todos os outros valores em torno daquele. Buscamos atividades que sancionem essa fé, ideias que a sustentem e, o mais importante, comunidades que dela compartilhem.

Como fazer todos os seus sonhos se tornarem realidade   95

* * *

Chegamos ao ponto em que alguns dos leitores de mentalidade mais científica começam a levantar a mão e ressaltar que há coisas chamadas *fatos* e evidências de sobra capazes de atestá-los, e que não precisamos da fé para saber que algumas coisas são reais.

Tudo bem. Mas a questão é a seguinte: as evidências não fazem a menor diferença. Elas pertencem à esfera do Cérebro Pensante, ao passo que os valores são formados pelo Cérebro Sensível. Não há como provar valores. Por definição, são tópicos subjetivos e arbitrários. Portanto, é possível discutir sobre fatos até perder o fôlego, mas, no fim das contas, não importa: as pessoas interpretam o significado das próprias experiências com base nos próprios *valores*.[23]

Se um meteorito caísse na cidade e matasse metade da população, uma pessoa religiosa ultratradicional encararia o ocorrido como uma resposta a todos os pecadores da região. Já um ateu diria que o evento foi uma prova de que Deus não existe (outra crença baseada na fé, aliás), pois como poderia um ente benevolente e todo-poderoso permitir algo tão horrível? Um hedonista diria que é mais uma razão para fazer a festa, já que todos podemos morrer a qualquer instante. Já o capitalista começaria a pensar em investir em tecnologias de proteção contra meteoritos.

As evidências servem aos interesses do valor-deus, não o oposto. A única brecha nessa lógica é quando as *evidências se tornam* o valor-deus. A religião erguida em torno da adoração às evidências é comumente chamada de "ciência", e talvez seja a nossa melhor criação enquanto espécie. Mas a ciência e suas ramificações são assunto para o próximo capítulo.

Minha questão aqui é que todos os valores são crenças baseadas na fé. Portanto, a esperança em qualquer coisa (e consequentemente todas as religiões) também tem por base a fé. Fé de que essa coisa é importante, valiosa, correta, embora jamais seja possível comprová-la para além de qualquer dúvida.

Para nossos propósitos, defini três tipos de religiões, cada um fundamentado em uma espécie diferente de valor-deus.

Religiões espirituais. Extraem esperança de crenças sobrenaturais, ou em coisas fora do âmbito físico ou material. Almejam um futuro melhor além deste mundo e desta vida. Cristianismo, islamismo, judaísmo, animismo e a mitologia grega são exemplos de religiões espirituais.

Religiões ideológicas. Extraem esperança do mundo natural. É neste mundo e nesta vida que buscam a salvação, o crescimento e desenvolvem crenças baseadas no agora. Exemplos: capitalismo, comunismo, ambientalismo, liberalismo, fascismo e libertarismo.

Religiões interpessoais. Extraem esperança de outras pessoas em nossa vida. Exemplos incluem o amor romântico, crianças, ídolos esportivos, líderes políticos e celebridades.

Religiões espirituais são de alto risco e alto benefício. De longe as que exigem mais habilidades e carisma, também são as que mais compensam em termos de lealdade dos fiéis e benefícios. (Cara, você já viu o Vaticano? Puta merda.) E se você construir direitinho a sua, durará até muito depois da sua morte.

As religiões ideológicas jogam a criação de religiões no nível normal de dificuldade. São trabalhosas, exigem esforço, mas são bastante comuns. Tão comuns que acabam enfrentando muita competição na conquista da esperança das pessoas. Comumente são descritas como "tendências" culturais, e, de fato, a maioria não dura mais do que alguns anos ou décadas. Só as mais espertas atravessam os séculos.

Por fim, as religiões interpessoais são o modo fácil, por serem tão comuns quanto as próprias pessoas. Todos nós em algum momento da vida nos rendemos por completo e depositamos toda a nossa autoestima nas mãos de alguém. Vive-se a religião interpessoal como uma espécie de amor adolescente ingênuo, o tipo de coisa que só encarando e sofrendo para superar.

Comecemos com as religiões espirituais, que envolvem mais riscos e talvez sejam as mais importantes da história da humanidade.

Religiões espirituais

Dos rituais pagãos e animalísticos das sociedades humanas primitivas aos deuses pagãos da Antiguidade, chegando às imponentes religiões monoteístas que ainda perduram, a maior parte da história da humanidade é dominada por uma crença em forças sobrenaturais e, o mais importante, pela esperança de que certos atos e crenças *nesta* vida acarretarão em recompensas e progresso *na próxima*.

Essa preocupação com próximas encarnações se desenvolveu porque, durante grande parte da história da humanidade, a merda era tão generalizada que 99% da população não tinha qualquer esperança de obter progresso material ou físico nessa existência. Se você acha que as coisas estão ruins atualmente, pense só nas pragas que dizimaram um terço da população de um continente inteiro[24] ou nas guerras que promoveram a venda de dezenas de milhares de crianças como escravas.[25] Fato é que, antigamente, tudo era tão ruim que a única forma de manter todo mundo são era com promessas de esperança numa vida após a morte. A religião sustentava o tecido social ao dar às massas a garantia de que seu sofrimento tinha um sentido, que Deus observava tudo e que todos seriam devidamente recompensados.

As religiões espirituais, caso alguém não tenha reparado, são incrivelmente resilientes. Duram centenas, se não milhares, de anos. Isso porque não há como provar ou refutar crenças sobrenaturais. Portanto, uma vez que uma delas se instale na mente de alguém como valor-deus, é quase impossível desinstalá-la.

Religiões espirituais são poderosas também porque frequentemente promovem a esperança em face da morte. O resultado é o belíssimo efeito colateral de tornar um monte de gente disposta a morrer em nome de crenças não comprovadas. Fica difícil competir.

Religiões ideológicas

Religiões ideológicas geram esperança construindo redes de crenças de que certos atos produzirão melhores cenários *nesta* vida, mas apenas se forem adotados pela população em larga escala. Ideologias geralmente são "ismos": libertarismo, nacionalismo, materialismo, racismo, machismo, veganismo, comunismo, capitalismo, socialismo, fascismo, cinismo, ceticismo etc. Ao contrário das espirituais, as religiões ideológicas são comprováveis em diferentes graus. Teoricamente, testes podem verificar se um banco central torna um sistema financeiro mais ou menos estável, se uma democracia torna uma sociedade mais justa, se a educação contribui para que as pessoas sejam menos propensas a comer o fígado umas das outras, mas de certo ponto em diante a maior parte das ideologias ainda depende da fé. Há duas razões para isso. A primeira é que algumas coisas são incrivelmente difíceis, senão impossíveis, de testar e comprovar. A outra é que um monte de ideologias depende de toda uma sociedade ter fé na mesma coisa.

Por exemplo, não se pode provar cientificamente o valor intrínseco do dinheiro, mas como todos acreditamos nisso, então ele passa a ter valor.[26] Também não se pode provar que o próprio conceito de cidadania nacional seja real, nem mesmo a existência da maioria das etnias.[27] Todas essas crenças são construções sociais que nós engolimos com base na fé.

O problema com evidências e ideologias é que humanos têm certa tendência a pegar uma pitada de evidência e se fartarem, generalizando algumas ideias simples e aplicando a populações inteiras e até mesmo ao planeta inteiro.[28] É assim que funciona o narcisismo humano: usando a necessidade de inventar nossa importância, de deixar nossos Cérebros Sensíveis sem coleira. Portanto, ainda que ideologias estejam sujeitas ao crivo das evidências e verificações, não somos muito bons nisso.[29] A humanidade é tão vasta e complexa que nossos cérebros têm dificuldade em absorver tudo. As variáveis são muitas. E assim nossos Cérebros Pensantes inevitavelmente pegam atalhos para perpetuar certas crenças, que podem acabar sendo bem desprezíveis. Ideologias

Como fazer todos os seus sonhos se tornarem realidade 99

ruins como racismo ou machismo persistem muito mais por ignorância do que por malícia. E pessoas se apegam a ideologias ruins porque, infelizmente, elas oferecem algum grau de esperança a seus partidários.

Religiões ideológicas são difíceis de criar, mas bem mais comuns do que religiões espirituais. Basta encontrar uma explicação que pareça razoável para o tanto de merda acontecendo no mundo e expandi-la para uma vasta população — oferecendo assim uma dose de esperança — e, como num passe de mágica, você terá uma religião ideológica. Quem está vivo há mais de vinte anos certamente já viu isso acontecer algumas vezes. Só eu já vi nascerem os movimentos a favor de direitos LGBTQ, pesquisa com células-tronco e descriminalização do uso de drogas. Aliás, grande parte do que está deixando as pessoas irritadas hoje em dia é o fato de ideologias tradicionalistas, nacionalistas e populistas estarem ganhando poder político no mundo todo e dedicando-se a desfazer muito do trabalho realizado pelas ideologias globalistas, feministas e ambientalistas do final do século XX.

Religiões interpessoais

Todo domingo, milhões de pessoas se reúnem para observar um campo verde e vazio. Há linhas brancas pintadas nesse campo. Esses milhões de pessoas concordam em crer (apenas com base na fé) que essas linhas têm um significado importante. Então, dezenas de homens (ou mulheres) parrudos entram no campo, organizam-se em formações aparentemente arbitrárias e arremessam (ou chutam) de um lado para outro um pedaço de couro. Dependendo do momento e do local em que este pedaço de couro vá parar, um grupo festeja e outro fica tremendamente chateado.

Esportes são um tipo de religião. Há sistemas de valores arbitrários concebidos para dar esperança às pessoas. Acerte a bola e você será um herói! Chute a bola para lá e você será um fracassado! Esportes endeusam alguns indivíduos e demonizam outros. Ted Williams é o me-

100 F*DEU GERAL

lhor rebatedor da história do beisebol e, portanto, segundo algumas pessoas, um herói americano, um ícone, um modelo. Outros atletas são demonizados por não terem atingido seu potencial, desperdiçado talento ou traído seguidores.[30]

Mas há um exemplo de religião interpessoal ainda mais pomposo que o esporte: a política. Mundo afora, pessoas com um conjunto semelhante de valores tendem a se unir e geralmente optam por conferir autoridade, liderança e virtude a um pequeno grupo de indivíduos. Assim como as linhas de um campo de futebol, sistemas políticos são inteiramente inventados, e os postos de poder só existem em virtude da fé da população. Seja numa democracia ou numa ditadura, o resultado é o mesmo: um grupo reduzido de líderes é idolatrado e exaltado (ou demonizado) pela consciência social.[31]

Religiões interpessoais nos dão a esperança de que outro ser humano nos trará a salvação e a felicidade, nos fazem crer que um indivíduo (ou grupo de indivíduos) é superior aos demais. Às vezes se misturam a crenças sobrenaturais e ideológicas, resultando assim em párias, mártires, heróis e santos. Muitas religiões interpessoais florescem em torno de líderes. Um presidente carismático, ou até uma celebridade, que pareça entender tudo pelo que passamos, pode atingir o status de um valor-deus aos nossos olhos, e muito do que consideramos certo ou errado passa a ser filtrado pelo que o nosso Amado Líder julga certo ou errado.

Fãs, de forma geral, pertencem a um tipo de religião de menor escala. Fãs de Will Smith, Katy Perry ou Elon Musk acompanham tudo que seus ídolos fazem, se orientam por cada palavra que dizem e passam a enxergá-los de certa forma como benditos ou justos. A adoração dá ao fã a esperança de um futuro melhor, mesmo que apenas na forma de coisas tão simples quanto a promessa de novos filmes, músicas ou invenções.

Mas as mais importantes religiões interpessoais são os relacionamentos familiares e românticos. Crenças e emoções envolvidas neste âmbito são de natureza evolucionária, mas nem por isso deixam de ter

Como fazer todos os seus sonhos se tornarem realidade   101

a fé como base.[32] Cada família é sua própria mini-igreja, formada por pessoas que, pautadas pela fé, acreditam que fazer parte do grupo trará sentido, esperança e salvação para a vida. O amor romântico, também, pode representar uma experiência quase espiritual.[33] Quando nos apaixonamos por alguém, nos perdemos naquela pessoa, e criamos todo tipo de narrativa sobre o significado cósmico daquele relacionamento.

Para o bem e para o mal, a civilização moderna tipicamente nos aliena das pequenas tribos e religiões interpessoais, substituindo-as por grandes religiões ideológicas nacionalistas e internacionalistas.[34] Uma boa notícia para mim e para você, meu colega criador de religiões, pois assim não há tantos laços íntimos a superar a fim de que nossos seguidores se tornem emocionalmente ligados a nós.

Porque, como veremos a seguir, a base de toda religião é o vínculo emocional. E a melhor forma de construir isso é eliminando o pensamento crítico.

COMO CRIAR SUA RELIGIÃO

Terceiro passo: invalidar preventivamente todas as críticas e questionamentos externos

Agora que a sua religião incipiente já conta com os princípios fundamentais da fé, é preciso achar uma forma de protegê-la das inevitáveis críticas. O truque é valer-se de uma dicotomia autossustentável de nós-contra-eles — ou seja, criar a percepção de que qualquer pessoa que questione ou critique o "nós" imediatamente vira "eles".

Parece difícil, mas na verdade é bem fácil. Eis alguns exemplos:

- Se você não apoia a guerra, apoia os terroristas.
- Deus criou a ciência para testar nossa fé Nele. Portanto, qualquer coisa que contradiga a Bíblia é meramente um teste da nossa fé em Deus.
- Quem critica o feminismo é machista.
- Quem critica o capitalismo é comunista.
- Quem critica o presidente é um traidor da nação.
- Quem acha que Kobe Bryant era melhor do que Michael Jordan não entende nada de basquete; portanto, qualquer opinião desta pessoa sobre basquete não vale nada.

A razão de ser das falsas dicotomias nós-contra-eles é cortar pela raiz os raciocínios ou conversas que possam levar os fiéis a questionar as próprias crenças. E contêm a vantagem extra de sempre fornecer ao grupo um inimigo comum.

Inimigos comuns são muito importantes. Sei que todos gostamos de pensar que seria melhor viver num mundo de perfeita paz e harmonia, mas, honestamente, esse cenário não duraria mais do que alguns minutos. Inimigos em comum criam unidade no interior das religiões. Seja ele merecedor ou não, precisamos de algum tipo de bode expia-

Como fazer todos os seus sonhos se tornarem realidade 103

tório para levar a culpa por nossas dores e com isso manter nossa esperança.[35] Dicotomias nós-contra-eles fornecem os inimigos que tanto desejamos.

Afinal, é preciso pintar um quadro bem simples para os fiéis. Há quem "entenda" e quem "não entenda". Quem entende vai salvar o mundo. Quem não entende vai destruí-lo. Fim de papo. Seja lá o que precise ser entendido vai depender da crença a ser estabelecida — Jesus, Maomé, libertarismo, dietas sem glúten, jejuns intermitentes, dormir em câmaras hiperbáricas, viver à base de picolé. Além disso, dizer aos fiéis que os descrentes são maus não é suficiente. É necessário demonizá-los. Eles representarão a desgraça de tudo que é bom e sagrado. Arruinarão tudo. São *perversos* de verdade.

Você precisará convencer seus fiéis de que é de suma importância deter todos os que "não entendem", custe o que custar. Na hierarquia de valores de nossas religiões, as pessoas estão próximas ao topo ou no fundo do abismo — não há meio-termo.[36]

Quanto mais medo melhor. Minta um pouquinho se for necessário — lembre-se, o instinto leva as pessoas a quererem se sentir como se estivessem numa cruzada, a se enxergarem como os santos protetores da justiça, da verdade e da salvação. Portanto, diga o que for preciso. Faça com que se sintam moralmente superiores e mantenham assim a estrutura da religião nos trilhos.

Neste ponto, as teorias da conspiração vêm bem a calhar. Não é só uma questão de vacinas causarem autismo; é que as indústrias médica e farmacêutica estão enriquecendo à custa da destruição das famílias. Os defensores do direito ao aborto não só têm uma visão distinta sobre o status biológico de um feto, como são também soldados enviados por Satã para destruir as boas famílias cristãs. O aquecimento global não é apenas uma falácia; é uma falácia criada pelo governo da China para atrasar a economia americana e dominar o mundo.[37]

COMO CRIAR SUA RELIGIÃO

Quarto passo: sacrifício ritual para leigos — tão fácil que qualquer um consegue fazer!

Fui criado no Texas, onde Jesus e futebol americano são os únicos deuses que importam. E embora tenha aprendido a gostar de futebol americano mesmo sendo um péssimo jogador, todo esse papo de Jesus nunca fez muito sentido para mim. Jesus estava vivo, aí morreu, depois ressuscitou, aí morreu de novo. E era um homem, mas também era Deus e agora é um troço meio homem-deus-espírito que vai amar todo mundo eternamente. Sempre me pareceu meio arbitrário, e minha sensação era... Como dizer?... Que o povo saía inventando essas histórias.

Não me entenda mal. Eu concordo com a maior parte dos ensinamentos de Cristo: pratique o bem, ame seu vizinho, e por aí vai. Os encontros de jovens eram até bem divertidos (colônias de férias religiosas talvez sejam as atividades de verão mais subestimadas de toda a história). E na igreja geralmente havia cookies escondidos em algum lugar, em alguma sala, toda manhã de domingo. Quando se é criança, isso é empolgante.

Mas, sendo totalmente honesto, eu não gostava de ser cristão, e por uma razão bem idiota: meus pais me faziam usar umas roupas nada a ver. Pois é. Eu questionei a fé da minha família e me tornei ateu aos doze anos por causa de suspensórios e gravatas-borboleta.

Lembro-me de perguntar ao meu pai:

— Se Deus já sabe tudo e me ama independentemente de qualquer coisa, qual o problema Dele com a roupa que eu visto no domingo? — Meu pai me mandava ficar calado. — Mas, pai, se Deus perdoa sempre nossos pecados, por que a gente não mente, trapaceia e rouba o tempo todo então? — Outro cala-boca. — Mas pai...

Então esse lance de igreja acabou mesmo não dando em nada para mim. Eu já usava camisetas do Nine Inch Nails por baixo da roupa nas

Como fazer todos os seus sonhos se tornarem realidade   105

aulas de religião antes de ter pelos no corpo e, alguns anos depois, já queimava os neurônios tentando ler Nietzsche. Dali para a frente, foi ladeira abaixo. Comecei a causar. Faltava à aula de religião para fumar no estacionamento. Não tinha mais jeito: eu era um pequeno infiel.

Os questionamentos e o ceticismo assumidos chegaram a tal ponto que um dia o professor me chamou num canto e me fez uma proposta: me daria notas altas no curso pré-Crisma e diria aos meus pais que eu era um aluno exemplar se eu parasse de questionar as inconsistências de lógica da Bíblia na frente de todas as outras crianças. Eu topei.

Provavelmente ninguém ficará muito surpreso em saber que não sou lá muito espiritualizado — sinto muito, mas não tenho qualquer crença no sobrenatural. O caos e a incerteza me dão um prazer doentio. Infelizmente, isso me condena a enfrentar a Verdade Desconfortável o tempo todo. Mas é algo que aprendi a aceitar.

Agora que estou mais velho, porém, entendo essa coisa de se-arrumar-para-Jesus. Ao contrário do que eu pensava na época, meus pais não queriam me torturar (nem Deus). Era tudo uma questão de respeito. E não a Deus, mas à comunidade, à religião. Usar roupa bonita no domingo era um sinal de virtude enviado ao restante da congregação: "Esse negócio de Jesus é *sério* mesmo!" Faz parte da dinâmica de nós-contra-eles. É o sinal de que você é um "nós" e merece ser tratado como tal.

E ainda tem os mantos... Já reparou que em todos os momentos importantes da vida tem alguém usando um manto? Casamentos, formaturas, funerais, audiências judiciais, cirurgias cardíacas, batismos e, sim, sermões de igreja também.

A primeira vez que reparei nisso foi quando me formei na faculdade. De ressaca e não tendo dormido mais do que três horas, cambaleei até meu assento para o início da cerimônia. Olhei ao redor e pensei, puta que pariu, não vejo tanta gente de manto num mesmo lugar desde a época da igreja. E então olhei para baixo e percebi, para meu horror, que eu também estava usando um.

O manto, uma deixa visual que significa status e importância, faz parte dos rituais. E nós precisamos dos rituais porque é o que torna nossos valores tangíveis. O processo que nos leva a valorizar determinada coisa não é racional. Precisa ser vivido. É uma experiência. E uma forma de tornar a vivência de um valor mais fácil é associá-lo a roupas bonitinhas e palavras impactantes — em resumo, oferecer rituais. Rituais são representações visuais e empíricas do que julgamos importante. Por isso toda religião que se preza tem os seus.

Lembre-se, emoções *são* ações; é tudo a mesma coisa. Portanto, para modificar (ou reforçar) a hierarquia de valores do Cérebro Sensível, é preciso dar às pessoas uma ação fácil de repetir, mas ainda assim totalmente singular e identificável. É aí que entram os rituais.

Rituais são concebidos para serem repetidos ao longo de um período extenso, o que só confere a eles uma sensação ainda maior de importância: afinal, não é sempre que se tem a chance de fazer exatamente a mesma coisa que as pessoas faziam quinhentos anos atrás. É um simbolismo muito grandioso. E rituais são simbólicos. Como valores que são, precisam encarnar algum tipo de história ou narrativa. Nas igrejas, sujeitos de manto mergulham pão no vinho (ou suco de uva) e distribuem para um monte de gente como o alimento que representa o corpo de Cristo. O simbolismo encena o Seu sacrifício (Ele não merecia aquilo!) pela nossa salvação (nós também não, mas por isso é tão poderoso!).

Países estabelecem rituais em torno de sua fundação ou de guerras que venceram (ou perderam). Marchamos em paradas, balançamos bandeiras, soltamos fogos de artifício em nome de uma percepção compartilhada de que tudo aquilo significa algo valioso e construtivo. Casais criam seus próprios rituais e hábitos, piadas internas, tudo para reforçar o valor do relacionamento, uma religião interpessoal particular. Rituais nos conectam com o passado. E com nossos valores. Ratificam quem somos.

* * *

Como fazer todos os seus sonhos se tornarem realidade 107

Rituais geralmente envolvem algum tipo de sacrifício. Nos velhos tempos, padres e líderes de fato matavam pessoas no altar, por vezes arrancando-lhes os corações ainda pulsantes, e as pessoas ao redor gritavam, tocavam tambores, faziam todo tipo de doideira.[38]

Tais sacrifícios eram realizados para aplacar a ira de algum deus ou garantir uma boa colheita, entre tantos outros efeitos desejados. Mas a verdadeira razão para sacrifícios rituais era mais profunda.

Seres humanos são criaturas terrivelmente dominadas pela culpa. Digamos que você encontre uma carteira com cem dólares e nenhum documento de identidade ou qualquer outra informação sobre o possível dono. Não há ninguém por perto, nenhuma pista sobre como devolver aquilo, e então você fica com o dinheiro. A Primeira Lei Emocional de Newton postula que toda ação produz reação emocional oposta e de igual intensidade. Nesse caso, aconteceu algo de bom que você não merecia. É a deixa para a culpa.

Agora pense da seguinte forma: você existe. Não fez nada para merecer existir. Não sabe sequer *por que* começou a existir: aconteceu. *Puf* — você ganhou vida. Você não faz ideia de onde ela veio nem por quê. Se acredita que foi uma dádiva de Deus, puta merda! Olha a dívida que tem com Ele! Mas mesmo que não acredite — caramba, você recebeu a bênção da *vida*! O que fez para merecer algo assim?! Como pretende tornar sua vida digna? Eis a pergunta constante, e no entanto sem resposta, da condição humana e o motivo de a culpa inerente à consciência ser o pilar de quase todas as religiões espirituais.

Os sacrifícios mencionados em religiões espirituais ancestrais eram realizados para dar aos fiéis a sensação de estar quitando essa dívida, de uma vida digna de ser vivida. Apesar de, antigamente, seres humanos terem de fato sido sacrificados — uma vida por outra —, as pessoas acabaram percebendo que se poderia sacrificar *simbolicamente* uma vida (a de Jesus ou sabe-se lá a de quem) para salvar toda a humanidade. Assim não seria preciso ficar limpando sangue do altar dia sim dia não (sem falar nas moscas, nem vamos entrar nesse assunto!).[39]

A maior parte das práticas religiosas é desenvolvida para alívio da culpa. É possível dizer inclusive que todas as orações não passam disto: minissessões de alívio da culpa. Não se ora a Deus para dizer: "Não me leve a mal, mas eu sou foda!" Não. A oração é uma espécie de diário de gratidão da época em que isso não existia. "Obrigado, Deus, por permitir que eu exista, muito embora às vezes seja uma merda ser eu. Desculpa aí por todas as coisas ruins que pensei ou fiz." E puf! Sentimento de culpa aliviado, ao menos por algum tempo.

Religiões ideológicas administram a questão da culpa com muito mais eficiência. Os governos direcionam esse sentimento de culpa existencial ao serviço militar. "Nosso país deu a você essas oportunidades, então vista esta merda de uniforme e lute para nos proteger!" Ideologias de direita em geral entendem como necessários sacrifícios relacionados à proteção do país ou da família. Ideologias de esquerda em geral percebem sacrifícios necessários como abrir mão de algo em nome do bem comum da sociedade.

Por fim, nas religiões interpessoais, o autossacrifício gera um sentido de romance e lealdade (pense só no casamento: você sobe num *altar* e promete dar sua vida àquela pessoa). Todos temos dificuldades para assimilar que merecemos ser amados. Mesmo quem teve pais sensacionais às vezes se pega pensando, gente, por que *eu*? O que *eu* fiz para merecer isso? Religiões interpessoais têm todo tipo de rituais e sacrifícios concebidos para que as pessoas sintam que merecem ser amadas. Anéis, presentes, aniversários de casamento, limpar o xixi do chão quando eu erro a mira da privada — são as pequenas coisas que, juntas, formam algo grande. De nada, meu amor.

COMO CRIAR SUA RELIGIÃO

Quinto passo: prometer o céu, entregar o inferno

Se você chegou até aqui no processo de criação da sua religião, significa que já reuniu um bom grupo de pessoas desiludidas que tenta desesperadamente evitar a Verdade Desconfortável estudando essas baboseiras que você inventou, ignorando os amigos delas e mandando os familiares à merda.

Agora o negócio fica sério de verdade.

Eis a beleza de uma religião: quanto mais você prometer aos seus seguidores a salvação, a iluminação, a paz mundial, a felicidade completa, e o que quer que seja, maior será o fracasso deles em atingir a meta. E quanto mais fracassarem nesse processo, mais culpados eles se sentirão. E quanto mais culpados se sentirem, mais farão o que você disser para tentar compensar.

Alguns poderiam chamar isso de ciclo do abuso psicológico. No entanto, não vamos deixar que termos assim acabem com a nossa diversão.

Esquemas de pirâmide são muito bons nisso. Você dá seu dinheiro a um verme qualquer em troca de um monte de produtos desnecessários que você não quer e passa os três meses seguintes tentando desesperadamente arregimentar outras pessoas para entrarem no esquema abaixo de você, para que elas passem então a comprar e vender produtos desnecessários que ninguém quer.

E nunca dá certo.

Em vez de reconhecer o óbvio (tudo não passa de uma grande picaretagem na qual um picareta vende uma picaretagem a outro picareta para vender mais picaretagens), você acaba culpando a si mesmo — porque olha só!, o cara no topo da pirâmide comprou uma Ferrari! E você *quer* uma Ferrari. Então, o problema é *você*, certo?

110   F*DEU GERAL

Felizmente, este sujeito magnânimo da Ferrari aceitou fazer um seminário para ajudar vocês a venderem mais porcarias que ninguém quer para gente que então vai tentar vender mais porcarias que ninguém quer para mais gente que vai vender... e por aí vai.

E a maior parte desse tal seminário é uma lavagem cerebral com música e palavras de ordem que criam uma dicotomia nós-contra-eles ("Vencedores não desistem! Perdedores acham que não vai dar certo!"); você sai de lá supermotivado e cheio de gás, mas continua sem ideia de como vender qualquer coisa, sobretudo porcarias que ninguém quer. E em vez de ficar puto da vida com aquela religião calcada em dinheiro na qual acreditou, você fica puto da vida consigo mesmo. Põe a culpa em si por não ter conseguido estar à altura do seu valor-deus, independentemente do quão doentio ele seja.

Esse mesmo ciclo de desespero se desdobra em outras áreas. Em planos de exercícios e dieta, no ativismo político, em seminários de autoajuda, no planejamento financeiro, em visitas à avó no feriado... A mensagem é sempre a mesma: quanto mais você se dedicar, mais vão mandar você se dedicar se quiser finalmente viver a satisfação que lhe foi prometida. Satisfação essa que nunca vem.

Olha, vamos fazer um intervalo rápido. Deixe-me lhe dar más notícias: a dor humana é que nem aquele velho jogo de fliperama em que você martela os bichos que saem do buraco: a cada dor que você marretar, outra vai surgir. E quanto mais rápido você marretá-las, mais rápido elas ressurgirão.

A dor pode melhorar, pode mudar de formato, pode ficar menos catastrófica a cada vez. Mas sempre vai estar lá. Ele faz parte de nós.[40]

Nós *somos* a dor.

Um monte de porta-vozes de religiões enchem os bolsos alegando serem capazes de vencer a dor por você, e de uma vez por todas. Mas a verdade é que *os bichinhos da dor não param de surgir*. Se você marretá-los mais rápido, mais rápido eles estarão de volta. E é assim que os ultramegamaster salafrários do jogo da religião se mantêm

Como fazer todos os seus sonhos se tornarem realidade   111

de pé por tanto tempo: em vez de admitirem que tudo não passa de um jogo de cartas marcadas, que nossa natureza humana é fundamentalmente concebida para gerar dor, culpam você por não ganhar o jogo. Ou pior, culpam um vago "eles". Se conseguirmos nos livrar "deles", todo o sofrimento terá fim. Juro pela minha mãe mortinha.[41] Mas isso também não funciona. Só transfere a dor de uma população para outra, e acaba por amplificá-la.

Porque, falando sério, se alguém realmente conseguisse resolver todos os nossos problemas, essa pessoa iria à falência na terça-feira que vem (ou perderia o mandato na sexta). Líderes precisam de seguidores eternamente insatisfeitos; faz bem ao negócio da liderança. Se tudo fosse perfeito e maravilhoso não haveria razão para seguir ninguém. Nenhuma religião jamais fará com que a gente se sinta feliz e em paz o tempo todo. Nenhum país jamais se considerará totalmente justo e seguro. Nenhuma filosofia política resolverá todos os problemas para sempre. A verdadeira igualdade nunca pode ser alcançada; alguém, em algum lugar, sempre vai se ferrar. A liberdade verdadeira não existe porque todos precisamos sacrificar a autonomia em algum grau em nome da estabilidade. Nenhuma pessoa, independentemente do quanto você a ame ou da reciprocidade desse sentimento, jamais vai aplacar aquela culpa interior que sentimos simplesmente por existir. Fodeu. Fodeu geral. Sempre foi assim, sempre vai ser. Não há soluções, só medidas de contenção, só melhorias parciais, só formas ligeiramente mais elaboradas de fodelância. E está na hora de parar de fugir dessa realidade e, em vez disso, abraçá-la.[42]

Este é o mundo fodido em que vivemos. E nós somos os fodidos que o habitam.

COMO CRIAR SUA RELIGIÃO

Sexto passo: Deus lhe pague bem!

Bem, é isso aí. Você completou o processo. Já tem sua religião e chegou a hora de colher os frutos. Agora que conta com um pequeno séquito que lhe dá dinheiro e corta sua grama, você está enfim apto a ter tudo o que sempre sonhou!

Quer uma dúzia de escravas sexuais? É só pedir. Crie mandamentos. Diga aos seguidores que o "Estágio seis da iluminação do peixe-boi" só pode ser atingido por meio dos orgasmos do Profeta.

Quer uma propriedade gigantesca no meio do nada? É só dizer aos seguidores que apenas você tem o poder de construir o paraíso para eles, e precisa ser bem, bem longe — ah sim, e eles precisam financiar as obras!

Quer poder e prestígio? Diga aos seguidores para votarem em você ou, melhor ainda, derrubar o governo na base da violência. Se fizer bem o trabalho, eles estarão dispostos a dar a vida por você.

As oportunidades são realmente infinitas.

Solidão nunca mais. Problemas de relacionamento nunca mais. Dificuldades financeiras nunca mais. Você poderá realizar seus sonhos mais secretos. Para alcançá-los basta passar por cima das esperanças e sonhos de milhares de outras pessoas.

Sim, meu amigo, você deu duro para isso. Portanto, merece todos os benefícios e pode ignorar os enxeridos com preocupações sociais e os argumentos pedantes sobre ética e sei lá mais o quê. Pois eis o que você consegue quando cria sua própria religião: quem decide o que é ético é *você*. Quem decide o que é certo é *você*. E *você* também define quem é honrado.

Talvez toda esta história de "criar uma religião" tenha deixado seu estômago embrulhado. Bem, sinto muito ser o portador da má notícia, mas você já faz parte disso. Ciente ou não, você adota crenças e valores

Como fazer todos os seus sonhos se tornarem realidade 113

de algum grupo, participa de rituais e oferece sacrifícios, estabelece linhas de nós-contra-eles e se isola intelectualmente. É o que todos fazemos. As crenças religiosas e seus comportamentos tribais são parte fundamental da nossa natureza.[43] É impossível *não* adotá-las. Se você se considera acima da religião, diz se pautar pela lógica e pela razão, sinto informar que está errado: você é um de nós.[44] Caso se ache bem informado e culto, não é: você continua a ser um merda.[45]

Todos precisamos ter fé em algo. Precisamos enxergar valor em alguma coisa. É assim que sobrevivemos e nos desenvolvemos psicologicamente. É assim que obtemos esperança. E ainda que você tenha a visão de como seria um futuro melhor, é muito difícil partir em busca disso sozinho. Para realizar qualquer sonho, precisamos de redes de apoio, tanto por razões emocionais quanto logísticas. Precisamos de um exército. Literalmente.

São as nossas hierarquias de valores — expressas por meio das histórias religiosas e compartilhadas por milhares ou milhões — que atraem, organizam e impulsionam os sistemas humanos numa espécie de competição darwiniana. Religiões competem pelos recursos do mundo, e aquelas cujas hierarquias de valores façam uso mais eficiente da força de trabalho e do capital costumam vencer. E se uma religião se torna vencedora, mais e mais pessoas adotam sua hierarquia de valores, reconhecida como a melhor por vários indivíduos na população. Tais religiões vitoriosas se estabilizam e se tornam pilares de nossa cultura.[46]

Mas eis onde mora o problema: toda vez que uma religião triunfa, toda vez que sua mensagem se espalha indiscriminadamente e passa a dominar uma enorme gama de emoções e empreitadas humanas, seus valores mudam. O valor-deus da religião já não abrange os princípios que a inspiravam no início. Aos poucos, seu valor-deus passa a ser a pura e simples preservação da religião: não perder o que já ganhou.

É aí que começa a corrupção. Quando os valores originais que norteiam a religião, o movimento, a revolução são postos de lado em nome da manutenção do *status quo*, o narcisismo atinge um nível organizacional. É quando Jesus leva às Cruzadas, quando o marxismo leva aos *gulags*, quando o casamento leva ao divórcio. A corrupção dos valores originais apodrece a congregação e faz surgir religiões novas, reacionárias, que acabam subjugando a original. E então todo o processo se reinicia.

Nesse sentido, o sucesso é, em muitos aspectos, bem mais arriscado do que o fracasso. Em primeiro lugar porque, quanto mais se ganha, mais se tem a perder e, em segundo, porque quanto mais se tem a perder, mais difícil é manter a esperança. Mas, acima de tudo, porque, quando vivenciamos nossas esperanças, nós as perdemos. Notamos que nossas lindas visões de um futuro perfeito não são tão perfeitas assim, que nossos sonhos e aspirações estão também permeados de falhas inesperadas e sacrifícios não previstos.

Pois a única coisa que pode realmente destruir um sonho é realizá-lo.

5

Ter esperança é foda

No fim do século XIX, durante um glorioso e agradável verão nos Alpes suíços, um filósofo hermético, autodenominado uma dinamite de mente e espírito, metaforicamente desceu da sua montanha e, com o próprio dinheiro, publicou um livro. O livro era um presente para a humanidade, um presente que gritava corajosamente para o mundo moderno as palavras que tornariam aquele filósofo famoso por muito tempo depois de sua morte.

O livro anunciava: "Deus está morto!" e muito mais. Anunciava que os ecos dessa morte seriam um prenúncio de uma era nova e perigosa que nos desafiaria a todos.

O filósofo dizia isso como um aviso. Ele falava como um vigilante. E fazia por todos nós.

Ainda assim, o livro vendeu menos de quarenta exemplares.[1]

Meta von Salis acordou antes do nascer do sol para acender o fogo e ferver a água para o chá do filósofo. Ela pegou gelo para resfriar os cobertores que aliviavam suas juntas doloridas. Pegou as sobras do jantar da noite anterior para preparar um caldo que acalmaria o estômago dele. Lavou à mão os lençóis sujos dele. Ele logo precisaria cortar o cabelo e aparar o bigode, mas ela percebeu que tinha se esquecido de comprar uma lâmina nova.

Esse era o terceiro verão que Meta passava cuidando de Friedrich Nietzsche e provavelmente, suspeitava ela, seria o último. Ela o amava — como a um irmão, que fique bem claro. (Quando um amigo em comum sugeriu que os dois se casassem, eles caíram na gargalhada... depois ficaram enojados.) Mas a paciência de Meta estava chegando ao limite.

Ela conhecera Nietzsche em um jantar. Tinha ouvido ele tocar piano e contar piadas e histórias engraçadas de suas aventuras com um velho amigo, o compositor Richard Wagner. Ao contrário de seus escritos, Nietzsche era educado e tranquilo pessoalmente. Era um ouvinte atento. Adorava poesia e sabia recitar de cor dezenas de versos. Ele participava de longos jogos de palavras, cantando e fazendo trocadilhos.

Nietzsche era de um brilhantismo cativante. Uma mente tão afiada que conseguia cortar uma sala com palavras. Aforismos que mais tarde se tornariam mundialmente famosos transbordavam de sua boca. "Falar muito de si mesmo também pode ser um meio de se esconder", comentava espontaneamente, silenciando todos em volta em um segundo.[2]

Meta muitas vezes se via sem palavras na presença dele, não por alguma emoção avassaladora, mas porque sua mente parecia estar constantemente alguns passos atrás e precisava de um momento para alcançá-lo.

Por outro lado, Meta não era nenhuma desleixada intelectual. Na verdade, era incrível. Ela foi a primeira mulher a concluir um doutorado na Suíça. Também era uma das mais proeminentes escritoras e ativistas feministas. Falava quatro idiomas fluentemente e publicava artigos por toda a Europa defendendo os direitos das mulheres, uma ideia radical à época. Era viajada, brilhante e determinada.[3] E quando descobriu o trabalho de Nietzsche, sentiu que finalmente havia encontrado alguém cujas ideias poderiam impulsionar o feminismo no mundo.

Aquele era um homem que defendia o poder do indivíduo, a responsabilidade pessoal às últimas consequências. Que acreditava que a aptidão pessoal importava mais do que tudo, que cada ser humano não só merecia alcançar todo o seu potencial como tinha o dever de exercer e lutar por ele. Nietzsche havia colocado em palavras, conforme Meta acreditava, as ideias básicas e as estruturas conceituais que em última análise empoderariam as mulheres e as tirariam de sua servidão perpétua.

Só tinha um probleminha: Nietzsche não era feminista. Na verdade, ele achava ridícula toda essa ideia de libertação feminina.

Mas isso não deteve Meta. Ele era um homem da razão; poderia ser convencido. Apenas precisava se dar conta dos próprios preconceitos e se libertar deles. Ela começou a visitá-lo regularmente, e logo tornaram-se bons amigos e parceiros intelectuais. Passavam os verões na Suíça, os invernos na França e na Itália, indo até Veneza, com paradas na Alemanha, e então voltavam para a Suíça.

À medida que os anos se passavam, Meta descobriu que por trás dos olhos penetrantes e do imenso bigode de Nietzsche havia uma montanha de contradições. Ele escrevia obsessivamente sobre poder embora fosse fraco. Defendia responsabilidade e autoconfiança radicais apesar de depender totalmente do cuidado e do financiamento de amigos (em grande parte mulheres) e familiares. Reclamava dos jornalistas e acadêmicos temperamentais que criticavam seu trabalho ou se recusavam a lê-lo e ao mesmo tempo se vangloriava de que seu insucesso só provava seu brilhantismo — como uma vez proclamou: "Meu tempo ainda não chegou, alguns homens nascem postumamente."[4]

Nietzsche era, na verdade, tudo que dizia odiar: fraco, incapaz, totalmente subserviente e dependente de mulheres poderosas e com autonomia. Em seu trabalho, no entanto, ele defendia a força individual, a independência, e era um grandessíssimo misógino. O fato de ter passado a vida toda dependendo de mulheres parecia tê-

-lo impedido de enxergá-las com clareza. Uma falha absurda de um homem que, em outros aspectos, pode ser chamado de profético.

Se houvesse uma Calçada da Fama para "indivíduo que mais sofreu na vida", eu indicaria Nietzsche como um dos principais representantes. Ele passou a infância em tratamento: médicos aplicavam sanguessugas no seu pescoço e nas orelhas e diziam para ele passar horas sem se mexer. Tinha uma doença neurológica hereditária que, ao longo de toda a vida, lhe causou enxaquecas debilitantes (que o enlouqueceram na meia-idade). Ele também tinha muita sensibilidade à luz, por isso só conseguia sair de casa usando óculos grossos com lentes azuladas, e ficou praticamente cego aos trinta anos.

Na juventude, serviu no Exército e esteve por pouco tempo na Guerra Franco-Prussiana. Lá, contraiu difteria e disenteria, e quase morreu. O tratamento na época consistia de enemas ácidos, que destruíram seu sistema digestório. Pelo resto da vida, Nietzsche sofreu com dores de estômago agudas, nunca conseguiu se alimentar de forma satisfatória e amargou períodos de incontinência. Um ferimento dos dias de cavalaria deixou partes do seu corpo sem flexibilidade e, nos piores momentos, paralisadas. Muitas vezes precisava de ajuda para se levantar e passava meses preso à cama, sem conseguir abrir os olhos de tanta dor. Em 1880, que ele depois chamaria de "um ano ruim", ficou de cama por 260 dias. Passou a maior parte da vida migrando do litoral francês no inverno para os Alpes suíços no verão, pois as dores nos ossos e nas articulações só passavam em temperaturas amenas.

Meta logo descobriu que não era a única mulher intelectual fascinada por aquele homem. Havia uma fila de mulheres que vinham cuidar dele por semanas ou meses, uma de cada vez. Como Meta, essas mulheres eram heroínas da época: mestres, donas de terras, empreendedoras. Eram estudadas, poliglotas e muito independentes.

E eram feministas. As primeiras feministas.

Elas também tinham visto a mensagem libertadora do trabalho de Nietzsche. Ele escreveu sobre como as estruturas sociais suprimiram o indivíduo; as feministas argumentavam que as estruturas sociais aprisionavam as mulheres. Ele acusava a Igreja de recompensar os fracos e medíocres; as feministas acusavam a Igreja de forçar as mulheres a se casarem e serem subservientes aos homens. E ele ousou repensar a história da humanidade não seguindo uma narrativa de fuga da natureza e posterior domínio sobre ela, mas como uma crescente ignorância do homem em relação à própria natureza. Nietzsche defendia que o indivíduo deve se empoderar e acessar níveis mais altos de liberdade e consciência. Essas mulheres viam o feminismo como o próximo passo nessa libertação maior.

Nietzsche as enchia de esperança, e elas se revezavam para cuidar daquele homem cada vez mais frágil e debilitado, torcendo para que o próximo livro, o próximo ensaio, a próxima polêmica, abrisse portas.

Mas praticamente durante toda a vida, o trabalho de Nietzsche foi quase universalmente ignorado.

Quando ele então anunciou a morte de Deus, foi de professor universitário falido a pária. As pessoas não queriam empregá-lo, e ele ficou praticamente sem ter onde morar. Ninguém queria nada com ele: nenhuma faculdade, nenhuma editora, nem mesmo a maior parte dos seus amigos. Nietzsche se virava para publicar seus livros por conta própria, pegando empréstimos com a mãe e a irmã para sobreviver. Contava com amigos para cuidar da própria vida. E mesmo assim, seus livros não vendiam quase nada.

Aquelas mulheres, no entanto, continuavam ao seu lado. Cuidavam da sua higiene, o alimentavam e o carregavam. Acreditavam que havia algo naquele homem decrépito que poderia mudar a história. Por isso, esperaram.

Uma breve história do mundo, segundo Nietzsche

Digamos que você largue num terreno um bando de gente com recursos limitados e faça com que essas pessoas comecem uma civilização do zero. Vai acontecer o seguinte:

Algumas pessoas são naturalmente mais talentosas que outras. Algumas são mais espertas. Outras são maiores e mais fortes. Algumas são mais carismáticas. Algumas são amigáveis e se dão bem com as outras. Algumas se dedicam mais e têm ideias melhores.

As pessoas com vantagens naturais vão acumular mais recursos. Com mais recursos, terão uma quantidade de poder desproporcional dentro dessa nova sociedade. Isso fará com que ganhem mais recursos e mais vantagens, e por aí vai — você sabe, toda aquela coisa de "o de cima sobe". Deixe isso se repetir por algumas gerações e logo terá uma hierarquia social com um pequeno número de pessoas de elite no topo e um grande número de pessoas se fodendo embaixo. Desde o advento da agricultura, todas as sociedades humanas repetiram essa estratificação, e todas precisaram lidar com a tensão que surge entre a elite privilegiada e a massa explorada.[5]

Nietzsche chamava a elite de "mestres" da sociedade, pois esses indivíduos têm controle quase total sobre a riqueza, a produção e o poder político. Ele chamava a massa trabalhadora de "escravos" da sociedade, porque via pouca diferença entre um trabalhador que se dedica a vida toda em troca de um pequeno salário e a escravidão.[6]

É neste ponto que as coisas ficam interessantes. Nietzsche argumentava que os mestres da sociedade acabariam enxergando seus privilégios como merecidos. Ou seja, criariam narrativas de valor para justificar seu status de elite. Por que não deveriam ser recompensados? Era *bom* que eles estivessem no topo. Eles mereciam. Eram os mais espertos e mais fortes e mais talentosos. Portanto, os melhores.

Nietzsche chamou esse sistema de crença, em que aqueles que acabam no topo chegam lá porque merecem, de "moralidade do mestre". Trata-se da crença moral de que as pessoas recebem o que merecem, de que "a força cria o direito", de que se você ganhou algo com seu trabalho ou inventividade, é porque mereceu aquilo. Ninguém pode lhe tirar isso, nem deveria. Você é o melhor e, como demonstrou essa superioridade, deve ser recompensado.

Por outro lado, Nietzsche argumentava, os "escravos" da sociedade criariam um código moral próprio. Enquanto os mestres acreditavam ter razão e virtude por causa de sua *força*, os escravos da sociedade julgariam ter razão e virtude por causa da sua *fraqueza*. A moralidade do escravo acredita que as pessoas que mais sofrem, as que são mais exploradas e desprivilegiadas, merecem tratamento melhor *por causa* desse sofrimento. A moralidade do escravo acredita que os mais pobres e sofridos são mais dignos de respeito.

Enquanto a moralidade do mestre acredita na virtude da força e da dominação, a do escravo acredita na virtude do sacrifício e da submissão. Enquanto a moralidade do mestre acredita na necessidade de hierarquia, a do escravo acredita na necessidade da igualdade. Enquanto a mentalidade do mestre em geral é utilizada pelo espectro político da direita, a mentalidade do escravo normalmente permeia as crenças políticas da esquerda.[7]

Todos nós temos essas duas moralidades dentro de nós. Imagine que você está na escola, estuda muito e recebe a maior nota da turma numa prova. Por esse feito, você recebe os louros do sucesso. Você se sente moralmente merecedor desses benefícios; afinal, se esforçou para ganhá-los. Você é um "bom" aluno e uma "boa" pessoa por ser um bom aluno. Eis a moralidade do mestre.

Agora imagine que você tenha uma colega de turma. Essa colega tem dezoito irmãos, todos criados por uma mãe solo. Essa colega tem empregos de meio período e nunca consegue estudar porque literalmente tem que colocar comida na mesa de casa. Ela tira uma nota baixa na mesma prova que você gabaritou. Isso é justo? Não, não é. Você provavelmente acha que ela merece algum tipo de oportunidade especial considerando a situação — talvez uma chance de fazer a prova de novo, depois de ter tido tempo para estudar. Ela merece isso porque é uma "boa" pessoa por causa de seus sacrifícios e falta de privilégio. Eis a moralidade do escravo.

Em termos newtonianos, a moralidade do mestre é o desejo intrínseco de criar uma separação moral entre nós e o mundo ao redor. É o desejo de criar lacunas morais conosco no topo. A moralidade do escravo, portanto, é o desejo intrínseco de equalizar, de fechar a lacuna moral e acabar com o sofrimento. Ambos são componentes fundamentais do sistema operacional do nosso Cérebro Sensível. Ambos geram e perpetuam emoções fortes. Ambos nos dão esperança.

Nietzsche argumentava que as culturas do mundo antigo (gregos, romanos, egípcios etc.) eram baseadas na moralidade do mestre. Eram estruturadas para celebrar força e excelência, mesmo à custa de milhões de escravos e súditos. Eram civilizações bélicas; celebravam coragem, glória e derramamento de sangue. Ainda segundo ele, a ética judaico-cristã de caridade, piedade e compaixão tornou proeminente a moralidade do escravo e continuou a dominar as civilizações ocidentais até sua época. Para nosso antigo filósofo, essas duas hierarquias de valores estavam em constante tensão e oposição. Estavam, acreditava ele, na raiz de todos os conflitos políticos e sociais da história.

E Nietzsche avisou: esse conflito está prestes a piorar e muito.

Toda religião é uma tentativa de explicar a realidade baseada na fé a fim de oferecer às pessoas um influxo constante de esperança.

Em uma espécie de competição darwiniana, as religiões que mobilizam, coordenam e inspiram mais seus seguidores são as que triunfam e se espalham pelo mundo.[8]

No mundo antigo, religiões pagãs construídas com base na moralidade do mestre justificavam a existência de imperadores e reis guerreiros que dominavam o planeta, expandindo e consolidando territórios e outros povos. Então, mais ou menos há dois mil anos, as religiões de moralidade do escravo surgiram e começaram lentamente a conquistar seu lugar. Elas eram (em geral) monoteístas e não se limitavam a uma nação, raça ou grupo étnico. Espalhavam sua palavra para todos, porque a mensagem era de igualdade: todas as pessoas nascem boas e são corrompidas ou nascem com o pecado e precisam ser salvas. Seja como for, o resultado é o mesmo. *Todos*, independentemente de nação, raça ou credo, tinham que ser convertidos em nome do Único Deus Verdadeiro.[9]

Então, no século XVII, uma nova religião começou a surgir na Europa, uma que libertaria forças mais poderosas do que qualquer coisa já vista na história da humanidade.

Toda religião acaba enfrentando um inconveniente: lidar com evidências. Você pode falar mil coisas bacanas sobre Deus e espíritos e anjos e sei lá mais o quê, mas se a cidade toda pega fogo e seu filho perde o braço num acidente de pesca, bem, aí... Opa! Cadê seu Deus agora?

Ao longo dos anos, as autoridades se esforçaram muito para esconder a falta de evidências que apoiassem sua religião e/ou pudessem ser usadas como argumento para punir qualquer um que ousasse questionar a validade dos seus valores baseados em fé. É por esse motivo que, como a maioria dos ateus, Nietzsche abominava religiões espirituais.

Filósofos naturais, como eram chamados os cientistas na época de Isaac Newton, concluíram que as crenças mais confiáveis eram as que tinham mais evidências em seu favor. A evidência se tornou seu valor-deus, e qualquer crença que não estruturasse

124   F*DEU GERAL

com base nisso devia ser alterada para incluir essa realidade observada. Isso produziu uma nova religião: a ciência.

Pode-se dizer que a ciência é a religião mais eficiente porque é a primeira capaz de evoluir e se aperfeiçoar. Está disponível para todos. Não é baseada em um único livro ou credo. Não é devota a alguma terra ou a povos antigos. Não é ancorada em algum espírito sobrenatural cuja existência ou não existência não pode ser comprovada. É um conjunto de crenças baseadas em evidências que está em constante mutação e expansão, livre para ser alterado, crescer e mudar conforme as evidências exigirem.

A revolução científica mudou o mundo mais do que qualquer coisa.[10] Alterou o planeta, tirou milhões de pessoas da doença e da pobreza e melhorou todos os aspectos da vida humana.[11] Não é exagero sugerir que talvez ela seja a única coisa comprovadamente boa que a humanidade já fez por si mesma. (Obrigado, Francis Bacon, obrigado, Isaac Newton, seus fodões.) A ciência é a única responsável pelos grandes avanços e descobrimentos da história da humanidade, da medicina à agricultura passando pela educação e indo até o comércio.

Mas ela fez algo ainda mais espetacular: apresentou ao mundo o conceito de crescimento. Durante a maior parte da história humana, "crescimento" não fazia muito sentido. As mudanças aconteciam tão devagar que todo mundo nascia e morria mais ou menos com a mesma condição econômica. O humano médio de dois mil anos atrás experimentava tanta mudança econômica ao longo de toda a vida quanto nós vemos em seis meses hoje.[12] Pode-se dizer que *nada mudava* — nenhuma criação, invenção ou tecnologia novas. As pessoas viviam e morriam na mesma terra, entre as mesmas pessoas, usando as mesmas ferramentas, e nada nunca melhorava. Na verdade, coisas como pragas, fome, guerras e líderes idiotas com grandes exércitos ao seu dispor volta e meia deixavam tudo pior. Era uma existência lenta, difícil e miserável.

E sem possibilidade de mudança ou de uma vida melhor *nesta* existência, as pessoas tiravam esperança das promessas que se realizariam na *próxima* existência. As religiões espirituais floresciam e dominavam o dia a dia. Tudo girava em torno da igreja (ou templo ou sinagoga ou mesquita ou o que fosse). Padres e homens santos eram os árbitros da vida social porque eram os árbitros da esperança. Eram os únicos que podiam dizer o que Deus queria, e Deus era o único que podia prometer qualquer salvação ou um futuro melhor. Assim, esses homens santos ditavam tudo que tinha valor na sociedade.

Então veio a ciência e o mundo foi à loucura. Microscópios e prensas e motores de combustão e descaroçadores de algodão e termômetros e, finalmente, uns remédios que faziam efeito de verdade. De repente, a vida ficou melhor. Mais importante, dava para *ver* isso acontecendo. As pessoas usavam ferramentas melhores, tinham acesso a mais comida, estavam mais saudáveis e ganhavam mais dinheiro. Finalmente, era possível olhar para trás, para uns dez anos antes, e se perguntar: "Nossa, dá para acreditar que a gente vivia assim?!"

E essa capacidade de ver o progresso em retrospecto, de ver crescimento, mudou a perspectiva das pessoas em relação ao futuro. Mudou a perspectiva das pessoas em relação a si mesmas. Para sempre.

Não era mais preciso esperar a morte chegar para melhorar de vida. Dava para fazer isso *aqui e agora*. O que deixava implícita toda sorte de coisas ótimas. Liberdade, por exemplo: como você ia *escolher* crescer naquele dia? Mas também responsabilidade: como era possível controlar o destino, você precisaria assumir a responsabilidade por ele. E claro, igualdade: se não existe um grande Deus patriarcal ditando quem merece o quê, isso deve significar que ninguém merece nada ou que todo mundo merece tudo.

Eram conceitos que nunca tinham sido explorados antes. Com a possibilidade de tanto crescimento e mudança *nesta* existência, as pessoas não precisavam mais se basear em crenças espirituais sobre a *próxima* existência para ter esperança. Foi aí que começaram a inventar e a se basear em religiões ideológicas.

Esse movimento mudou tudo. As doutrinas das igrejas se tornaram mais maleáveis. As pessoas ficavam em casa aos domingos. Monarcas concederam algum poder aos súditos. Filósofos começaram a questionar Deus abertamente — e conseguiam fazer isso sem ir parar na fogueira. Foi uma era de ouro para o pensamento e o progresso. Por incrível que pareça, o crescimento iniciado naquela época desde então só se acelerou e continua avançando até hoje.

A revolução científica reduziu o domínio das religiões espirituais e abriu caminho para as religiões ideológicas. Era isso que preocupava Nietzsche. Porque, mesmo com todo o progresso, a riqueza e os benefícios trazidos pelas religiões ideológicas, elas têm uma falha que as espirituais não têm: a falibilidade.

Uma vez que se acredite nela, uma deidade sobrenatural é intocável a questões materiais. Sua cidade pode pegar fogo. Sua mãe pode ganhar um milhão de dólares e depois perder tudo. Guerras e doenças podem surgir e cessar. Nenhuma dessas experiências vai diretamente contradizer a fé em uma deidade, porque entidades sobrenaturais são à prova de evidência. Enquanto ateus veem isso como falha, também pode ser uma vantagem. A robustez das religiões espirituais significa que, quando a merda bate no ventilador, sua estabilidade psicológica permanece intacta. A esperança pode ser preservada porque Deus está sempre seguro.[13]

Com ideologias, o buraco é mais embaixo. Se você passar uma década da sua vida defendendo certa reforma governamental, e essa reforma causar a morte de dezenas de milhares de pessoas, a culpa cai toda nas suas costas. A esperança que sustentava você por anos foi destruída. Sua identidade também. *Hello darkness, my old friend.*

Por serem constantemente desafiadas, alteradas, provadas e depois refutadas, as ideologias oferecem pouca estabilidade psicológica na qual basear a esperança. Quando a fundação ideológica dos nossos sistemas de crenças e hierarquias de valores fica abalada, somos jogados diretamente nas garras da Verdade Desconfortável.

Nietzsche percebeu isso antes de todo mundo. Ele avisou que o desenvolvimento tecnológico traria uma crise existencial ao mundo. Na verdade, era esse o significado da declaração "Deus está morto".

A frase não foi a comemoração babaca de um ateu, como em geral é interpretada hoje. Não. Era um lamento, um aviso, um pedido de ajuda. Quem somos *nós* para determinar o significado e a significância da nossa própria existência? Quem somos *nós* para decidir o que é bom e o que é certo no mundo? Como suportar esse fardo?

Nietzsche, compreendendo que a existência é inerentemente caótica e imprevisível, acreditava que não somos psicologicamente capazes de lidar com a tarefa de explicar nosso significado cósmico. Ele viu que a avalanche de religiões ideológicas surgida após o Iluminismo (democracia, nacionalismo, comunismo, socialismo, colonialismo etc.) apenas adiava a inevitável crise existencial da humanidade. E ele odiava *todas* elas. Achava a democracia inocente, o nacionalismo estúpido, o comunismo aterrorizante, o colonialismo ofensivo.[14]

De um jeito meio involuntariamente budista, Nietzsche acreditava que qualquer apego mundano — a gênero, raça, etnia, nacionalidade ou história — era uma miragem, uma construção de faz de conta baseada em fé, criada para nos afastar do abismo da Verdade Desconfortável por meio de uma corda frágil de significado. No fim, ele acreditava que todas essas construções eram destinadas a entrar em conflito entre si e causar violência em vez de resolvê-la.[15]

Nietzsche previu conflitos futuros entre as ideologias baseadas nas moralidades do mestre e do escravo.[16] Para ele, tais conflitos causariam mais destruição do que qualquer outra coisa na história da humanidade. Previu que essa destruição não estaria limitada por fronteiras nacionais ou a certos grupos étnicos. Transcenderia todas as fronteiras; transcenderia países e pessoas. Porque esses conflitos, essas guerras, não seriam *em nome* de Deus. Seriam *entre* deuses.

E os deuses seríamos nós.

Caixa de Pandora

Na mitologia grega, o mundo começou só com homens.[17] Todo mundo bebia muito e não trabalhava nada. Era uma grande festa de faculdade que não acabava nunca. Os gregos antigos chamavam isso de "paraíso", mas, na minha opinião, parece um tipo especial de inferno.

Os deuses, reconhecendo que aquela situação era um pouco entediante, decidiram dar uma apimentada nas coisas. Eles queriam criar uma companhia para os homens, alguém que chamaria a atenção, que adicionaria uma dose de complicações e incertezas à vida fácil de beber cerveja e jogar pebolim a noite toda.

Então, decidiram criar a primeira mulher.

Todos os grandes deuses ajudaram nesse projeto. Afrodite deu-lhe a beleza. Atena deu-lhe sabedoria. Hera deu-lhe a habilidade de criar uma família. Hermes deu uma fala carismática. Um a um, os deuses instalaram habilidades e talentos e intrigas na mulher como quem instala apps num iPhone novo.

O resultado foi Pandora.

Os deuses mandaram Pandora para a Terra, para que houvesse competição e sexo e bebês e brigas por causa do assento do vaso sanitário. Mas os deuses também fizeram outra coisa: mandaram

Pandora com uma caixa. Uma caixa linda, com acabamento em ouro e coberta de desenhos delicados e intrincados. Os deuses disseram a Pandora que desse a caixa aos homens, mas também avisaram que jamais poderiam abri-la.

Alerta de spoiler: as pessoas são escrotas. Alguém abriu a caixa de Pandora — e surpresa, todos os homens culparam a mulher por isso —, e dali saíram todos os males do mundo: morte, doença, ódio, inveja e o Twitter. Foi o fim do bucólico Clube do Bolinha. Agora os homens podiam se matar. E o mais importante: passaram a ter um *motivo* para isso: as mulheres, e os recursos que atraem as mulheres. Assim começou a competição idiota de quem tem o pinto maior, também conhecida como história da humanidade.

Guerras começaram. Reinos e rivalidades surgiram. A escravidão foi inventada. Imperadores começaram a conquistar territórios, deixando centenas de milhares de mortos pelo caminho. Cidades inteiras foram construídas e destruídas. Enquanto isso, as mulheres eram tratadas como propriedade, trocadas e vendidas entre os homens como se fossem cabras chiques ou qualquer coisa assim.[18]

Basicamente, os humanos começaram a ser humanos. Tudo parecia fodido. Mas no fundo daquela caixa ainda havia algo lindo e brilhante.

Havia a esperança.

Existem muitas interpretações do mito da caixa de Pandora; a mais comum é que, embora os deuses tenham nos punido com todos os males do mundo, também nos equiparam com o antídoto para todos eles: a esperança. Pense nisso como o yin e o yang da eterna luta da humanidade: tudo está sempre fodido, mas quanto mais fodidas ficam as coisas, mais temos que mobilizar nossa esperança para sustentar e superar a situação. É por isso que heróis como Witold Pilecki nos inspiram: sua habilidade de reunir esperança suficiente para resistir ao mal nos lembra de que todos somos capazes de fazer o mesmo.

A doença pode se espalhar, mas o mesmo acontece com a cura, porque a esperança é contagiosa. A esperança salva o mundo.

Mas aqui está outra interpretação menos popular do mito da caixa de Pandora: e se a esperança não fosse o antídoto para o mal? E se a esperança for só outra face do mal? E se a esperança foi só outra desgraça esquecida dentro da caixa?[19]

Porque a esperança não inspirou somente os atos heroicos de Pilecki. Ela também inspirou as revoluções comunistas e o genocídio nazista. Hitler tinha *esperança* de exterminar os judeus para criar uma raça humana superior. Os soviéticos tinham *esperança* de dar início a uma revolução global que uniria os povos de forma igualitária sob o comunismo. E vamos ser honestos: as atrocidades cometidas pelas sociedades ocidentais e capitalistas nos últimos séculos foram em nome de uma esperança: a esperança de riqueza inusitada.

Como um bisturi cirúrgico, a esperança pode salvar e destruir vidas. Pode nos inspirar e também acabar conosco. Assim como há maneiras de ser confiante de forma saudável e de forma destrutiva, e formas saudáveis e destrutivas de amar, o mesmo se aplica no caso da esperança. A diferença entre uma forma e outra nem sempre é óbvia.

Até aqui, defendi a premissa de que esperança é fundamental para a nossa psique, de que precisamos (a) ter algo a que aspirar, (b) acreditar que estamos no controle do nosso destino a ponto de sermos capazes de alcançar esse objetivo e (c) encontrar uma comunidade para buscar isso conosco. Quando não temos uma ou todas essas coisas por muito tempo, perdemos a esperança e mergulhamos no vazio da Verdade Desconfortável.

Experiências geram emoções. Emoções geram valores. Valores geram narrativas de significado. E pessoas que partilham de narrativas de significado semelhantes se unem para criar as religiões. Quanto mais efetiva (ou afetiva) for a religião, mais produtivos e disciplinados serão seus seguidores. Quanto mais produtivos e disciplinados os seguidores, mais chances a religião tem de se espalhar, dando a outras pessoas uma sensação de autocontrole e um sentimento de esperança. Essas religiões crescem e se expandem, definem grupos "de dentro" contra grupos "de fora", criam rituais e tabus e geram conflitos entre grupos de valores opostos. *Esses conflitos precisam existir porque mantêm o sentido e o propósito das pessoas dentro do grupo.*

Portanto, é o conflito que mantém a esperança.

Então a gente entendeu tudo ao contrário: as coisas estarem fodidas não é o que faz a gente ter esperança; é a esperança que exige que tudo esteja fodido.

As fontes de esperança que dão à vida um sentimento de propósito são as mesmas fontes do ódio e da divisão. A esperança que nos traz mais alegria é a mesma que oferece mais perigo. A esperança que une as pessoas é muitas vezes a mesma que as afasta.

Ou seja, trata-se de uma coisa destrutiva. A esperança depende da rejeição do que *existe no momento*.

Porque ela pede que algo esteja ruim. Ela exige que renunciemos parte de nós mesmos e/ou do mundo. Exige que sejamos anti-*alguma coisa*.

Isso cria um retrato incrivelmente sombrio da condição humana. Significa que nossa estrutura psicológica é feita para que as únicas escolhas na vida sejam ou conflito perpétuo ou niilismo — tribalismo ou isolamento, guerra religiosa ou a Verdade Desconfortável.

Nietzsche acreditava que nenhuma das ideologias criadas pela revolução científica duraria muito tempo. Ele acreditava que, uma a uma, elas começariam a se destruir e/ou a implodir. Então, depois

132   F*DEU GERAL

de alguns séculos, a verdadeira crise existencial teria início. A moralidade do mestre estaria corrompida. A moralidade do escravo teria deixado de existir. Teríamos falhado com nós mesmos, pois a fragilidade humana é tal que tudo que criamos deve ser transitório e enganador.

Nietzsche acreditava que para resolver isso teríamos que olhar além da esperança. Além dos valores. Teríamos que evoluir para algo que estivesse "acima do bem e do mal". Para ele, essa moralidade do futuro teria que começar com algo que ele denominou como *amor fati*, ou "amar seu destino": "Minha fórmula para a grandiosidade em um ser humano", escreveu ele, "é o *amor fati*: que não se deseje que nada fosse diferente, não no futuro, não no passado, não em toda a eternidade. Não simplesmente suportar o que for necessário, muito menos ocultá-lo — todo idealismo é uma falácia em face do que é necessário —, mas amá-lo."[20]

Amor fati, para Nietzsche, significava a aceitação incondicional da vida e das experiências: os altos e baixos, o que importa e o que não importa. Significa amar a dor, abraçar o sofrimento. Significa acabar com a lacuna entre os nossos desejos e a realidade não através da busca por mais desejos, mas simplesmente desejando a realidade como ela é.

Significa basicamente o seguinte: não tenha esperança de nada. Tenha esperança do que *já existe* — porque, no fim das contas, a esperança é algo vazio. Tudo que a sua mente pode criar é fundamentalmente falho e limitado e portanto nocivo se desejado incondicionalmente. Não espere mais felicidade. Não espere menos sofrimento. Não espere melhorar seu caráter. Não espere eliminar suas falhas.

Espere por *isto*. Espere pelas infinitas oportunidades e opressões presentes em cada momento. Espere pelo sofrimento que vem com a liberdade. Pela dor que vem com a felicidade. Pela sabedoria que vem com a ignorância. Pelo poder que vem com a entrega.

E então aja *apesar* disso.

Este é nosso desafio, nosso chamado: agir sem esperança. Não esperar que as coisas sejam melhores, mas que *nós sejamos* melhores. Neste momento e no próximo. E no próximo. E no próximo.

Fodeu geral. E a esperança é ao mesmo tempo a causa e o efeito disso.

É difícil acreditar nisso, porque nos desmamar do doce néctar da esperança é como tirar a garrafa de um bêbado. Sem ela, acreditamos que vamos mergulhar no vazio e ser engolidos pelo abismo. A Verdade Desconfortável nos assusta, e por isso criamos histórias e valores e narrativas e mitos e lendas sobre nós mesmos e sobre o mundo para manter *essa verdade* longe.

Mas a única coisa que pode nos libertar é essa verdade: eu e você vamos morrer, assim como todos que conhecemos, e não há nada que possamos fazer que vá ter qualquer impacto em escala cósmica. E se algumas pessoas temem que essa verdade vai libertá--las de toda responsabilidade, que vão cheirar um saco de cocaína e se jogar no meio dos carros, posso afirmar que essa verdade as assusta porque as liberta *para a responsabilidade*. Significa que não há motivo para *não* nos amarmos uns aos outros. Não há motivo para *não* nos tratarmos e tratarmos o nosso planeta com respeito. Não há motivo para *não* viver cada momento como se fosse parte de um eterno retorno.[21]

A segunda metade deste livro é uma tentativa de entender como poderia ser uma vida sem esperança. A primeira coisa que vou dizer é que não é tão ruim quanto você imagina. Na verdade, acho que é melhor do que a alternativa.

A segunda metade deste livro também é uma análise honesta do mundo moderno e de tudo que ele fodeu. É uma avaliação feita não em busca de um conserto, mas de uma forma de amá-lo.

Porque precisamos acabar com o ciclo de conflitos religiosos. Precisamos sair das nossas bolhas ideológicas. Precisamos deixar o Cérebro Sensível sentir, mas recusar as histórias de sentido e valor que ele deseja tão desesperadamente. Temos que superar nossas concepções de bem e mal. Temos que aprender a amar o que *existe*.

Amor fati

Era o último dia de Meta em Sils Maria, Suíça, e ela planejava passar a maior parte do tempo possível ao ar livre.

O caminho preferido de Friedrich era passando pela margem leste do lago Silvaplana, a meio quilômetro da cidade. O lago brilhava, cristalino, naquela época do ano, coroado pelas montanhas ao longe, com seus cumes brancos. Foi numa dessas caminhadas que ele e Meta tinham ficado próximos, quatro verões antes. Era assim que ela queria passar seu último dia com ele. Era como queria se lembrar dele.

Eles saíram logo depois do café da manhã. O tempo estava fresco, e o sol, perfeito. Ela seguiu na frente, e ele a acompanhava, mancando, com sua bengala. Passaram por celeiros, por campos de gado e por uma pequena plantação de beterrabas. Friedrich brincou que as vacas seriam sua companhia intelectual quando Meta fosse embora. Os dois riram e cantaram e colheram nozes pelo caminho.

Pararam para comer por volta de meio-dia, à sombra de um cedro. Foi aí que Meta começou a se preocupar. Animados, eles tinham se afastado demais. Muito mais do que ela havia imaginado. De repente, ela percebeu que Friedrich estava tendo dificuldades, tanto física quanto mentalmente, de se manter sob controle.

A caminhada de volta foi difícil para ele. Estava óbvio que não conseguia acompanhar o ritmo. E a realidade de que ela partiria na manhã seguinte pesou neles como uma sombra, uma mortalha cobrindo suas palavras.

Ele estava rabugento e dolorido. As paradas eram frequentes. Ele começou a falar sozinho.

Não assim, pensou Meta. Ela não queria deixá-lo, mas precisava.

Já era fim de tarde quando chegaram à vila. O sol tinha se posto, e o ar ficara pesado. Friedrich estava uns bons vinte metros atrás, mas Meta sabia que a única forma de conseguir levá-lo para casa era *não* parando por sua causa.

Passaram pela mesma plantação de beterraba, pelo mesmo celeiro e pelas mesmas vacas, as novas companheiras dele.

— O que foi? — gritou Friedrich. — Aonde Deus foi, vocês me perguntam?

Meta sabia o que encontraria antes mesmo de se virar para ver: Friedrich, a bengala erguida, gritando feito louco para as vacas pastando à sua frente.

— Vou contar a vocês — disse ele, sem fôlego, erguendo a bengala e apontando para as montanhas ao redor. — *Nós o matamos*, você e eu! Somos assassinos! Mas como fizemos isso?

As vacas pastavam placidamente. Uma delas espantou uma mosca com o rabo.

— Como fomos capazes de beber os mares? Quem deu a *nós* a esponja para limpar o horizonte? O que fizemos quando separamos a terra do sol? Não estamos perpetuamente caindo em todas as direções? Não estamos perdidos como se atravessássemos um nada infinito?[22]

— Friedrich, que bobeira — disse Meta, tentando puxá-lo pela manga, mas ele soltou o braço; havia loucura em seus olhos.[23]

— Onde está Deus? *Deus está morto.* Deus permanece morto. E nós o matamos — declarou ele.

— Por favor, pare com essa loucura, Friedrich. Vamos. Vamos para casa.

— Como podemos nos reconfortar, os maiores assassinos da história? O que era mais santo e forte de todos sangrou até a morte sob as nossas lâminas: quem vai limpar o sangue que está em nós?

Meta balançou a cabeça. Não tinha jeito. Era o fim. Era assim que as coisas iam acabar. Ela começou a se afastar.

— Que água há para nos limpar? Que festivais de expiação, que jogos sagrados teremos de inventar? Não é a grandeza desse feito imensa demais para nós? Não teremos que nos tornar deuses simplesmente para fingir sermos dignos disso?

Silêncio. Um mugido soou ao longe.

— O homem é uma corda, presa entre fera e super-homem, uma corda sobre um abismo. O que é belo no homem é que ele é ponte e não fim: o que pode ser amado no homem é que ele é uma introdução [a algo maior].[24]

As palavras tocaram Meta. Ela se virou e o encarou. Tinha sido essa ideia de o homem ser uma introdução a algo maior que a atraíra a Nietzsche tantos anos antes. Essa ideia que a seduzira intelectualmente, porque, para ela, o feminismo e a libertação feminina (sua religião ideológica) eram aquele "algo maior". Mas Meta percebeu que, para Nietzsche, aquilo era simplesmente outra construção, outro conceito, outra falha humana, outro deus morto.

Meta seguiu em frente e teve grandes feitos. Na Alemanha e na Áustria, ela organizou marchas em favor do voto para as mulheres — e o conquistou. Inspirou milhares de mulheres do mundo inteiro a defender os próprios projetos-deus, as próprias redenções, a própria liberdade. Ela, silenciosa e anonimamente, mudou o mundo. Ela libertou e empoderou mais seres humanos que Nietzsche e a maioria dos outros "grandes" homens, mas fez isso nas sombras, nas coxias da história. Na verdade, hoje em dia, ela é mais conhecida por ter sido amiga de Friedrich Nietzsche — não como ícone da libertação feminina, mas como personagem secundária da história de um homem que profetizou, corretamente, cem anos de destruição ideológica. Como um fio camuflado, ela manteve o mundo coeso, apesar de quase nunca ter sido vista e de logo ter sido esquecida.

Meta seguiu em frente, porém. Ela sabia que faria isso. Ela precisava seguir em frente e tentar cruzar o abismo, pois é o que todos nós temos que fazer; viver para os outros apesar de ainda não saber como viver para nós mesmos.

— Meta — chamou Nietzsche.

— Sim?

— Eu amo aqueles que não sabem viver — disse ele. — Pois são eles que conseguem chegar lá.

Parte II:
F*DEU GERAL

6

A Fórmula da Humanidade

Dependendo da perspectiva, o filósofo Immanuel Kant foi a pessoa mais chata que já pisou neste planeta ou o sonho de consumo de um coach de produtividade. Por quarenta anos, ele acordou todos os dias às cinco da manhã para escrever por exatamente três horas. Seguia então para dar aulas na mesma universidade por quatro horas e depois almoçar, sempre no mesmo restaurante. À tarde, fazia longas caminhadas pelo mesmo parque, seguindo o mesmo caminho, voltando para casa sempre na mesma hora. Fez isso por quarenta anos. Todo. Santo. Dia.[1] Kant era a personificação da eficiência. Seus hábitos eram tão metódicos que os vizinhos brincavam que podiam acertar o relógio de acordo com a hora em que ele saía de casa. Ele partia para a caminhada diária às três e meia da tarde, jantava quase todas as noites com o mesmo amigo e, depois de trabalhar mais um pouco, ia dormir às dez em ponto.

Apesar de soar um pé no saco, Kant foi um dos pensadores mais importantes e influentes da história. E de seu apartamento conjugado em Königsberg, na Prússia, fez mais para corrigir os caminhos do mundo do que a maioria dos reis, presidentes, primeiros-ministros e generais antes e depois dele.

142 F*DEU GERAL

Se você vive em uma sociedade democrática em que as liberdades individuais são protegidas, Kant merece parte da sua gratidão. Ele foi um dos primeiros a propor que *todas* as pessoas tinham uma dignidade inerente, que precisava ser reconhecida e respeitada.[2] Foi o primeiro a conceber um órgão governamental global que garantisse paz a boa parte do mundo (ideia que acabaria por inspirar a criação da ONU).[3] Suas descrições de como percebemos tempo e espaço inspirariam Einstein na descoberta da teoria da relatividade.[4] Foi um dos primeiros a sugerir a possibilidade de direitos dos animais.[5] Reinventou a filosofia da estética e da beleza.[6] Solucionou um debate filosófico de duzentos anos entre racionalismo e empirismo no espaço de umas duzentas páginas.[7] E, como se tudo isso não fosse suficiente, reinventou completamente a filosofia moral, derrubando ideias que formavam a base da civilização ocidental desde Aristóteles.[8]

Kant era um dínamo intelectual. Se Cérebros Pensantes tivessem bíceps, o dele seria o Mister Universo da intelectualidade.

Sua visão de mundo era tão rígida e intransigente quanto seu estilo de vida. Kant via bem e mal como conceitos claramente definidos, um sistema de valores que transcendia e agia à parte das emoções humanas ou de juízos do Cérebro Sensível.[9] Além disso, vivia exatamente da forma que pregava. Reis tentaram censurá-lo; padres o reprovavam; acadêmicos o invejavam. E nada disso o fazia parar.

Kant vivia ligando o foda-se. E me refiro ao sentido mais verdadeiro e profundo dessa frase.[10] Dos pensadores em quem já esbarrei, foi o único a se abster da esperança e de todos os valores humanos imperfeitos nos quais ela se fia; a confrontar a Verdade Desconfortável e se recusar a aceitar suas horríveis implicações; a vislumbrar o abismo munido apenas de lógica e razão pura; a postar-se perante os deuses armado apenas do brilhantismo de sua mente para desafiá-los...

...e de certa forma vencê-los.[11]

No entanto, para entender a hercúlea tarefa de Kant, primeiro temos de fazer um desvio e aprender a respeito de desenvolvimento psicológico, maturidade e vida adulta.[12]

Como crescer

Quando eu tinha tipo uns quatro anos, apesar dos avisos da minha mãe, coloquei o dedo no forno quente. Naquele dia aprendi uma lição importante: coisas muito quentes são um saco. Queimam. E depois a gente evita tocar nelas de novo.

Mais ou menos na mesma época, fiz outra descoberta crucial: o sorvete ficava no congelador, em uma prateleira fácil de alcançar se eu ficasse na ponta dos pés. Um dia, enquanto minha mãe estava em outro cômodo (coitada), peguei o sorvete, sentei no chão e me empanturrei usando as mãos mesmo.

Foi o mais próximo que eu chegaria de um orgasmo nos próximos dez anos. Na minha cabecinha de quatro anos, se existia um céu, eu tinha acabado de encontrá-lo: meus próprios Campos Elíseos num pote de divindade congelada. Quando o sorvete começou a derreter, espalhei mais um tanto no rosto, deixando pingar na blusa inteira. Tudo isso em câmera lenta, é claro. Eu estava praticamente tomando um banho naquela maravilha doce e saborosa. *Ó, glorioso leite açucarado, divide comigo teus segredos, pois hoje conhecerei a glória.*

Então mamãe apareceu — e foi um caos total, incluindo um banho mais do que necessário (mas não só isso).

Naquele dia aprendi as seguintes lições. Número um: roubar sorvete e espalhá-lo em mim e no chão da cozinha deixava minha mãe absurdamente furiosa. Número dois: uma mãe furiosa é uma droga, porque a gente leva bronca e fica de castigo. Naquele dia, assim como na ocasião do forno quente, aprendi o que *não* fazer.

Mas havia uma terceira meta-lição a extrair dali, um daqueles aprendizados tão óbvios que nem percebemos quando eles ocor-

144 F*DEU GERAL

rem, muito mais importante do que todos os outros: tomar sorvete é melhor do que se queimar.

Foi um aprendizado relevante por se tratar de um juízo de valor. *Sorvete é melhor do que forno quente. Prefiro uma maravilha cheia de açúcar na boca do que um calor desgraçado na mão.* Ali descobri a respeito de preferências e, portanto, prioridades. Foi meu Cérebro Sensível concluindo que uma coisa no mundo era melhor do que outra. Começava aí a construção da minha hierarquia de valores.

Certa vez, um amigo descreveu a paternidade como "basicamente ficar andando atrás de uma criança por duas décadas para garantir que ela não se mate por acidente — e você ficaria surpreso com a quantidade de maneiras que uma criança pode encontrar para se matar por acidente".

Crianças pequenas vivem procurando novas formas de se matar acidentalmente, porque a força motriz de sua psicologia é a exploração. No início da vida, somos levados a explorar os arredores porque nossos Cérebros Sensíveis estão coletando informações a respeito do que nos agrada e do que nos machuca, do que é gostoso e do que é desagradável, o que vale a pena continuar procurando e o que é melhor evitar. Estamos construindo uma hierarquia, descobrindo quais são nossos valores básicos e primordiais para começar a saber sobre o que nutrir esperança.[13]

Em dado momento, a fase exploratória se esgota. E não é porque já não há mais mundo para ser explorado. Na verdade, é o oposto: a fase exploratória acaba porque, ao nos tornarmos mais velhos, passamos a reconhecer que o que *não falta* é mundo a ser visto. Não dá para tocar e provar tudo. Não dá para conhecer todas as pessoas nem ver todas as coisas. As experiências em potencial são muitas e a absoluta magnitude da existência nos oprime e intimida.

A Fórmula da Humanidade 145

Portanto, nossos dois cérebros começam a focar menos em tentar de tudo e mais em desenvolver algumas regras que nos orientem pela infinita complexidade do mundo. Absorvemos a maioria delas de nossos pais e professores, mas descobrimos muitas por conta própria. Por exemplo, depois de ficarmos de sacanagem ao lado do fogão aceso por tempo o suficiente, desenvolvemos uma regrinha mental de que *todo* fogo é perigoso, não só o do forno. E depois de tanto ver nossas mães ficarem furiosas, começamos a perceber que assaltar o congelador e roubar sobremesa é *sempre* ruim, não só quando se trata de sorvete.[14]

Como resultado, alguns princípios gerais começam a surgir em nossa mente: tome cuidado para não se machucar quando estiver perto de coisas perigosas; seja honesto com seus pais e eles o tratarão bem; compartilhe suas coisas com seus irmãos e eles compartilharão as deles com você.

Esses novos valores têm mais sofisticação porque são abstratos. Não dá para apontar para a "justiça" ou desenhar a "prudência". A criancinha pensa: *Sorvete é o máximo, logo, eu quero sorvete*. Mas o adolescente pensa: *Sorvete é o máximo, mas sempre que pego sem autorização meus pais ficam irritados e acabo de castigo, então não vou tirar o sorvete do congelador*. O adolescente aplica regras ao seu processo de decisão, analisando a cadeia de causa e efeito de uma forma que não é possível para uma criança pequena.

Como resultado, um adolescente descobre que partir exclusivamente em busca do próprio prazer e evitar a dor acaba gerando problemas. Atos têm consequências. É preciso conciliar seus desejos com os daqueles ao seu redor. É preciso jogar de acordo com as regras da sociedade e da autoridade, e desta forma o mais comum é ser recompensado.

Eis a maturidade em ação: desenvolvemos valores mais elevados e abstratos para aperfeiçoar o processo decisório frente a uma gama mais ampla de contextos. É assim que nos ajustamos ao mundo, que aprendemos a dar conta das variações aparentemente infinitas de experiências. É um grande salto cognitivo para crianças e fundamental para que ela cresça de forma feliz e saudável.

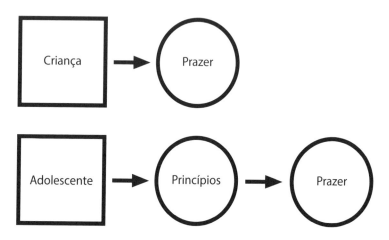

Figura 6.1: Uma criança pensa apenas no próprio prazer, enquanto um adolescente aprende a lidar com regras e princípios para atingir metas.

Crianças pequenas são como pequenos tiranos.[15] Para elas é difícil entender qualquer coisa na vida para além do imediatamente prazeroso ou doloroso. Elas não sentem empatia. Não conseguem imaginar como é a vida para o outro. Só sabem que querem a porra do sorvete.[16]

A identidade da criança, portanto, é muito pequena e frágil. É constituída tão somente pelo que dá prazer e pelo que evita dor. Susie gosta de chocolate, tem medo de cachorros e gosta de colorir. Às vezes trata mal o irmão. A identidade de Susie não vai além disso porque seu Cérebro Pensante ainda não desenvolveu sentidos o suficiente para criar histórias coerentes para ela. Só quando tiver idade para perguntar qual é o *sentido* do prazer, qual é o *sentido* da dor, é que Susie conseguirá desenvolver narrativas significativas para si e estabelecer sua identidade.

A Fórmula da Humanidade   147

O conhecimento do prazer e da dor ainda se manifesta na adolescência, mas ele deixa de ditar de maneira exclusiva o processo decisório.[17] Já não mais compõe a base dos nossos valores. Crianças mais velhas conseguem colocar na balança seus sentimentos junto com sua compreensão das regras, das barganhas e da ordem social para fazer planos e tomar decisões. Esse processo garante identidades maiores e mais robustas a elas.[18]

O adolescente tateia da mesma forma que a criança pequena faz em seu aprendizado sobre o que lhe traz prazer e dor, exceto pelo fato de que, no caso dos mais velhos, isso se dá por meio da experimentação de diferentes regras e papéis sociais. Vou me sentir descolado se vestir essa roupa? Falar desse jeito vai fazer as pessoas gostarem de mim? Se eu fingir gostar desse tipo de música, serei popular?[19]

É um avanço, mas a abordagem adolescente para a vida ainda tem uma fraqueza. Tudo é visto como uma troca. Adolescentes encaram a vida como uma série interminável de barganhas: vou fazer o que meu chefe mandou para ter dinheiro. Vou ligar para minha mãe, e então ela não vai brigar comigo. Vou fazer o dever de casa para não ferrar o meu futuro. Vou mentir e fingir ser bonzinho para não ter que lidar com conflitos.

Nada é feito por si só. Tudo é uma negociação calculada, geralmente realizada por medo das repercussões negativas. Tudo é um *meio* para se alcançar um fim prazeroso.[20]

O problema com os valores adolescentes é que quem os possui jamais se posiciona de fato com relação a algo externo a si. No fundo, o adolescente ainda é uma criança, apesar de muito mais inteligente e sofisticada. Tudo continua girando em torno de maximizar o prazer e minimizar a dor; a única diferença é que o adolescente é esperto o bastante para pensar alguns passos à frente visando chegar onde quer.

No fim das contas, os valores dessa faixa etária levam à autossabotagem. Não dá para viver a vida inteira dessa forma, caso contrário o indivíduo nunca viverá de fato a própria vida. Estará sempre experimentando uma combinação dos desejos das pessoas ao redor.

Para se tornar uma pessoa emocionalmente saudável, é preciso quebrar esse ciclo de barganha constante, que sempre trata todos como meios para atingir um fim prazeroso, e passar a entender princípios norteadores mais elevados e abstratos.

Como ser adulto

Quando buscamos no Google "como ser adulto", a maior parte dos resultados é focada na preparação para entrevistas de emprego, na administração das finanças, em arrumar a própria bagunça e em não ser um babaca completo. Tudo isso é muito bom e, de fato, espera-se que adultos saibam dar conta dessas coisas. Mas eu argumentaria que, por si sós, elas não fazem de você um adulto. Apenas o impedem de ser uma criança, o que não é a mesma coisa.

Pessoas que fazem essas coisas se comportam desse modo porque são movidas por regras e negociações. São meios para algum fim superficial. Você se prepara para a entrevista porque quer conseguir um bom emprego. Aprende a limpar a própria casa porque seu nível de higiene tem consequências diretas no que as pessoas acham de você. Administra suas finanças porque, se não o fizer, vai se ferrar no futuro. Barganhar com regras e com a ordem social nos permite viver como seres humanos funcionais neste mundo.

Um dia, porém, nos damos conta de que as coisas mais importantes da vida não são obtidas através de barganhas. Ninguém quer barganhar amor com o próprio pai ou barganhar companhia com os amigos, ou respeito com o chefe. Barganhar por amor ou por respeito é uma merda; afinal, se é preciso convencer alguém a te amar, essa pessoa não te ama. O mesmo pode ser dito quando sentimos que precisamos persuadir alguém a nos respeitar ou a confiar em nós.

As coisas mais valiosas e importantes na vida, por definição, não são negociáveis. E tentar barganhá-las é destruí-las na mesma hora. É impossível conspirar em nome da felicidade. Mas as pessoas volta e meia tentam fazer isso, sobretudo quando recorrem à autoajuda e a outros conselhos de desenvolvimento pessoal — o que estão dizendo é essencialmente: "Me mostre as regras do jogo que preciso jogar, e vou seguir à risca." O que elas não percebem é que jamais serão felizes enquanto acharem que há regras para a felicidade.[21]

Embora pessoas que levam a vida à base de barganhas e regras possam ir muito longe no mundo *material*, elas continuam deficientes e solitárias em seu mundo *emocional*. Isso porque valores negociáveis criam relações baseadas em manipulação.

Na vida adulta, entendemos que, às vezes, um princípio abstrato pode ser bom e correto por si só, e que mesmo que nos machuque hoje, mesmo que machuque os outros, ser honesto ainda é o correto a se fazer. Da mesma forma que o adolescente percebe haver mais no mundo do que a dicotomia infantil do prazer e da dor, o adulto percebe que existem mais coisas do que a constante barganha do adolescente por validação, aprovação e satisfação. Tornar-se adulto é, portanto, desenvolver a habilidade de fazer o que é certo simplesmente porque é o certo.

Um adolescente vai dizer que valoriza a honestidade só porque aprendeu que dizer isso gera bons resultados. Mas, diante de conversas difíceis, contará pequenas mentiras, cometerá certos exageros e ficará na defensiva. Um adulto será honesto pura e simplesmente porque a honestidade conta mais do que o prazer ou a dor que venha a experimentar. A sinceridade é inerentemente boa e valiosa. É, portanto, um *fim*, não um meio, para se alcançar algum outro fim.

Um adolescente vai dizer que ama você, mas sua concepção de amor passa por receber algo em troca, o amor sendo meramente um escambo emocional no qual cada um traz tudo o que tem a oferecer e pechincha em busca do melhor negócio. Um adulto ama livremente sem esperar nada em troca porque entende que o amor só é de verdade se for dessa forma. Um adulto dá sem esperar receber nada, pois fazê-lo anularia todo o propósito logo de cara.

Os valores baseados em princípios da vida adulta são incondicionais — isto é, não podem ser alcançados por outros meios. São fins em si.[22]

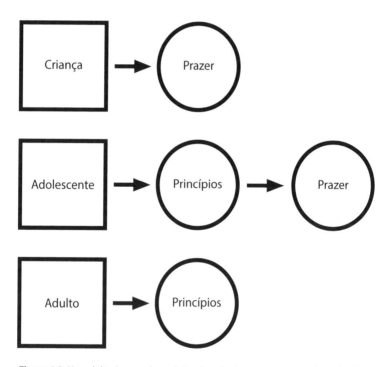

Figura 6.2: Um adulto é capaz de se abster do próprio prazer em nome dos princípios.

O que não falta no mundo são crianças grandes. E há um monte de adolescentes burros velhos. Existem até alguns jovens adultos por aí. Isso acontece porque, a partir de determinado ponto, maturidade passa a não ter nada a ver com idade.[23] O que interessa são as *intenções* da pessoa. A diferença entre uma criança, um adolescente e um adulto não se dá em função da idade ou de seus atos, mas do *porquê* de seus atos. A criança rouba sorvete porque é gostoso, inconsciente ou indiferente às consequências. O adolescente deixa de roubar por saber que fazer isso resultará em consequências piores, mas sua decisão, no fundo, não passa de uma barganha com a própria versão futura: abro mão desse prazer agora para evitar dores maiores lá na frente.[24]

Mas só o adulto deixa de roubar pelo simples princípio de que roubar é errado. E roubar, mesmo que ninguém descubra, acarreta muita culpa.[25]

Por que não crescemos

Quando somos pequenos, aprendemos a transcender os valores da escala de prazer e dor ("sorvete é bom; forno quente é ruim") depois de persegui-los e ver como acabam dando errado. É só ao vivenciarmos a dor do fracasso que aprendemos a superar.[26] Roubamos o sorvete, mamãe fica furiosa e nos castiga. De repente, "sorvete é bom" não é mais uma verdade tão fundamental quanto antes — há vários outros fatores a considerar. Eu gosto de sorvete. E gosto da mamãe. Mas pegar o sorvete deixa mamãe irritada. O que eu faço? A criança acaba sendo forçada a considerar o fato de haver trocas que precisam ser negociadas.

Na essência, a boa criação se resume em implementar as consequências corretas para o comportamento dos filhos, baseado em prazer e dor. Puni-los por roubar o sorvete; recompensá-los por se comportarem no restaurante. Isso os ajuda a compreender que a vida é bem mais complexa do que seus impulsos e desejos. Pais que erram nisso cometem uma falha incrivelmente básica, pois não vai demorar para a criança passar pela descoberta traumática de que o mundo não está ali para atender a seus caprichos. Descobrir isso só na idade adulta é absurdamente doloroso — muito mais do que teria sido se a criança tivesse aprendido a lição ainda nova. Ela será punida pelos colegas e pela sociedade caso não entenda isso. Ninguém quer ser amigo de um fedelho egoísta. Ninguém quer trabalhar ao lado de alguém que não leva os sentimentos dos outros ou as regras em consideração. Nenhuma sociedade aceita alguém que metaforicamente ou literalmente rouba o sorvete do congelador. A criança inconsequente será evitada, ridicularizada e punida no mundo adulto e isso resultará em ainda mais dor e sofrimento.

Os pais também podem vir a falhar com os filhos de outra forma: maltratando-os.[27] Uma criança maltratada não desenvolve valores além do sistema de prazer e dor, pois, como não seguem qualquer padrão lógico, os castigos não reforçam valores abstratos e mais profundos. Em vez de gerar fracassos previsíveis, a experiência é apenas aleatória e cruel. Roubar sorvete às vezes resulta em punições exageradamente duras. Em outras ocasiões, não tem quaisquer consequências. Dessa forma, não se aprende lição alguma nem se produz qualquer valor mais elevado. Não há espaço para desenvolvimento. A criança não aprende a controlar o próprio comportamento e desenvolve mecanismos para lidar com a dor incessante. É por isso que tanto as crianças maltratadas quanto as mimadas frequentemente têm os mesmos problemas na idade adulta: continuam presas ao sistema de valores da infância.[28]

Em última análise, passar para a adolescência exige confiança. A criança precisa acreditar que seu comportamento produzirá desfechos previsíveis. Roubar sempre traz maus resultados. Encostar em um forno quente também. A confiança em tais desfechos é o que permite à criança desenvolver regras e princípios em torno desses assuntos. O mesmo ocorre quando ela fica mais velha e se torna um membro mais ativo da sociedade. Uma sociedade sem instituições ou líderes confiáveis não tem como desenvolver regras e papéis. Sem confiança, não há princípios sólidos para ditar decisões, e, portanto, tudo regride ao egoísmo infantil.[29]

As pessoas ficam presas no estágio adolescente por razões semelhantes às que se prendem no estágio infantil: trauma e/ou negligência. Vítimas de bullying são um exemplo particularmente marcante. Uma pessoa que sofre esse tipo de assédio no início da vida vai se relacionar com o mundo a partir da suposição de que ninguém jamais vai gostar dela ou respeitá-la de maneira incondicional, que toda afeição precisa ser conquistada a duras penas por meio de uma série de argumentos e atos predeterminados. É preciso se vestir, falar e agir da forma certa, para não se dar mal.[30]

Algumas pessoas se tornam particularmente boas no jogo da barganha. São encantadoras e carismáticas e têm uma habilidade natural para perceber o que outros esperam delas, assumindo tal papel. Essa manipulação raramente dá errado para elas de modo significativo, o que faz com que acreditem que funciona assim com todo mundo. A vida é um grande ensino médio, e é preciso trancar as pessoas dentro de armários antes que elas tranquem você.

Adolescentes precisam aprender que barganhar é uma lenga-lenga sem fim, que tudo com real valor e sentido na vida se obtém sem que condições ou negociações sejam estabelecidas. É preciso que bons pais e professores não caiam no jogo do adolescente. A melhor forma de fazê-lo é através do exemplo: mostrar a incondicionalidade sendo incondicional. O melhor jeito de ensinar um adolescente a confiar é confiando nele, da mesma forma que respeitá-lo e amá-lo é a chave para lhe ensinar o respeito e o amor. E não se deve forçar nada disso — pois tornaria tudo condicional —, mas simplesmente oferecer e compreender que, em determinado momento, a barganha deixará de funcionar, quando estiver pronto, e o adolescente entenderá o valor da incondicionalidade.[31]

Quando pais e professores fracassam, em geral é porque também estão empacados no nível adolescente dos valores. Eles também enxergam o mundo como uma negociação. Também barganham amor por sexo, lealdade por afeição, respeito por obediência. Por sinal, é provável que barganhem com os filhos por afeição, amor ou respeito. Consideram isso normal, o que leva a criança a também achar normal quando fica mais velha. E essa relação de merda entre pais e filhos, rasa e baseada em negociações, será replicada no futuro. Quando a criança ganhar o mundo e começar a estabelecer os próprios relacionamentos, será *ela* então a se tornar pai, mãe, professor ou professora e a transmitir seus valores adolescentes a outras crianças.

E a bagunça toda continuará por mais uma geração.

Quando ficam mais velhas, pessoas de mentalidade adolescente se orientam no mundo partindo do pressuposto de que todos os relacionamentos humanos são uma infinita negociação de acordos, que intimidade não passa de uma simulação compartilhada com outra pessoa para benefício mútuo, que todos são um meio para algum fim egoísta. E em vez de reconhecerem que seus problemas têm raiz nessa abordagem, acham que o único problema é terem levado tanto tempo para aprender a negociar de forma correta.

É difícil agir incondicionalmente. Você ama alguém sabendo que o amor pode não ser correspondido, mas o faz assim mesmo. Você confia em alguém ainda que perceba o risco de acabar se magoando ou sendo passado para trás. Isso acontece porque agir de maneira incondicional exige algum grau de fé — fé de que aquilo é o certo a se fazer, mesmo que resulte em mais dor ou não funcione para você e para a outra pessoa.

Entregar-se de coração a uma vida adulta requer não apenas a capacidade de lidar com a dor, mas também a coragem de abandonar a esperança, de deixar para trás o desejo de que as coisas sejam sempre melhores, mais prazerosas ou muito divertidas. Seu Cérebro Pensante lhe diz que isso não é lógico, que seus pressupostos fatalmente contêm algum erro. E, no entanto, você embarca. Seu Cérebro Sensível procrastina e entra em pânico quanto à dor da honestidade brutal, à vulnerabilidade em jogo ao amar alguém, ao medo gerado pela humildade. Mas você embarca mesmo assim.

	INFÂNCIA	ADOLESCÊNCIA	VIDA ADULTA
VALORES	Prazer/dor	Regras e papéis	Virtudes
VÊ RELAÇÕES COMO...	Disputas de poder	Performances	Vulnerabilidade
AUTOESTIMA	Narcisista: oscilação intensa entre "eu sou o máximo" e "eu sou um lixo"	Dependente do outro: validação externa	Independente: validação em grande parte interna
MOTIVAÇÃO	Autopromoção	Autoaceitação	*Amor fati*
POLÍTICA	Extremista/niilista	Pragmática, ideológica	Pragmática, não ideológica
PARA CRESCER, PRECISA...	De instituições e pessoas nas quais possa confiar	Coragem para se desprender de resultados e fé em atos incondicionais	Constante autoconsciência

Em última análise, comportamentos adultos são vistos como admiráveis e dignos de nota. O chefe que assume a culpa pelos erros dos funcionários, a mãe que abre mão da própria felicidade em nome da do filho, o amigo que diz o que é preciso ouvir, por mais que você se incomode.

São essas as pessoas que sustentam o mundo. Sem elas, seria mais provável que estivéssemos todos fodidos.

Sendo assim, não é coincidência que todas as principais religiões do mundo promovam esses valores incondicionais, seja o perdão de Jesus, o Nobre Caminho Óctuplo do Buda ou a justiça perfeita de Maomé. Em suas formas mais puras, as principais religiões do mundo potencializam o instinto humano, sempre em busca da esperança, para tentar elevar as pessoas ao nível das virtudes adultas.[32]

Ou, ao menos, era essa a intenção original.

Infelizmente, é inevitável que as religiões, à medida que evoluem, acabem cooptadas por adolescentes negociadores e crianças narcisistas, gente que deturpa seus princípios para ganho pessoal. *Todas* sucumbem em algum momento com essa fragilidade moral. Não importa quão linda e pura seja sua doutrina, a religião, em última análise, torna-se uma instituição humana, e toda instituição humana acaba por se corromper.

Filósofos iluministas, entusiasmados com as oportunidades que o crescimento oferecia ao mundo, decidiram remover a espiritualidade da religião e dar conta da tarefa por meio da religiosidade ideológica. Abandonaram a ideia da virtude para focar em metas concretas, mensuráveis: criar mais felicidade e menos sofrimento; conceder às pessoas maior liberdade e autonomia; e promover a compaixão, a empatia e a igualdade.

E essas religiões ideológicas, assim como as espirituais que as precederam, também sucumbiram à natureza falha de todas as instituições humanas. Ao tentarmos permutar felicidade, nós a destruímos. Impor a liberdade é negar a liberdade, assim como criar igualdade é minar a igualdade.

A Fórmula da Humanidade   157

Nenhuma dessas religiões ideológicas atacou a questão fundamental em pauta: a condicionalidade. Não admitiram ou não lidaram com o fato de que, independentemente de qual seja seu valor-deus, você sempre estará disposto em algum momento a barganhar vidas humanas para se aproximar dele. A adoração a algum deus sobrenatural, a algum princípio abstrato, a algum desejo infindável, após algum tempo, sempre resultará em abrir mão da própria humanidade ou da humanidade de outros para que os objetivos de tal adoração sejam atingidos. E o que deveria nos salvar do sofrimento acaba por nos fazer mergulhar nele novamente. O ciclo de esperança e destruição se renova.

É aí que entra Kant...

A única regra para a vida

Ainda jovem, Kant compreendeu o jogo de martelar os bichos que saem do buraco, aquilo que expliquei sobre manter a esperança perante a Verdade Desconfortável. E, como todos os que adquirem consciência desse cruel jogo cósmico, entrou em desespero. Mas o filósofo se recusou a participar. Recusou-se a acreditar que não havia qualquer valor inerente à existência e que estamos para sempre amaldiçoados a invocar histórias que deem à nossa vida algum sentido arbitrário. Portanto, pôs seu musculoso Cérebro Pensante para trabalhar e desvendar que aparência teria a noção de valor sem esperança.

Kant partiu de uma simples observação. Até onde se sabe, a consciência é o único componente completamente escasso e singular em todo o universo. Para Kant, o *único* elemento que nos distingue do restante da matéria no universo é nossa capacidade de raciocínio — somos capazes de compreender o mundo ao nosso redor e, por meio de raciocínio e vontade, aperfeiçoá-lo. Para ele, isso era especial, extremamente especial — quase um milagre —, pois, em meio ao infinito da existência, somos *nós* (até onde se sabe) os únicos de fato capazes de *direcioná-la*. No cosmos conhecido, somos *nós* as únicas fontes de talento e criatividade. Somos *nós* os únicos capazes de conduzir o próprio destino. Somos *nós* os únicos com autoconsciência. E, pelo que se vê, somos o único empreendimento do universo que se propõe a uma auto-organização inteligente.

Kant, portanto, deduziu sabiamente que, a julgar pela lógica, o valor supremo do universo é *aquilo que é capaz de conceber valor em si*. O único sentido verdadeiro da existência é *a capacidade de estabelecer sentido*. Só é importante o que estabelece importância.[33]

E essa capacidade de atribuir sentidos, de imaginar a importância, de inventar propósitos, é a única força no universo conhecido que pode propagar a si mesma, espalhar sua inteligência e gerar níveis cada vez maiores de organização através do cosmos. Kant acreditava que, sem a racionalidade, o universo seria um desperdício, algo vão, sem propósito. Sem a inteligência, assim como a liberdade de exercê-la, poderíamos muito bem ser um punhado de pedras. Pedras não mudam. Não concebem valores, sistemas ou organizações. Não se alteram, não se aperfeiçoam, não criam. Só *existem*.

Mas a *consciência*... a consciência pode reorganizar o universo, e a reorganização decorrente pode aperfeiçoar a si mesma de forma exponencial. A consciência é capaz de abordar um problema, um sistema de certa complexidade, e então conceber e gerar *mais complexidade*. Em mil anos, fomos da manipulação de gravetos em pequenas cavernas à concepção de ambientes totalmente digitais que conectam as mentes de bilhões. Em mais mil, poderemos facilmente ganhar as estrelas, remodelando planetas e até o próprio espaço-tempo. Individualmente, um único ato pode não fazer diferença na esfera coletiva, mas a preservação e a promoção da consciência racional ao todo importam mais do que qualquer outra coisa.

Kant defendia que o dever moral mais básico é a preservação e o desenvolvimento da consciência, tanto em nós mesmos quanto nos outros. Chamou esse princípio de sempre priorizar a consciência de "Fórmula da Humanidade", e ela meio que explica... bem, tipo, tudo, desde sempre. Explica nossas intuições morais básicas e o conceito clássico de virtude.[34] Explica como agir sem nos fiarmos em uma visão imaginária de esperança. Explica como não ser um babaca.

E, como se isso não fosse o bastante, toda a explicação cabe numa única frase. A Fórmula da Humanidade apregoa: "Aja de modo a usar a humanidade, em sua pessoa ou na de outrem, sempre ao mesmo tempo como um fim, e nunca meramente como um meio."[35]

É isso. A Fórmula da Humanidade é o princípio básico que retira as pessoas da barganha adolescente rumo à virtude adulta.[36]

Observem que o problema com a esperança é ser fundamentalmente uma negociação — uma barganha entre os atos atuais de alguém e um agradável futuro imaginado. Não coma isso e você vai para o céu. Não mate aquela pessoa se não quiser arrumar problemas. Trabalhe duro e economize, pois isso vai lhe fazer feliz.

Para transcender a esfera negociatória da esperança, é preciso agir de forma *incondicional*. É preciso amar e respeitar alguém sem esperar nada em troca. Do contrário, não se trata de amor e respeito verdadeiros. É preciso falar honestamente sem esperar um tapinha nas costas ou uma medalha de ouro, senão deixa de ser honestidade.

Kant resume esses atos incondicionais com um princípio bem simples: deve-se tratar a humanidade sempre como um fim em si, nunca meramente como um meio.[37]

Mas como isso se dá no dia a dia? Eis um exemplo:

Digamos que eu esteja morrendo de fome e queira um burrito. Pego o carro, vou até a lanchonete e peço aquela monstruosidade de sempre, com o dobro de carne e que me faz muito, mas *muito* feliz. Nessa situação, comer o burrito é meu "fim". É basicamente a razão de eu fazer todo o resto: entrar no carro, dirigir, colocar gasolina etc. Tudo o que faço para conseguir o burrito são os "meios", isto é, as coisas necessárias para que eu obtenha o meu "fim".

Meios são tudo o que fazemos condicionalmente. São o que usamos para barganhar. Não quero ter que pegar o carro e dirigir nem pagar pela gasolina, mas sei que quero um burrito. Portanto, preciso fazer tudo isso para consegui-lo.

Um fim é algo desejado em si. É, por definição, o fator motivador de nossas decisões e comportamentos. Se eu decidisse comer um burrito só porque minha esposa queria e minha intenção fosse agradá-la, o burrito já não seria mais meu fim. Seria o meio para um fim ainda maior: fazer minha esposa feliz. E se eu quisesse isso só para transar com ela mais tarde, a felicidade da minha esposa seria um meio para um fim maior — sexo, no caso.

O último exemplo não deve ter soado muito bem e fez você me achar meio escroto.[38] É *exatamente* disso que Kant fala. A Fórmula da Humanidade postula que tratar qualquer ser humano (ou ser consciente) *como um meio para um fim* é a base de todos os comportamentos errados. Portanto, tudo bem tratar um burrito como um meio para um fim que tenha a ver com a minha esposa. É bom fazer seu cônjuge feliz de vez em quando! Mas, se eu lidar com minha esposa como se ela fosse um caminho cujo fim é o sexo, aí sim eu a estarei tratando meramente como um meio. Na visão de Kant, há algo de errado nisso.

Da mesma forma, mentir é errado porque você induz a erro o comportamento consciente de outra pessoa para atingir uma meta sua, tratando o interlocutor como um meio para o seu fim. Trapacear é antiético por razão semelhante. Você viola as expectativas de outros seres racionais e sencientes em nome de objetivos pessoais. Trata todos os outros que estão fazendo a mesma prova ou seguindo as mesmas regras como meios para seu fim pessoal. Com violência é a mesma coisa: você trata outra pessoa

A Fórmula da Humanidade 161

como meio para algum fim político ou pessoal de maior vulto. Que coisa feia, leitor!

A Fórmula da Humanidade de Kant não só descreve a nossa intuição moral sobre o que é errado, mas também explica as virtudes adultas, aqueles atos e comportamentos que são bons por si sós. A honestidade é boa por ser a única forma de comunicação na qual as pessoas *não* são tratadas meramente como meios. A coragem é boa porque não agir é tratar a si próprio ou outros como meios para reprimir seus medos. A humildade é boa pois recorrer cegamente às próprias certezas é tratar os outros como meios para os próprios fins.

Se tivesse que existir uma única regra para descrever todos os comportamentos humanos desejáveis, provavelmente seria a Fórmula da Humanidade. Mas aqui está o mais bonito: ao contrário de outros códigos ou sistemas morais, a Fórmula da Humanidade não depende de esperança. Não há qualquer grande sistema a impor ao mundo, não há crenças sobrenaturais que lançam mão da fé para se protegerem das dúvidas e da falta de provas.

A Fórmula da Humanidade é apenas um princípio. Ela não projeta qualquer utopia futura nem pranteia algum passado infernal. Ninguém é melhor ou pior do que ninguém, tampouco mais honrado. Só o que importa é que a vontade consciente seja respeitada e protegida. Ponto final.

Porque Kant entendeu que, quando se entra no jogo de decidir e ditar o futuro, desencadeia-se o potencial destrutivo da esperança. A preocupação passa a ser converter pessoas em vez de honrá-las; a de destruir o mal nos outros em vez de arrancar as raízes do que há de pior em nós mesmos.

Em vez disso, Kant concluiu que a única maneira lógica de aperfeiçoar o mundo é por meio do autoaperfeiçoamento — ao crescermos e nos tornarmos mais virtuosos —, a partir da simples decisão de sempre tratar a nós mesmos e aos demais como fins e nunca apenas como meios. Seja honesto. Não se disperse nem se prejudique. Não se esquive das responsabilidades nem sucumba ao medo. Ame de forma aberta e destemida. Não ceda a impulsos tribais ou deixe a esperança enganá-lo. Pois não há céu ou inferno no futuro, apenas o resultado de escolhas feitas a cada momento.

Seus atos serão condicionais ou incondicionais? Você tratará os outros como meios ou como fins? Perseguirá a virtude adulta ou o narcisismo infantil?

A esperança sequer precisa entrar na equação. Não espere uma vida melhor. *Viva* uma vida melhor, simplesmente.

Kant compreendeu que existe uma ligação fundamental entre o respeito que temos por nós mesmos e o que temos pelo mundo. A forma como interagimos com nossa própria psique é o modelo que aplicamos em nossas interações com o outro, e pouco progresso faremos com as pessoas ao redor enquanto não o tivermos feito conosco.[39] Quando perseguimos uma vida cheia de prazeres e simples satisfação, estamos *nos* tratando como meios para nossos fins prazerosos. Portanto, o autoaperfeiçoamento não é cultivar mais felicidade, e sim mais respeito próprio. Dizer a nós mesmos que não valemos nada, que somos uns merdas, é tão errado quanto falar que outra pessoa não vale nada e é uma merda. Mentir para nós mesmos é tão antiético quanto mentir para os outros. Ferir a nós mesmos, tão repugnante quanto ferir os outros. Portanto, amar e cuidar de si mesmo não é algo que alguém aprenda ou pratique, mas algo que somos eticamente convocados a fazer, ainda que não tenha nos restado mais nada.

A Fórmula da Humanidade tem efeito cascata: aperfeiçoar a honestidade em si aperfeiçoa a honestidade com o outro; e, assim, o outro é influenciado a ser mais honesto consigo mesmo, o que o ajudará a crescer e amadurecer. A capacidade de não tratar a si próprio como um meio permitirá, por sua vez, que se trate melhor o outro como fim. Portanto, ao botar em ordem seu relacionamento *consigo*, o efeito colateral positivo

A Fórmula da Humanidade 163

é a harmonização de seus relacionamentos, e isso por sua vez permite que o outro se entenda melhor consigo, e por aí vai.

É *assim* que se muda o mundo — não com ideologias grandiosas, conversão religiosa em massa ou sonhos ilusórios sobre o futuro, mas quando cada indivíduo aqui e agora, no presente, alcança sua maturidade e sua dignidade. Sempre haverá religiões e sistemas de valores baseados na cultura e na experiência; sempre haverá ideias diferentes sobre de onde viemos e para onde vamos. Mas, como acreditava Kant, a simples questão de dignidade e respeito a cada momento precisa ser universal.

A moderna crise de maturidade

A democracia moderna foi inventada sob o pressuposto de que o cidadão comum é um merda egoísta e delirante e que a única maneira de nos proteger de nós mesmos é criando sistemas tão engrenados e interdependentes que nenhuma pessoa ou grupo passe totalmente para trás o restante da população.

A política é um jogo egoísta, cheio de negociações, e a democracia, o melhor sistema de governo já criado, simplesmente porque é o único a admitir isso abertamente. É ciente de que o poder atrai gente corrupta e infantil. O poder, por sua própria natureza, *força* líderes a barganhar. Portanto, a única forma de administrar uma situação assim é consagrar valores adultos na própria estrutura do sistema.

Liberdade de expressão, liberdade de imprensa, garantias de privacidade e de direito a um julgamento justo — todas são implementações da Fórmula da Humanidade em instituições sociais, concebidas de maneira a serem praticamente imunes a ameaças e transformações.

Só existe de fato uma forma de ameaçar um sistema democrático: quando um grupo decide que seus valores são mais importantes que o sistema em si e subverte a religião da democracia em nome de outra, provavelmente menos virtuosa... faz crescer o extremismo político.

Extremistas políticos são infantis por definição, porque são intratáveis e refratários a barganhas. Em suma, são um bando de bebês querendo que o mundo seja de uma determinada maneira e que se recusam a reconhecer quaisquer interesses ou valores diferentes dos seus. Recusam-se a negociar. Recusam-se a apelar a alguma virtude ou princípio superior, acima de seus desejos egoístas. E, no que diz respeito a atender as expectativas dos outros, não são dignos de confiança. São ainda descaradamente autoritários, pois, crianças que são, estão desesperados pela vinda de um pai todo-poderoso que "dê um jeito nas coisas".[40]

Os extremistas mais perigosos sabem dar a seus valores infantis uma nova roupagem a partir da linguagem da barganha ou dos princípios universais. Um extremista de direita dirá desejar a "liberdade" acima de tudo e se mostrará disposto a sacrifícios em nome disso. Mas o que realmente quer dizer é que deseja a liberdade de não ter que lidar com nenhum valor que não esteja alinhado aos seus. Deseja liberdade para não lidar com a mudança ou a marginalização de outras pessoas. Portanto, estará disposto a limitar e destruir a liberdade de outros em nome da sua própria.[41]

Extremistas de esquerda jogam o mesmo jogo, só mudando a linguagem. Eles dirão querer "igualdade" para todos, mas querendo realmente dizer que não querem jamais ver qualquer pessoa sentir dor, ser ferida ou se sentir inferior. Nunca querem ninguém encarando lacunas morais. E estarão dispostos a *causar* dor e adversidades a terceiros em nome da eliminação dessas lacunas morais.

O extremismo, tanto à direita quanto à esquerda, tornou-se mais proeminente na política ao redor do mundo nas últimas décadas.[42] Muita gente sábia já propôs uma série de explicações complicadas e interligadas para tal. E provavelmente as razões são *de fato* complicadas e interligadas.[43]

Mas permitam-me jogar mais uma na fogueira: *a maturidade de nossa cultura está se deteriorando.*

No mundo rico e desenvolvido, vivemos uma crise que não é de riquezas ou material, mas de caráter, virtude, meios e fins. A divisão política básica do século XXI já não é mais direita contra esquerda, mas valores impulsivos infantis contra valores adolescentes/adultos prontos a concessões. O debate já não é comunismo contra capitalismo ou liberdade contra igualdade, mas maturidade contra imaturidade, meios contra fins.

7

Dor é a constante universal

Um a um, os pesquisadores encaminharam as cobaias por um corredor até um quartinho. Lá dentro havia um único computador bege, uma tela em branco, dois botões e nada mais.[1]

As instruções eram simples: ficar sentado, encarando a tela, e se um ponto azul surgisse, apertar o botão dizendo "azul". Se um ponto roxo surgisse, apertar o botão dizendo "não azul".

Parece fácil, certo?

Bem, cada cobaia tinha que olhar para mil pontos. Sim, *mil*. E quando alguém terminava, os pesquisadores traziam outra cobaia e repetiam o processo: computador bege, tela branca, mil pontos. Próximo! Isso foi feito com centenas de pessoas em várias universidades.

Esses psicólogos estavam pesquisando uma nova forma de tortura psicológica? Seria esse um experimento sobre os limites do tédio humano? Não. Na verdade, o impacto dessa pesquisa só é comparável à sua chatice. Era um estudo com implicações revolucionárias, porque, mais que qualquer outro estudo acadêmico na história recente, ele explica muito sobre nossas percepções do mundo hoje.

Os psicólogos estavam pesquisando algo que chamaram de "mudança de conceito induzida por prevalência". Mas, como esse nome é péssimo, aqui neste livro, vou me referir a essa descoberta como o "Efeito Ponto Azul".[2]

Dor é a constante universal 167

A questão dos pontos é a seguinte: a maioria era azul. Alguns eram roxos. Alguns eram de um tom entre roxo e azul.

Os pesquisadores descobriram que, quando mostravam mais pontos azuis, todo mundo determinava razoavelmente bem quais eram azuis e quais não eram. Mas assim que os pesquisadores começaram a limitar o número de pontos azuis e mostrar mais tons de roxo, as cobaias passaram a confundir os pontos roxos com azuis. Era como se seus olhos distorcessem as cores e continuassem a buscar um certo número de pontos azuis, independentemente de quantos realmente fossem mostrados.

Bem, até aí nada de mais, certo? As pessoas se confundem o tempo todo. Além disso, quando passamos horas encarando pontos, começamos a ficar meio vesgos e ver tudo de um jeito esquisito.

Mas a questão ali não eram os pontos azuis; isso é só uma forma de mensurar como os seres humanos modificam a percepção para que ela se encaixe nas expectativas. Quando os pesquisadores tinham reunido dados o suficiente com os pontos azuis para colocar os assistentes em coma, passaram para percepções mais importantes.

Por exemplo: mostraram às cobaias fotos de rostos que, em algum nível, eram ameaçadores, amigáveis ou neutros. No início, mostraram um grande número de rostos ameaçadores. Mas, à medida que o experimento seguia, como aconteceu com os pontos azuis, estes foram rareando cada vez mais — e se obteve o mesmo efeito: quanto menos rostos ameaçadores eram mostrados, mais as cobaias entendiam rostos neutros ou amigáveis como ameaçadores. Da mesma forma que a mente humana parecia ter um número "padrão" de pontos azuis que esperava ver, também tinha a expectativa de um número padrão de rostos ameaçadores.

Então os pesquisadores foram ainda mais longe, porque... Bem, por que não? Uma coisa é ver ameaças onde não há perigo, mas e quanto a julgamentos morais? E quanto a acreditar que o mundo é pior do que realmente é?

168 F*DEU GERAL

Dessa vez, os pesquisadores fizeram propostas de emprego às cobaias. Algumas eram antiéticas, envolvendo situações bem escrotas. Outras eram totalmente inócuas e normais. Outras estavam entre uma coisa e outra.

Mais uma vez, os cientistas começaram mostrando uma mistura de propostas éticas e antiéticas, e as cobaias foram instruídas a ficar de olho nas antiéticas. Então, devagar, as pessoas foram expostas a cada vez menos propostas antiéticas. E aí o Efeito Ponto Azul entrou em ação. Elas começaram a interpretar propostas totalmente normais como antiéticas. Em vez de perceber que estavam surgindo mais propostas do lado ético do aspecto, a mente das pessoas *mudou o limite* para manter a percepção de que determinada quantidade de propostas era antiética. Ou seja, elas redefiniram o que era antiético inconscientemente.

Como os pesquisadores notaram, essa tendência tem implicações muitíssimo perturbadoras para... Bem, para quase tudo, na verdade. Comitês governamentais criados para avaliar regulações, depois da análise de muitas infrações, podem começar a enxergar infrações onde não devem. Forças-tarefa para avaliar práticas antiéticas em organizações podem, quando não encontrarem mais pessoas cometendo crimes, imaginar crime onde não há.

O Efeito Ponto Azul sugere que, basicamente, quanto mais procuramos, mais achamos ameaças, independentemente de quão confortável ou seguro o ambiente realmente seja. E estamos vendo isso acontecer no mundo de hoje.

Antes, ser vítima de violência significava que alguém tinha sido fisicamente agredido. Hoje, muitas pessoas começaram a usar o termo *violência* para descrever palavras que as deixam desconfortáveis, ou até a simples presença de uma pessoa de quem não gostam.[3] *Trauma* significava especificamente uma experiência tão marcante que a vítima não era capaz de seguir em frente. Hoje, um encontro social desagradável ou algumas palavras ofensivas são consideradas "trauma" e exigem a criação de "espaços seguros".[4]

Genocídio significava assassinato em massa de certo grupo étnico ou religioso. Hoje, o termo "genocídio branco" é usado para reclamar que o restaurante mais próximo tem uma versão em espanhol do cardápio.[5]

Esse é o Efeito Ponto Azul. Quanto melhor as coisas ficam, mais percebemos ameaças onde elas não existem, e mais nervosos ficamos. E esse é o núcleo do paradoxo do progresso.

No século XIX, Émile Durkheim, o fundador da sociologia e um pioneiro das ciências sociais, fez um experimento imaginário em um de seus livros: e se não houvesse mais crimes? E se surgisse uma sociedade em que todos fossem perfeitamente respeitosos e não violentos e iguais? E se ninguém mentisse ou machucasse ninguém? E se a corrupção não existisse? O que aconteceria? Os conflitos deixariam de existir? O estresse evaporaria? Todos rolariam na grama, colhendo margaridas e cantando "Aleluia" do *Messias* de Handel?[6]

Durkheim disse que não, que na verdade seria o oposto. Ele sugeria que, quanto mais confortável e ética uma sociedade se tornasse, mais as pequenas indiscrições ganhariam proporção em nossa mente. Se as pessoas parassem de se matar, a população não necessariamente se sentiria bem. Só transferiria a chateação para problemas menores.

A psicologia do desenvolvimento há muito tempo defende uma ideia similar: que proteger as pessoas de problemas ou adversidades não as torna mais felizes ou mais seguras; só faz com que se sintam mais vulneráveis. Um jovem que foi protegido e não precisou lidar com nenhum desafio ou injustiça em seu processo de crescimento vai considerar qualquer mínimo inconveniente da vida adulta insuportável, e vai fazer birra como uma criança, publicamente, para deixar isso claro.[7]

O que descobrimos, então, é que nossa resposta emocional aos problemas não é definida pelo tamanho do problema. Na verdade, nossa mente só amplifica (ou minimiza) nossos problemas para que se encaixem no grau de estresse que esperamos enfrentar. O progresso e a segurança materiais nem sempre nos deixam mais relaxados ou nos dão mais esperança em relação ao futuro. Pelo contrário: parece que, talvez, ao remover desafios e adversidades saudáveis, o sofrimento aumenta. As pessoas se tornam mais egoístas e infantis. Não se desenvolvem nem amadurecem, não superam a fase da adolescência. Permanecem ainda mais distantes de qualquer virtude. Enxergam montanhas em quebra-molas. E gritam umas com as outras como se o mundo fosse um imenso riacho de leite derramado.

Viajando à velocidade da dor

Recentemente, li uma citação bacana de Albert Einstein na internet: "O homem deve ir atrás do que ele é, não do que acha que deve ser." Era ótima. Tinha até um desenhinho dele com cara de cientista e tudo. A citação é emocionante, inteligente, e capturou minha atenção por uns bons segundos antes que eu continuasse a rolar a timeline no celular.

O único problema é: Einstein não disse isso.

Outra citação de Einstein que viralizou e aparece bastante: "Todo mundo é um gênio. Mas se você julgar um peixe por sua habilidade de escalar uma árvore, o peixe vai passar a vida toda acreditando que é um idiota."

Também não foi Einstein quem disse isso.

Ou então: "Temo o dia em que a tecnologia vai superar nossa humanidade. O mundo só terá uma geração de idiotas."[8]

Não. Também não é dele.

Einstein talvez seja a figura histórica mais mal utilizada na internet. Ele é o que na nossa cultura chamamos de "amigo inteligente", aquele que concorda conosco só para nos fazer parecer mais inteligentes do que somos de verdade. Esse carinha aparece ao lado de citações sobre tudo, de Deus a doenças mentais, passando por cura energética. Nenhum desses temas tem nada a ver com ciência. O pobre coitado deve se revirar no túmulo.

As pessoas projetam tanta merda em Einstein que ele acabou se tornando uma figura mitológica. Por exemplo, a ideia de que ele era um mau aluno é mentira. Ele era excelente em matemática e ciências desde pequeno, aprendeu álgebra e geometria euclidiana sozinho, em um único verão, aos doze anos, e leu *Crítica da Razão Pura*, de Immanuel Kant (um livro que universitários têm dificuldade para concluir até hoje), aos treze. O cara completou o ph.D. em física experimental numa idade em que a maioria das pessoas sequer começou a trabalhar, então claramente ele curtia esse lance de estudar.

A princípio, Albert Einstein não tinha grandes aspirações, só queria dar aulas. Mas como era um jovem imigrante alemão na Suíça, não conseguiu vaga nas universidades locais. Depois de um tempo, com a ajuda de um amigo do pai, arrumou um emprego em um escritório de patentes, um trabalho tão entediante que permitia que ele ficasse parado o dia todo imaginando teorias loucas sobre física — teorias que logo deixariam o mundo de pernas para o ar. Em 1905, publicou sua teoria da relatividade, que o alçou à fama mundial. E largou o escritório de patentes. Presidentes e líderes de Estado de repente queriam conversar com Einstein. Tudo estava uma maravilha.

Durante sua longa vida, Einstein revolucionaria a física várias vezes, escaparia dos nazistas, avisaria os Estados Unidos da necessidade (e do perigo) crescente de armamento nuclear e seria eternizado na famosa foto com a língua para fora.

Mas hoje, nós também o conhecemos pelas inúmeras excelentes citações na internet que, na verdade, ele nunca disse.

* * *

Desde a época de Newton (o verdadeiro), a física se baseou na ideia de que tudo pode ser medido em termos de tempo e espaço. Por exemplo, minha lixeira está aqui do meu lado agora. Ela ocupa determinada posição no espaço. Se um dia eu chegar em casa bêbado e com raiva e jogá-la longe, teoricamente seria possível medir sua localização no espaço através do tempo, determinando várias coisas úteis como velocidade, trajetória, impulso e o tamanho do buraco que ela deixaria na parede. Essas outras variáveis são determinadas calculando o movimento da lata de lixo pelo espaço e pelo tempo.

Tempo e espaço são o que chamamos de "constantes universais". São imutáveis. São a métrica pela qual tudo o mais é medido. Se isso parece o bom e velho senso comum, é porque é.

Então Einstein chegou e falou: "Foda-se seu senso comum; você não sabe de nada, Jon Snow." E mudou o mundo, provando que o tempo e o espaço *não* são constantes universais. Na verdade, nossas percepções de tempo e espaço mudam de acordo com o contexto das nossas observações. Por exemplo, dez segundos para mim podem ser cinco para você; o que compreendo como um quilômetro você teoricamente pode perceber como alguns metros.

Para qualquer um que já ficou por algum tempo sob efeito de LSD, essa conclusão meio que faz sentido. Mas para a física da época, era uma completa loucura.

Einstein demonstrou que espaço e tempo mudam de acordo com o observador — ou seja, são *relativos*. É a *velocidade da luz* que é a constante universal, e é em relação a ela que tudo o mais deve ser medido. Todos estamos nos movendo, o tempo todo, e quanto mais perto chegamos da velocidade da luz, mais devagar o tempo "passa" e mais o espaço se contrai.

Vamos supor que você tenha um gêmeo idêntico; obviamente da sua idade. Os dois decidem embarcar em uma aventura intergaláctica, e cada um entra em uma nave diferente. A sua nave espacial viaja à limitada velocidade de cinquenta quilômetros por segundos, mas a do seu gêmeo viaja perto da velocidade da luz — a insanos 299 mil quilômetros por segundo. Vocês dois combinam de viajar pelo espaço por um tempo, ver várias coisas maneiras e se reencontrar depois de vinte anos.

Quando você volta para casa, algo surpreendente aconteceu. Você envelheceu vinte anos, mas seu gêmeo não mudou quase nada. Ele esteve "fora" por vinte anos, mas dentro daquela nave só viveu mais ou menos um ano.

É, "que porra é essa" foi o que também me perguntei.

Como o próprio Einstein certa vez disse: "Cara, isso nem faz sentido." Só que faz (e Einstein nunca disse isso).

O exemplo de Einstein é importante porque demonstra como o que supomos constante e estável no universo pode estar errado, e como essas suposições incorretas podem ter consequências imensas em nossa vivência de mundo. Nós supomos que espaço e tempo são constantes universais porque isso explica como *nós* percebemos o mundo. Mas acontece que espaço e tempo não são constantes universais; são variáveis a alguma outra constante, inimaginável e não óbvia. E isso muda tudo.

Estou martelando essa explicação complicada sobre a relatividade porque acredito que algo similar aconteça com a nossa psicologia: o que acreditamos que seja a constante universal da nossa experiência, na verdade não é nem um pouco constante. Em vez disso, muito do que presumimos que seja verdadeiro e real é relativo à nossa percepção.

Os psicólogos nem sempre estudaram a felicidade. Na verdade, durante a maior parte da sua história, a psicologia não se concentrava no positivo, mas nas coisas que fodiam com a cabeça das pessoas, que causavam transtornos mentais e colapsos emocionais, e como as pessoas poderiam lidar com suas maiores dores.

174   F*DEU GERAL

Foi só nos anos 1980 que alguns intrépidos acadêmicos começaram a se perguntar: "Espera aí, esse trabalho é meio deprê. O que faz as pessoas ficarem *felizes*? Vamos estudar isso aí!" E muito se comemorou, porque logo dezenas de livros sobre felicidade surgiram nas prateleiras, vendendo milhões para pessoas de classe média entediadas, irritadas e passando por crises existenciais.

Uma das primeiras coisas que os psicólogos fizeram quando começaram a estudar a felicidade foi organizar uma pesquisa simples.[9] Pegaram grandes grupos de pessoas e deram *pagers* a elas — lembrando, eram os anos 1980 e 1990 —, e sempre que o pager tocava, era preciso parar e responder a duas perguntas:

1. Em uma escala de 1 a 10, quão feliz você se sente no momento?

2. O que está acontecendo na sua vida?

Os pesquisadores reuniram milhares de respostas de centenas de pessoas de todo tipo, e o que descobriram era ao mesmo tempo surpreendente e incrivelmente entediante: quase todo mundo respondia "7" na maior parte das vezes. No mercado comprando leite? Sete. No jogo de beisebol do meu filho? Sete. Falando com o chefe sobre uma grande venda? Sete.

Mesmo quando coisas catastróficas aconteciam — mamãe está com câncer; esqueci de pagar uma parcela do financiamento da casa; Júnior perdeu um braço em um estranho acidente de boliche —, o nível de felicidade caía para o intervalo entre dois e cinco por um período e, depois de um tempo, voltava ao sete.[10]

Isso também acontecia com eventos extremamente positivos. Receber uma bonificação generosa no trabalho, fazer a viagem de férias dos sonhos, casamentos — na época do evento, a nota das pessoas ficava alta por um curto período e depois, de forma previsível, voltava a se estabilizar em torno de sete.

Ninguém é totalmente feliz o tempo todo, mas por outro lado ninguém é totalmente infeliz o tempo todo também. Isso deixou os pesquisadores fascinados. Parece que humanos, independentemente de circunstâncias externas, vivem em um constante estado de felicidade média porém não totalmente satisfatória. Em outras palavras, as coisas estão quase sempre bem, mas sempre podem melhorar.[11]

Aparentemente, a vida não passa de uma oscilação em torno dessa felicidade nível sete. E esse "sete" constante para o qual sempre retornamos nos engana, e nós sempre caímos.

Caímos porque o nosso cérebro nos diz: "Sabe, se eu tivesse só um pouquinho mais, finalmente chegaria ao dez e ficaria ali."

Muita gente vive grande parte da vida assim, sempre correndo atrás desse dez imaginário.

Você pensa, ei, para ser feliz, tenho que arrumar um novo emprego, então é isso que você faz. Aí, depois de alguns meses, você acha que ficaria mais feliz se tivesse uma casa nova, então compra uma casa nova. Aí, alguns meses mais tarde, a meta é uma viagem incrível para a praia, e lá vai você para uma praia incrível. E enquanto está viajando, você pensa, sabe do que eu *preciso* mesmo? De uma maldita piña colada! *Não dá para arrumar uma porra de uma piña colada por aqui?!* Quando se dá conta, você já está estressado por causa da piña colada, acreditando que basta um único drinque para levar você ao dez. Mas aí você pede uma segunda, uma terceira… Bem, todo mundo sabe como isso termina: você acorda de ressaca e no nível três de felicidade.

É como Einstein uma vez aconselhou: "Nunca encha a cara com drinques alcóolicos açucarados — se é para enfiar o pé na jaca, recomendo alternar com água com gás, ou, se você for cheio da grana, melhor apostar em um bom champanhe."

Todos implicitamente presumimos que *nós* somos a constante universal da nossa própria vivência, que *nós* somos imutáveis e que nossas experiências vêm e vão como o clima.[12] Alguns dias são bons e ensolarados; outros são nublados e péssimos. Os céus mudam, mas *nós* permanecemos os mesmos.

Mas isso não é verdade — muito pelo contrário, aliás. A dor é a constante universal da vida. A percepção e as expectativas humanas se desdobram para se encaixar em uma quantidade predeterminada de dor. Em outras palavras, não importa se nossos dias forem ensolarados, nossa mente sempre vai imaginar o tanto exato de nuvens para nos deixar meio decepcionados.

Essa constante da dor resulta no que chamamos de "esteira hedonista", na qual você corre sem parar, perseguindo o dez imaginário. Mas, não importa o quanto se esforce, sempre acaba com um sete. A dor está sempre ali. O que muda é a sua *percepção* disso. Assim que sua vida "melhora", suas expectativas mudam, e você volta a se sentir vagamente insatisfeito.

Mas a dor funciona na direção contrária também. Eu me lembro de quando fui fazer minha primeira tatuagem grande. Os primeiros minutos foram de dor excruciante. Eu não conseguia acreditar que tinha me disposto a passar oito horas sofrendo daquele jeito. Mas depois de três horas eu já estava cochilando enquanto o tatuador trabalhava.

Nada havia mudado: mesma agulha, mesmo braço, mesmo artista. Só a minha percepção: quando a dor se tornou normal, voltei ao meu sete cativo.

Essa é outra faceta do Efeito Ponto Azul.[13] Essa é a sociedade "perfeita" de Durkheim. Isso é a relatividade de Einstein em um remix psicológico. É a mudança de conceito que faz alguém que nunca sofreu uma violência física transferir algumas frases incômodas de um livro para a categoria "violência". É a sensação exagerada de que uma cultura está sendo invadida e destruída apenas porque agora existem filmes com personagens gays.

O Efeito Ponto Azul está em todos os lugares. Afeta todas as percepções e julgamentos. Tudo se adapta e se modifica para se alinhar à nossa ligeira insatisfação.

Dor é a constante universal **177**

E *esse* é o problema da busca pela felicidade.

Buscar a felicidade é o valor do mundo moderno. Você acha que Zeus ligava se as pessoas estavam felizes? Você acha que o Deus do Velho Testamento se importava em fazer as pessoas se sentirem bem? Não, ele estava ocupado demais planejando mandar gafanhotos para comer a cara das pessoas.

Antigamente, a vida era difícil. Fome, pragas e inundações eram constantes. A maior parte da população era escravizada ou forçada a participar de guerras infinitas, enquanto o restante passava o tempo cortando a cabeça dos vizinhos no meio da noite por causa de algum tirano. A morte estava em todo lugar. Muita gente nem passava dos trinta anos. E as coisas foram assim durante a maior parte da história da humanidade: merda, vermes e fome.

O sofrimento no mundo pré-ciência não era só um fato aceito, era muitas vezes comemorado. Os filósofos da antiguidade não viam a felicidade como uma virtude. Ao contrário: para eles, virtude era a capacidade de abnegação, porque se sentir bem era tão perigoso quanto desejado. E eles tinham razão: bastava um babaca se animar demais e, num piscar de olhos, metade da vila estava em chamas. Como na famosa citação que não é de Einstein: "Se beber, não mexa com tochas ou vai ter dor de cabeça."

Foi só na era da ciência e da tecnologia que a felicidade virou uma "coisa". Quando a humanidade inventou formas de melhorar a vida, surgiu uma nova questão: "Então, o que podemos melhorar?" Vários filósofos da época concluíram que o objetivo primordial da humanidade deveria ser promover a felicidade — ou seja, reduzir a dor.[14]

Por fora, isso é bacana, nobre e tudo o mais. Quer dizer, fala sério, quem não quer se livrar de um pouco de dor? Que tipo de babaca diria que essa é uma má ideia?

Bem, *eu* sou esse tipo de babaca, porque essa é uma má ideia.

Não dá para se livrar da dor — dor é a constante universal da condição humana. Portanto, tentar escapar disso, se proteger de *todo* o mal, só pode acabar em desastre. Tentar eliminar a dor só vai aumentar sua sensibilidade ao sofrimento em vez de aliviá-lo. Isso fará com que você veja fantasmas em todo canto, tirania e opressão em toda autoridade, ódio e mentira em qualquer abraço.

Não importa o progresso, não importa quão tranquila, confortável e feliz seja nossa vida, o Efeito Ponto Azul sempre vai nos puxar de volta para a consciência de certo nível de dor e insatisfação. A maioria das pessoas que ganham milhões na loteria não é mais feliz a longo prazo. Na média, acabam sentindo o mesmo grau de felicidade. Pessoas que ficam paralíticas em acidentes sérios não se tornam mais infelizes com o tempo. Em média, também acabam se sentindo como antes.[15]

Isso acontece porque a dor é a própria experiência da vida. Emoções positivas são uma diminuição temporária da dor; emoções negativas são um aumento temporário. Apagar toda a dor é apagar todos os sentimentos, todas as emoções. É se afastar silenciosamente da existência.

Ou, como Einstein brilhantemente disse uma vez:

Assim como um rio que corre tranquilamente enquanto não encontra obstáculos, a natureza do homem e do animal é tal que nunca percebemos ou nos tornamos conscientes do que acompanha nossa vontade; para percebermos algo, nossa vontade precisa ser frustrada, precisamos experimentar algum tipo de choque. Por outro lado, tudo que se opõe, frustra e resiste à nossa vontade, o que significa dizer que é desconfortável e doloroso, nos marca de imediato, com grande impacto e clareza. Assim como não somos conscientes da saúde da totalidade do corpo, mas só do pedacinho em que o sapato nos aperta; não pensamos na totalidade das nossas atividades bem-sucedidas, mas em alguma briga insignificante que segue nos incomodando.[16]

Certo, não foi Einstein quem disse isso. Foi Schopenhauer, que também era alemão e tinha um cabelo engraçado. Mas a questão é que não só é impossível fugir da experiência da dor, como a dor é a própria experiência.

É por isso que a esperança é, no fim, autodestrutiva e autoperpetuante: não importam nossos objetivos alcançados, não importam a paz e a prosperidade encontradas, nossa mente logo adapta suas expectativas para manter uma sensação constante de adversidade, nos forçando, assim, a formular uma nova esperança, uma nova religião, um novo conflito que nos mantenha vivos. Vamos ver rostos ameaçadores e propostas de trabalho antiéticas onde não há. E não importa quão ensolarado seja o dia, sempre encontraremos uma nuvem no céu.

Portanto, a busca pela felicidade não só é autodestrutiva, como também impossível. É como tentar pegar a cenoura pendurada no barbante amarrado a um graveto preso às suas costas. Quanto mais você avançar, mais terá que avançar. Ao transformar a cenoura em seu objetivo final, você inevitavelmente se transforma em um meio de alcançá-la. E, ao buscar a felicidade, você paradoxalmente a deixa mais distante de ser alcançada.

A busca pela felicidade é um valor tóxico que há muito define a nossa cultura. É autodestrutiva *e* enganosa. Viver bem não significa evitar o sofrimento; significa sofrer pelas razões certas. Porque, se vamos ser forçados a sofrer simplesmente por existir, é bom que a gente aprenda a sofrer bem.

A única escolha na vida

Em 1954, depois de quase 75 anos de ocupação e vinte de guerra, os vietnamitas finalmente expulsaram os franceses de seu país. Isso deveria ter sido uma coisa incontestavelmente boa. O problema é que estava acontecendo aquela pentelha da Guerra Fria

180 F*DEU GERAL

— uma guerra religiosa global entre os poderes capitalistas e liberalistas ocidentais e o bloco comunista. E quando ficou claro que Ho Chi Minh, o cara que acabou com os franceses, era comunista, bem, todo mundo surtou e achou que isso poderia causar a terceira guerra mundial.

Com medo de um conflito maior, vários líderes de Estado reuniram-se ao redor de uma mesa chique em algum lugar da Suíça e concordaram em pular a parte da aniquilação nuclear e partir direto para dividir o bebê Vietnã ao meio. Por que um país que nunca fez nada para ninguém merecia ser cortado ao meio, não me pergunte.[17] Mas aparentemente todo mundo decidiu que o Vietnã do Norte seria comunista, o Vietnã do Sul, capitalista, e pronto. Todo mundo viveria feliz para sempre.

(Ok, talvez não.)

O problema era o seguinte: os capitalistas resolveram nomear um cara chamado Ngo Dinh Diem presidente interino do Vietnã do Sul enquanto as eleições de verdade eram organizadas. De início, todo mundo gostava desse Diem. Ele era católico devoto, poliglota, tinha estudado na França e morado anos na Itália. Quando o vice-presidente dos Estados Unidos Lyndon Johnson o conheceu, disse que Diem era o "Winston Churchill da Ásia". Praticamente um de nós!

Diem também era carismático e ambicioso. Causou uma boa impressão não só nos líderes capitalistas mas também no antigo imperador do Vietnã. Diem declarou, confiante, que seria ele o responsável por finalmente levar a democracia ao Sudeste Asiático. E todo mundo acreditou.

Só que, não foi isso que aconteceu. Um ano depois de ser colocado no poder, Diem proibiu a existência de todos os partidos políticos do Vietnã do Sul, exceto o dele. Quando chegou a época das eleições, ele colocou o próprio irmão para cuidar das urnas. E você não vai acreditar, mas Diem ganhou a eleição! Com um percentual incrível de 98,2% dos votos!

Dor é a constante universal 181

O sujeito se revelou um babaca completo. Ho Chi Minh, o líder do Vietnã do Norte, também era péssimo, é claro. E se aprendi alguma coisa na faculdade, essa coisa foi a primeira regra da teoria geopolítica: quando dois babacas vivem um do lado do outro, milhões de pessoas morrem.[18]

Assim, o Vietnã entrou em guerra civil mais uma vez.

Eu adoraria dizer alguma coisa surpreendente sobre Diem, mas ele virou o tipo mais básico de tirano. Encheu o governo de familiares e pau-mandados corruptos. Ele e a família viviam no luxo enquanto o povo passava fome, fazendo com que centenas de milhares de pessoas fugissem ou morressem. Era tão arrogante e incompetente que os Estados Unidos tiveram que interferir para evitar que o Vietnã do Sul implodisse, dando início assim ao que os norte-americanos chamam de Guerra do Vietnã.

Mas, embora Diem fosse um grande merda, os poderes capitalistas ficaram ao seu lado. Afinal, ele teoricamente era um deles, um discípulo da religião capitalista liberal, com uma posição firme contra o comunismo. Levaria anos e incontáveis mortes para que se percebesse que Diem não estava muito interessado naquela religião, mas em criar a própria.

Como é o caso de muitos tiranos, um dos passatempos favoritos de Diem era oprimir e matar pessoas que discordavam dele. Nesse caso, por ser católico, Diem odiava os budistas. O problema é que na época o Vietnã era uma nação em que mais ou menos oitenta por cento da população era budista, então a ideia não pegou bem com o pessoal. Diem proibiu bandeiras e símbolos budistas. Proibiu feriados budistas. Recusou-se a dar ajuda governamental às comunidades budistas. Invadiu e destruiu templos no país inteiro, deixando centenas de monges budistas sem teto.

Os monges organizaram protestos pacíficos, mas é claro que foram contidos. Então houve protestos ainda maiores, o que fez Diem declarar que protestar era ilegal. Quando os budistas se re-

182   F*DEU GERAL

cusaram a dispersar, os policiais começaram a atirar nos manifestantes. Em uma marcha pacífica, chegaram a jogar granadas em grupos de monges desarmados.

Os repórteres do Ocidente sabiam dessa perseguição religiosa, mas estavam mais preocupados com a guerra contra o Vietnã do Norte, então os monges não eram bem uma prioridade. Poucos sabiam a verdadeira dimensão do problema, e menos ainda estavam dispostos a cobrir os confrontos.

Então, no dia 10 de junho de 1963, os repórteres receberam uma mensagem misteriosa dizendo que "algo importante" aconteceria no dia seguinte em Saigon, em um cruzamento movimentado a poucos quarteirões do palácio presidencial. Os correspondentes não deram muita importância, e a maioria decidiu não ir. No dia seguinte, entre os poucos jornalistas, apenas dois fotógrafos apareceram. Um deles se esqueceu de levar a câmera.

O outro ganharia o prêmio Pulitzer.

Naquele dia, um carrinho turquesa coberto de faixas exigindo liberdade religiosa liderou uma procissão de algumas centenas de monges e monjas. Eles cantavam. As pessoas paravam e observavam a procissão por alguns instantes, depois voltavam às suas vidas. Era uma rua agitada em um dia agitado. Àquela altura, protestos budistas não eram novidade.

A procissão chegou ao cruzamento em frente à embaixada cambojana e parou, bloqueando o tráfego. O grupo de monges se espalhou em um semicírculo em torno do carro turquesa, observando e esperando em silêncio.

Três monges saíram do carro. Um colocou uma almofada na rua, no meio do cruzamento. O segundo, um homem mais velho chamado Thích Quảng Đức, foi até a almofada, sentou-se em posição de lótus, fechou os olhos e começou a meditar.

O terceiro monge saiu do carro, abriu o porta-malas e de lá tirou um galão de gasolina, que levou até onde Quảng Đức estava sentado e despejou o conteúdo sobre ele, encharcando o homem de combustível. As pessoas taparam a boca. Alguns cobriram o rosto, os olhos começando a lacrimejar com os gases. E de repente aquele cruzamento tão movimentado foi tomado por um silêncio sinistro. Os passantes pararam. Policiais esqueceram o que estavam fazendo. Havia um peso no ar. Algo importante estava prestes a acontecer. Todos esperavam.

Com o corpo coberto de gasolina e o rosto impassível, Quảng Đức recitou uma prece rápida, esticou a mão, pegou lentamente um fósforo e, sem abrir os olhos ou sair da posição de lótus, acendeu-o no asfalto e colocou fogo em si mesmo.

No mesmo instante, uma parede de chamas se ergueu e seu corpo foi engolfado pelas chamas. Suas vestes se desintegraram. Sua pele enegreceu. Um fedor horrível preencheu o ar, uma mistura de carne queimada e combustível e fumaça. Gritos e choro explodiram da multidão. Muitos caíram de joelhos. A maioria simplesmente ficou chocada, atordoada e paralisada pelo que estava acontecendo.

Enquanto queimava, Quảng Đức se manteve completamente imóvel.

(Copyright AP Photo / Malcolm Browne. Usado com permissão.)

David Halberstam, correspondente do *New York Times*, mais tarde descreveria a cena: "Eu estava chocado demais para chorar, confuso demais para fazer anotações ou perguntas, desnorteado demais para sequer pensar... Enquanto queimava, o homem não moveu um músculo, não emitiu um som, sua compostura um contraste extremo com as pessoas desesperadas ao seu redor."[19]

Notícias sobre a autoimolação de Quảng Đức logo se espalharam, e milhões de pessoas no mundo ficaram revoltadas. Naquela noite, Diem transmitiu via rádio um discurso para a nação, claramente abalado pelo incidente. Ele prometeu reabrir negociações com os líderes budistas no país e buscar uma resolução pacífica.

Mas era tarde demais. Diem nunca se recuperaria. É impossível dizer exatamente o que mudou ou como, mas o ar de alguma forma estava diferente, as ruas, mais agitadas. Com o riscar de um fósforo e o clique de uma câmera, as amarras invisíveis de Diem sobre o país tinham enfraquecido, e todos sentiam isso, inclusive ele.

Logo, milhares de pessoas estavam nas ruas, revoltadas contra o governo. Os comandantes militares começaram a desobedecê-lo. Os conselheiros desafiavam sua autoridade. Depois de um tempo, nem os Estados Unidos conseguiam justificar seu apoio. O presidente Kennedy logo deu aprovação ao plano dos generais de Diem para derrubá-lo.

A imagem do monge em chamas havia derrubado o dique, abrindo espaço para uma inundação.

Alguns meses depois, Diem e a família foram assassinados.

Fotos da morte de Quảng Đức viralizaram antes que essa expressão sequer existisse. A imagem se tornou um tipo de teste de Rorschach humano, em que todos viam os próprios valores e lutas refletidos. Comunistas na Rússia e na China publicaram a imagem para mostrar aos seguidores os absurdos dos imperialistas capitalistas do Ocidente. Cartões-postais foram vendidos na Europa denunciando as atrocidades sendo cometidas no Oriente. Nos Estados Unidos,

Dor é a constante universal   185

manifestantes contra a guerra usaram a foto para protestar contra o envolvimento do país no conflito. Conservadores recorreram à imagem para argumentar a necessidade de intervenção dos Estados Unidos na situação no Vietnã. Até o presidente Kennedy teve que admitir que "nenhuma imagem jornalística na história gerou tanta comoção no mundo".[20]

A autoimolação de Quảng Đức despertou algo primitivo e universal nas pessoas. Vai além de política ou religião. Toca um componente muito mais primordial da nossa experiência de vida: a habilidade de suportar quantidades absurdas de dor.[21] Eu mal consigo ficar sentado direito no jantar por mais de alguns minutos. Enquanto isso, o sujeito estava *queimando vivo* e nem se mexeu. Nem piscou. Não gritou. Não sorriu, chorou ou abriu os olhos para ver pela última vez o mundo que ele tinha escolhido deixar para trás.

Havia uma pureza no ato, sem mencionar sua surpreendente amostra de determinação. Aquele foi o exemplo definitivo de mente sobre matéria, de força de vontade sobre instinto.[22]

Apesar do horror de tudo aquilo, de certa forma essa história ainda é... inspiradora.

Em 2011, Nassim Taleb escreveu sobre um conceito que batizou de "antifragilidade". Taleb defendia que, assim como alguns sistemas se tornam mais *fracos* sob estresse de forças externas, outros *ganham força*.[23]

Um vaso é frágil, quebra com facilidade. O sistema financeiro clássico é frágil, pois mudanças inesperadas na política e na economia podem quebrá-lo. Talvez sua relação com sua sogra seja frágil, pois qualquer coisinha que você diga pode causar nela uma explosão flamejante de insultos e drama. Sistemas frágeis são como lindas flores ou os sentimentos de um adolescente: precisam ser protegidos o tempo todo.

Mas também há sistemas robustos, aqueles que suportam bem as mudanças. Enquanto um vaso é frágil e pode se quebrar por

186   F*DEU GERAL

causa de um espirro, um barril, bem, um barril é robusto. Você pode rolar aquela merda por semanas e nada vai acontecer. Ele continuará sendo o mesmo barril.

Como sociedade, gastamos a maior parte do nosso tempo e dinheiro tentando deixar sistemas frágeis mais robustos. Um empresário contrata um bom advogado para deixar seu negócio mais robusto. O governo cria leis para tornar o sistema financeiro mais robusto. Criamos normas e regulações como sinais de trânsito e direito à propriedade privada para tornar nossa sociedade mais robusta.

Mas, segundo Taleb, existe um terceiro tipo de sistema, que é o sistema "antifrágil". Enquanto um sistema frágil se quebra e um sistema robusto resiste à mudança, o sistema antifrágil *ganha* com pressões e forças externas.

Start-ups são negócios antifrágeis: procuram formas de falhar rápido e melhorar com as falhas. Traficantes de drogas também são antifrágeis: quanto piores as coisas ficam, mais as pessoas querem ficar doidonas. Um relacionamento amoroso saudável também é antifrágil: infortúnios e dor fazem dele mais forte, não mais fraco.[24] Veteranos de guerra muitas vezes falam sobre como o caos do combate cria e fortalece laços transformadores entre os soldados, muito mais do que os destroem.

O corpo humano pode funcionar de uma forma ou de outra, dependendo de como você faz uso dele. Se você levanta a bunda da cadeira e sai em busca de dor, o corpo se torna antifrágil, ou seja, quanto mais estresse e dificuldade você faz ele passar, mais forte ele fica. O desgaste do corpo através de exercícios e trabalhos físicos aumenta os músculos e sua densidade óssea, melhora a circulação sanguínea e te deixa com uma bunda ótima. Mas se você foge do estresse e da dor (ou seja, se fica o dia todo no sofá assistindo à Netflix), seus músculos se atrofiam, seus ossos ficam fracos e você se degenera e enfraquece.

A mente humana funciona baseada no mesmo princípio. Pode ser frágil ou antifrágil, dependendo de como você a usa. Quando

Dor é a constante universal   187

enfrentamos caos e desordem, nossa mente começa a trabalhar para tirar sentido daquilo tudo, deduzindo princípios e construindo modelos mentais, predizendo eventos futuros e avaliando o passado. Isso se chama "aprender" e nos torna melhores; permite que a gente tire proveito das falhas e da desordem.

Mas, quando evitamos a dor, quando fugimos do estresse e do caos e da tragédia e da desordem, nos tornamos frágeis. Nossa tolerância para problemas diários diminui, e nossa vida precisa diminuir na mesma proporção para que só tenhamos que lidar com o pedacinho de mundo que somos capazes de digerir por vez.

Porque a dor é a constante universal. Não importa quão "boa" ou "ruim" sua vida fique, a dor vai continuar ali. E em algum momento se tornará administrável. A única questão, então, é: você vai aceitar sua dor ou fugir dela? Vai escolher a fragilidade ou a antifragilidade?

Tudo que você faz, tudo que você é, tudo com que se importa, é um reflexo dessa escolha: seus relacionamentos, sua saúde, seus resultados no trabalho, sua estabilidade emocional, sua integridade, sua relação com a sua comunidade, o alcance das suas experiências de vida, a profundidade da sua autoconfiança e da sua coragem, sua habilidade de respeitar, confiar, perdoar, apreciar, ouvir, aprender, de ter compaixão.

Se qualquer uma dessas coisas é frágil, é porque você escolheu evitar a dor. Você optou pelos valores infantis de perseguir prazeres, desejos e satisfações simples.

A tolerância da nossa cultura para a dor está diminuindo rapidamente. E não só essa diminuição é falha em trazer felicidade como está gerando muito mais fragilidade emocional, e é por isso que tudo parece estar tão fodido.

O que me leva de volta a Thích Quảng Đức sentado, pleno, enquanto ateava fogo a si mesmo. A maior parte dos ocidentais conhece a meditação como uma técnica de relaxamento. Você coloca uma legging, se senta em uma sala quentinha e acolchoada por dez minutos, fecha os olhos e ouve uma voz calma dizendo que você está bem, que tudo está bem, que tudo vai ser maravilhoso, siga o seu coração, blá-blá-blá.[25]

Mas a meditação budista de verdade é muito mais do que simplesmente se desestressar com ajuda de aplicativos metidos à besta. Uma meditação rigorosa significa ficar sentado em silêncio e observar a si mesmo impiedosamente. Cada pensamento, cada julgamento, cada inclinação, cada mínimo movimento e ponta-da de emoção e traço de imaginação que passa pela sua mente é, idealmente, capturado, reconhecido e então liberado de volta para o nada. E o pior é que o processo não tem fim. As pessoas sempre reclamam que não são "boas" em meditar. Não existe ser "bom" nisso. Esse é o objetivo. A ideia é você se sentir uma bosta mesmo. Só aceite a bosta. Abrace a bosta. Ame a bosta.

Quando você medita por longos períodos, várias coisas doi-das surgem: fantasias estranhas e arrependimentos de décadas e impulsos sexuais bizarros e um tédio insuportável e muitas vezes sentimentos esmagadores de isolamento e solidão. E essas coi-sas também devem ser observadas, reconhecidas e abandonadas. Elas também vão passar.

A meditação é, basicamente, uma prática da antifragilidade: treinar sua mente a observar e sustentar o infinito vaivém de dor e não deixar seu "self" ser carregado com a maré. É por isso que todo mundo é tão ruim em algo que parece tão simples. Afinal, basta sentar numa almofada e fechar os olhos. O que tem de difícil nisso? O que tem de tão complicado em reunir coragem para se sentar e ficar ali parado? Deveria ser fácil, mas todo mundo apa-rentemente é péssimo em se forçar a fazer isso.[26]

A maioria das pessoas foge da meditação da mesma forma que uma criança foge do dever de casa. É porque elas sabem o que a meditação é no fundo: confrontar a dor, observar o interior da mente e do coração em todo o seu horror e glória.

Em geral eu desisto de meditar depois de mais ou menos uma hora, e o máximo que consegui fazer foi um retiro silencioso de dois dias. No final desse tempo, minha mente estava praticamente implorando para que eu a deixasse sair e brincar. Passar um tempo em contemplação constante é uma experiência estranha: uma mistura de tédio agonizante pontuada com a percepção pavorosa de que qualquer controle que você imaginava ter sobre a própria mente não passa de uma ilusão útil. Acrescente um tanto de emoções e lembranças desconfortáveis (talvez um ou dois traumas de infância), e a parada pode ficar louca.

Agora imagine fazer isso todo dia, o dia todo, *por sessenta anos.* Imagine a concentração estática e a determinação intensa da sua lanterna interior. Imagine o seu limite para dor. Imagine sua antifragilidade.

O mais incrível sobre Thích Quảng Đức não é que ele tenha decidido colocar fogo em si mesmo por uma causa política (embora isso seja bem incrível). O que é incrível é a maneira como ele fez isso: imóvel. Controlado. Em paz.

Buda disse que o sofrimento é como ser acertado por duas flechas. A primeira flecha é a dor *física* — é o metal perfurando a pele, a força atingindo o corpo. A segunda é a dor *mental,* os significados e emoções que colamos à experiência do golpe, as narrativas que criamos sobre nosso merecimento ou não do que aconteceu. Em muitos casos, a dor mental é muito pior do que qualquer dor física. Na maioria dos casos, dura bem mais.

Através da prática da meditação, Buda disse que, se nos treinarmos para ser atingidos somente pela primeira flecha, podemos nos tornar invencíveis a qualquer dor mental ou emocional.

Que, com uma concentração suficientemente treinada, com bastante antifragilidade, a sensação passageira de um insulto ou de um objeto cortando nossa pele, ou de galões de gasolina queimando nosso corpo, causaria o mesmo efeito fugaz de uma mosca passando na frente do nosso nariz.

Que, se a dor é inevitável, o sofrimento é sempre uma escolha.

Que sempre há uma separação entre o que experimentamos e como interpretamos essa experiência.

Que sempre há uma lacuna entre o que nosso Cérebro Sensível sente e o que o nosso Cérebro Pensante pensa. Nessa lacuna, você é capaz de encontrar o poder para suportar qualquer coisa.

As crianças têm pouca tolerância à dor porque todo o *ethos* infantil gira em torno de evitá-la. Para uma criança, falhar em evitar a dor é falhar em sua busca por significado ou propósito. Portanto, mesmo pequenas quantidades de dor podem fazer uma criança mergulhar em crises de niilismo.

O adolescente tem uma tolerância maior porque entende que a dor muitas vezes é uma troca necessária para alcançar um objetivo. A ideia de suportá-la em prol de algum benefício futuro permite ao adolescente incorporar alguns infortúnios e contratempos a sua visão de esperança: vou suportar a escola para ter um bom futuro; vou suportar minha tia chata para poder passar férias com a família; vou acordar cedo para malhar porque isso vai me deixar gato.

O problema surge quando o adolescente sente que se deu mal, quando a dor excede suas expectativas e as recompensas não valem a pena. Isso faz o adolescente, assim como a criança, cair em uma crise de esperança: eu sacrifiquei tanto e recebi tão pouco em troca! Qual o sentido? Isso irá jogá-lo no abismo do niilismo e em um desagradável encontro com a Verdade Desconfortável.

O adulto tem uma tolerância à dor incrivelmente alta porque compreende que a vida, para ter sentido, exige dor, que nada pode ou necessariamente *deve* ser controlado ou negociado, que você pode apenas fazer o melhor que é capaz, independente das consequências.

O crescimento psicológico é uma forma de fugir do niilismo, um processo de construir hierarquias de valor mais e mais sofisticadas e abstratas para aguentar o que a vida lhe trouxer.

Os valores infantis são frágeis. No momento em que o sorvete acaba, uma crise existencial começa — seguida por uma birra daquelas. Os valores adolescentes são mais robustos porque incluem a necessidade da dor, mas ainda são suscetíveis a eventos inesperados ou trágicos. Valores adolescentes são inevitavelmente destruídos em circunstâncias extremas ou ao longo de um período suficiente de tempo.

Valores verdadeiramente adultos são antifrágeis: eles se beneficiam do inesperado. Quanto mais fodida fica uma relação, mais útil é ser honesto. Quanto mais assustador fica o mundo, mais importante é reunir coragem para encará-lo. Quanto mais confusa fica a vida, mais valioso é praticar a humildade.

Essas são as virtudes em uma existência pós-esperança, os valores do adulto verdadeiro. São a estrela-guia das nossas mentes e corações. Não importam as turbulências ou o caos no mundo, esses valores estão acima de tudo, intocáveis, sempre brilhando e nos guiando pela escuridão.

Dor é valor

Muitos cientistas e entusiastas de tecnologia acreditam que um dia vamos desenvolver a habilidade de "curar" a morte. Nossa genética será modificada e otimizada. Vamos desenvolver nanorrobôs para monitorar e erradicar qualquer ameaça à nossa saúde. A biotecnologia permitirá que partes do corpo sejam substituídas e restauradas perpetuamente, nos permitindo viver para sempre.

Parece ficção científica, mas alguns acreditam até que vamos chegar a esse nível tecnológico ainda em nosso tempo de vida.[27]

A ideia de remover a possibilidade da morte, de superar nossa fragilidade biológica, de aliviar toda a dor, é muito interessante por fora, mas eu acho que também pode ser um potencial desastre psicológico.

192 F*DEU GERAL

Para começo de conversa, removendo a morte da equação, também removemos a escassez da vida. E removendo a escassez, removemos a habilidade de determinar o valor das coisas. Tudo vai parecer igualmente bom ou ruim, igualmente merecedor ou não do seu tempo e da sua atenção, porque... Bem, você vai ter tempo e atenção infinitos. Você poderia passar cem anos assistindo ao mesmo programa de TV, e não importaria. Você poderia deixar suas relações se deteriorarem e morrerem porque, afinal, essas pessoas vão ficar aí para sempre... Para que se preocupar? Você poderia justificar toda indulgência, toda mentira, com um simples: "Bem, não é como se eu fosse morrer por causa disso." E seguir a vida.

A morte é psicologicamente necessária porque faz com que haja coisas em jogo. Algo a perder. Você nunca sabe o valor de alguma coisa até correr o risco de perdê-la. Não sabe pelo que está disposto a lutar, do que está disposto a abrir mão ou o que consegue sacrificar.

A dor é a moeda dos nossos valores. Sem a dor da perda (ou da possibilidade de perder), fica impossível determinar o valor de qualquer coisa.

A dor está no âmago de todas as emoções: as negativas são causadas por sentir dor, as positivas por aliviar a dor. Quando evitamos a dor e nos tornamos mais frágeis, o resultado é que nossas reações emocionais serão muito desproporcionais à importância do evento. Vamos perder a cabeça quando o hambúrguer vier com alface demais. Vamos nos encher de orgulho só por assistir a um vídeo de merda no YouTube dizendo que somos ótimos. A vida vai se tornar uma montanha-russa indescritível, levando nosso coração para cima e para baixo enquanto rolamos a tela do celular.

Quanto mais antifrágeis nos tornarmos, mais graciosas nossas reações emocionais serão, mais controle teremos sobre nós mesmos e mais honrados serão nossos valores. A antifragilidade é sinônimo de crescimento e maturidade. A vida é uma corrente infinita de dor, e crescer não significa encontrar uma forma de evitá-la, mas de mergulhar nela e navegar com sucesso em suas profundezas.

A busca pela felicidade significa fugir do crescimento, fugir da maturidade, fugir da virtude. Significa tratar nossas mentes e nós mesmos como meios para alcançar algum fim leviano. Significa sacrificar nossa consciência para nos sentirmos bem. Abrir mão da dignidade por mais conforto.

Os filósofos antigos sabiam disso. Platão e Aristóteles e os estoicos falavam não de uma vida de felicidade, mas de caráter, desenvolvendo a habilidade de suportar a dor e fazer os sacrifícios necessários — pois a vida era assim na época: um longo sacrifício sem fim. As virtudes antigas de coragem, honestidade e humildade são todas formas diferentes de praticar a antifragilidade: são princípios que se fortalecem com a adversidade e o caos.

Somente no Iluminismo, na era da ciência e da tecnologia e das promessas de crescimento econômico ilimitado, que pensadores e filósofos criaram a ideia resumida por Thomas Jefferson como "a busca pela felicidade". Por terem visto a ciência e a riqueza diminuírem a pobreza, a fome e a doença, os pensadores erroneamente acreditaram que essa *melhora* da dor seria uma *eliminação* da dor. Muitos intelectuais e especialistas ainda cometem esse erro hoje em dia: creem que esse crescimento nos libertou do sofrimento, em vez de apenas transmutar o sofrimento físico para o psicológico.[28]

Mas se houve um ponto que o Iluminismo *acertou* foi na ideia de que, na média, algumas dores são melhores que as outras. É melhor morrer aos noventa anos do que aos vinte. É melhor ser saudável do que ser doente. É melhor ter liberdade de ir atrás dos seus próprios objetivos do que ser forçado a servir aos outros. Na verdade, é possível definir "riqueza" em termos de quão desejável é sua dor.[29]

Mas parecemos ter esquecido o que os antigos sabiam: que não importa quanta riqueza seja gerada no mundo, a qualidade da nossa vida é determinada pela qualidade do nosso caráter, e a qualidade do nosso caráter é determinada por nossa relação com a dor.

A busca pela felicidade nos faz mergulhar de cabeça no niilismo e na frivolidade. Nos leva a uma infantilização, um desejo incessante e intolerante por *algo mais*, um buraco que nunca pode ser preenchido, uma sede que nunca pode ser saciada. É a raiz da corrupção e do vício, da autopiedade e da autodestruição.

Quando buscamos a dor, somos capazes de *escolher* qual tipo dela trazer para a nossa vida. Essa escolha dá sentido à dor — consequentemente, é o que dá sentido à vida.

Porque a dor é a constante universal da vida, as oportunidades de crescer a partir dela são constantes. Tudo que precisamos fazer é não entorpecê-la, não ignorá-la. Tudo que precisamos fazer é enfrentá-la e encontrar seu valor e sentido.

A dor é a fonte de todo o valor. Se nos entorpecemos para ela, também nos entorpecemos para tudo que importa no mundo.[30] A dor abre lacunas morais que, com o tempo, se tornam os nossos valores e as nossas crenças mais profundos.

Quando nos negamos a habilidade de sentir dor por um propósito, nos negamos a habilidade de encontrar qualquer propósito na vida.

8

A economia dos sentimentos

Nos anos 1920, as mulheres não fumavam — ou, se fumassem, eram rigorosamente julgadas. Fumar era um tabu. Assim como um diploma de faculdade ou um lugar no Congresso, o cigarro era considerado coisa de homem pelas pessoas da época. "Docinho, você pode acabar se machucando. Ou pior, queimando esse cabelo lindo."

Isso criou um problema para a indústria do tabaco: 50% da população não consumia seu produto pura e simplesmente porque era deselegante ou vulgar. Assim não dava. Nas palavras então proferidas por George Washington Hill, presidente da American Tobacco Company, "temos uma mina de ouro bem no nosso quintal". A indústria tentou dezenas de campanhas para vender cigarros a mulheres, mas nada funcionava. O preconceito cultural era arraigado, profundo demais.

Foi quando, em 1928, a American Tobacco Company contratou Edward Bernays, um jovem marqueteiro renomado com ideias ousadas e campanhas publicitárias mais ainda.[1] As táticas adotadas por Bernays eram completamente diferentes de tudo que a indústria da propaganda fazia na época.

No início do século XIX, o marketing era visto simplesmente como um meio de comunicar numa linguagem simples e concisa os benefícios reais, tangíveis, de um produto. Acreditava-se então que as pessoas consumiam com base em fatos e informações. Um produtor precisava explicar para alguém interessado em comprar queijo por que o seu era melhor ("o mais fresco leite de cabra francês, curado por doze dias, entrega refrigerada!"). As pessoas eram tidas como seres racionais que tomariam decisões racionais na hora da compra. Olha a Suposição Clássica aí: o Cérebro Pensante está no controle.

Mas Bernays não era um homem convencional. Ele acreditava que as pessoas quase nunca tomavam decisões racionais. Pelo contrário, elas eram emocionais e impulsivas, só sabiam esconder isso muito bem. Ele acreditava que quem estava no comando era o Cérebro Sensível, mas que ninguém havia se dado conta desse fato ainda.

Enquanto a indústria do tabaco vinha se concentrando em persuadir as mulheres, por meio de argumentos lógicos, a comprar e fumar cigarros, Bernays encarava o assunto como uma questão emocional e cultural. Se ele quisesse que as mulheres fumassem, precisaria apelar a valores, não a pensamentos. Precisaria apelar à *identidade* delas.

Para isso, Bernays contratou um grupo de mulheres e as mandou para o desfile de Páscoa em Nova York. Hoje, as grandes paradas de datas festivas americanas são cafonices que ficam passando na TV enquanto as pessoas pegam no sono no sofá. Mas na época eram grandes eventos sociais, mais ou menos como o Super Bowl.

Bernays planejou tudo para que, no momento certo, aquelas mulheres parassem e acendessem seus cigarros ao mesmo tempo. Ele contratou fotógrafos para tirar fotos boas das fumantes, que seriam veiculadas em todos os grandes jornais de circulação nacional. Disse aos repórteres que aquelas moças não estavam apenas acendendo um cigarro, mas "tochas libertadoras", que com esse gesto estavam declarando independência e se afirmando como donas do próprio nariz.

A economia dos sentimentos 197

Claro que não passava de #FakeNews, mas Bernays encenou como se fosse um protesto político. Ele sabia que aquilo despertaria as emoções certas nas mulheres de todo o país. Fazia apenas nove anos que as feministas haviam garantido o direito ao voto feminino. Mulheres tinham começado a trabalhar fora e a fazer parte da vida econômica do país muito recentemente. Em sinal de autoafirmação, passaram a usar cabelo curto e roupas mais provocantes. Aquela geração de mulheres se enxergava como a primeira a ter um comportamento que não era subjugado aos homens. E algumas eram bem firmes quanto a isso. Bernays só precisava plantar a semente do "fumar equivale a ser livre" no movimento de libertação feminina... e então as vendas de tabaco dobrariam e ele ficaria rico.

Deu certo. As mulheres começaram a fumar e, de lá para cá, conquistamos direitos iguais ao câncer de pulmão.

Bernays continuaria criando esse tipo de estratagema cultural regularmente pelos anos 1920, 1930 e 1940. Revolucionaria por completo a indústria publicitária e, nesse ínterim, inventaria o campo de relações públicas. Pagar gente sexy e famosa para usar um produto? Ideia de Bernays. Criar artigos jornalísticos falsos que não passam de sutis propagandas para alguma empresa? Crédito para ele. Encenar acontecimentos públicos polêmicos como forma de atrair atenção e notoriedade para um cliente? Bernays. Praticamente tudo o que conhecemos hoje como marketing e publicidade começou com esse homem.

Mas eis outra coisa interessante a seu respeito: Bernays era sobrinho de Sigmund Freud.

Freud teve a infâmia de ser o primeiro pensador moderno a defender que o motorista do Carro da Consciência na verdade era o Cérebro Sensível. O primeiro a ver que inseguranças e vergonha levavam as pessoas a tomar decisões ruins, no intuito de se refestelarem ou compensarem alguma carência na vida. Foi ele quem percebeu que temos identidades coesas, histórias em nossa mente que contamos a nosso respeito, e que somos emocionalmente apegados a elas a ponto de lutar para não abrir mão delas.[2] Freud defendia que, no fim das contas, somos animais: impulsivos, egoístas, emotivos.

Freud passou a maior parte da vida na pindaíba. Era a quintessência do intelectual europeu: isolado, erudito, profundamente filosófico. Bernays, por sua vez, era americano. Prático. Determinado. Foda-se a filosofia! Ele queria ser rico. E, rapaz, não é que as ideias do tio, traduzidas pela ótica do marketing, davam muito certo?[3] Através de Freud, Bernays compreendeu algo que até então havia passado despercebido pelos homens de negócios: se soubermos captar as inseguranças das pessoas, elas comprarão qualquer coisa que quisermos.

Caminhonetes são vendidas como afirmação de força e solidez para homens. Maquiagens são vendidas para mulheres como forma de obter mais amor e atenção. Cerveja nada mais é do que um antídoto para se divertir e se tornar o centro das atenções de uma festa.

Tudo isso é marketing elementar, é claro, um corpo de estudo hoje celebrado como base do mundo dos negócios. Uma das primeiras lições dos cursos de marketing é como encontrar os "pontos fracos" dos clientes... e como escancará-los de modo sutil. A ideia é cutucar a vergonha e a insegurança das pessoas para depois dizer a elas que determinado produto vai solucionar essa mesma vergonha e livrá-las da tal insegurança. Em outras palavras, o marketing identifica ou realça especificamente as lacunas morais do cliente e em seguida oferece uma maneira de preenchê-las.

Por um lado, isso ajudou a produzir toda a diversidade econômica e a riqueza que vemos hoje. Por outro, quando mensagens de marketing pensadas para induzir sentimentos de inadequação tomam a proporção de milhares de propagandas atingindo todas as pessoas, todos os dias, as repercussões psicológicas tornam-se inevitáveis. E não têm como elas serem boas.

Sentimentos fazem o mundo girar

O mundo é movido por uma coisa: sentimentos.

Isso acontece porque pessoas gastam dinheiro naquilo que as faz se sentir bem. E por onde flui o dinheiro flui o poder. Portanto, quanto mais você consegue influenciar as emoções das pessoas no mundo, mais dinheiro e poder acumula.

O dinheiro é em si uma forma de troca usada para igualar lacunas morais entre as pessoas. Uma minirreligião, universal, especial, na qual todos embarcamos porque facilita um pouquinho a nossa vida e nos permite converter valores em algo universal quando lidamos uns com os outros. Você ama conchas e ostras. Eu amo fertilizar o solo com o sangue dos meus inimigos. Você luta no meu exército e, quando chegarmos em casa, eu te deixo rico de conchas e ostras. Fechado?

Assim emergiram as economias humanas.[4] Ok, na verdade a economia começou porque um monte de reis e imperadores furiosos queria esquartejar seus inimigos, mas precisava dar aos exércitos algo em troca, cunhando, assim, o dinheiro como forma de dívida (ou lacuna moral) para os soldados "gastarem" (quitarem) quando (ou se) voltassem para casa.

Pouca coisa mudou, é claro. O mundo era então conduzido por sentimentos; e ainda é. A diferença está nos badulaques que usamos para jogar uns nos outros. O progresso tecnológico é apenas uma manifestação da Economia dos Sentimentos. Por exemplo, ninguém jamais tentou inventar um waffle falante. Por quê? Um troço desses seria sinistro e bizarro, sem falar que pouco nutritivo, provavelmente. Mas tecnologias são pesquisadas e inventadas para — isso mesmo — fazer as pessoas se sentirem melhor (ou evitar que se sintam pior). A caneta esferográfica, um aquecedor de assento mais confortável, uma vedação melhor para o encanamento da sua casa — fortunas são feitas e perdidas em coisas que ajudam as pessoas a curar ou evitar a dor. Coisas que fazem a população se sentir bem. As pessoas ficam entusiasmadas com isso. Gastam dinheiro. E aí o negócio deslancha, baby.

Há duas formas de se criar valor no mercado:

1. Inovações (aperfeiçoar a dor). O primeiro jeito de criar valor é trocar uma dor por outra bem mais tolerável/desejável. Os exemplos mais drásticos e óbvios são as inovações médicas e farmacêuticas. Vacinas contra a poliomielite substituem vidas inteiras de dor e imobilidade por segundos da picada de uma agulha. Cirurgias cardíacas substituem... bem, a morte por uma ou duas semanas de recuperação.

2. Distrações (evitar a dor). O segundo jeito de criar valor no mercado é ajudar pessoas a *anestesiar* a dor. Enquanto o aperfeiçoamento proporciona uma dor *melhor*, a anestesia simplesmente a retarda, e frequentemente a piora. Distrações são um fim de semana na praia, uma noitada com os amigos, um cinema com alguém especial ou cheirar cocaína. Não há nada de necessariamente errado nas distrações: todo mundo precisa delas de vez em quando. O problema é quando elas começam a dominar nossa vida e tirar o controle de nossas mãos. Muitas distrações ativam certos circuitos cerebrais que criam vícios. Quanto mais se anestesia a dor, pior ela se torna e nos impele a aumentar a dose. Em determinado momento, a bola repulsiva de dor atinge tais proporções que evitá-la vira uma compulsão. Perdemos o controle sobre nós mesmos: o Cérebro Sensível tranca o Cérebro Pensante no porta-malas e não o deixa sair enquanto não consumir mais uma dose de seja lá o que for. E aí é ladeira abaixo.

Quando a revolução científica começou, as inovações conduziam grande parte do progresso econômico. A maioria esmagadora das pessoas vivia na pobreza: todos doentes, famintos, com frio e cansados quase o tempo todo. Pouca gente sabia ler. A maioria tinha dentes podres. Não havia nada de divertido. Ao longo de alguns séculos, com a invenção de máquinas, cidades, divisão do trabalho, medicina moderna, higiene e democracia representativa, grande parte da pobreza e da miséria foram aliviadas. Vacinas e remédios salvaram bilhões de vidas. As máquinas reduziram a carga de trabalho opressiva e a fome no mundo todo. As inovações tecnológicas que diminuíram o sofrimento humano vieram para melhorar o cenário, sem dúvida.

Mas o que acontece quando um grande número de pessoas se torna relativamente saudável e próspero? A partir daí, a maior parte do progresso econômico deixa de lado a inovação e se volta para a distração; vai do aperfeiçoamento da dor para a anestesia. Uma das razões é que inovações verdadeiras são arriscadas, difíceis e nem sempre compensam. Muitas das mais importantes inovações da história deixaram seus inventores falidos e na sarjeta.[5] Se alguém quer abrir uma empresa e assumir os riscos, o caminho mais seguro é o da distração. Por conta disso, estabeleceu-se uma cultura de que toda "inovação" tecnológica se dedica meramente a tentar medir novas e mais eficientes (além de intrusivas) formas de distração. Como disse uma vez o capitalista de risco Peter Thiel: "Queríamos carros voadores, ganhamos o Twitter."

Quando uma economia se direciona principalmente para distrações, a cultura começa a se transformar. Enquanto um país pobre se desenvolve, ganhando acesso a medicina, telefones e outras tecnologias inovadoras, em termos de bem-estar registra-se um crescimento constante, afinal, a dor coletiva está sendo aperfeiçoada para se tornar uma dor melhor. Mas quando o país atinge o nível de primeiro mundo, esse bem-estar sofre uma estagnação ou, em alguns casos, cai.[6] Enquanto isso, transtornos mentais, depressão e ansiedade encontram espaço para proliferar.[7]

Isso acontece porque expandir uma sociedade e permitir a entrada de inovações torna as pessoas mais robustas e antifrágeis.

Elas superam mais dificuldades, se tornam mais eficientes, se comunicam e operam melhor dentro de suas comunidades.

Mas uma vez que tais inovações estejam integradas e todo mundo tenha um celular e um McLanche Feliz, entram no mercado as grandes distrações modernas. E tão logo elas começam a surgir, é introduzida uma fragilidade psicológica: a impressão é a de que começou a foder geral.[8]

A era comercial começou junto com o século XX, com Bernays descobrindo que era possível fazer propaganda mirando nos sentimentos e desejos inconscientes das pessoas.[9] Bernays não estava preocupado com penicilina ou com a cirurgia cardíaca. Empurrava às pessoas cigarros, revistas de fofocas e produtos de beleza — umas merdas totalmente inúteis. E até então ninguém nunca tinha descoberto como fazer pessoas gastarem rios de dinheiro em coisas dispensáveis à sua sobrevivência.

A invenção do marketing desencadeou uma corrida do ouro moderna no intuito de saciar a busca das pessoas por felicidade. A cultura pop floresceu e celebridades e atletas ficaram podres de ricos. Pela primeira vez, itens de luxo começaram a ser produzidos em massa e divulgados para a classe média. Houve um *boom* da tecnologia da conveniência: comida congelada, *fast-food*, poltronas de couro reclináveis, frigideiras antiaderentes e daí por diante. A vida se tornou tão fácil, rápida, eficiente e descomplicada que, no curto espaço de um século, as pessoas podiam pegar um celular e resolver em dois minutos uma tarefa que antes levaria dois meses.

A vida na era comercial, apesar de mais complexa do que antes, era ainda relativamente simples se comparada à de hoje. Uma grande e fervilhante classe média existia no bojo de uma cultura homogênea. Assistíamos aos mesmos canais de TV, ouvíamos as mesmas músicas, comíamos a mesma comida, relaxávamos nos mesmos tipos de sofás e líamos os mesmos jornais e revistas. Havia continuidade e coesão nessa era, o que passava uma sensação

A economia dos sentimentos 203

de segurança. Éramos todos, por algum tempo, livres, mas fiéis a uma mesma religião. E aquilo era reconfortante. Apesar da constante ameaça da aniquilação nuclear, ao menos no Ocidente, tendemos a idealizar esse período. E vejo a sensação de coesão social como fonte da nostalgia enorme que temos hoje.

E então a internet aconteceu.

A internet, sim, é uma baita inovação. Por si só, torna nossas vidas essencialmente melhores. Muito melhores.

O problema... bem, o problema somos *nós*.

As intenções da internet eram boas: inventores e tecnólogos no Vale do Silício e de outros centros tecnológicos nutriam grandes esperanças de conseguir um planeta digital. Passaram décadas focados em conectar pessoas e a informação disponíveis no mundo por meio de uma rede infinita. Acreditavam que a internet liberaria as pessoas, removeria os monopólios, os moderadores da informação e as hierarquias, dando a todos acesso igualitário aos mesmos dados e as mesmas oportunidades de se expressar. Acreditavam que, se todos tivessem uma voz e meios simples e efetivos de compartilhá-la, o mundo seria um lugar melhor e mais livre.

Um nível de otimismo quase utópico se desenvolveu ao longo dos anos 1990 e 2000. Tecnólogos enxergavam uma população altamente educada em nível global, que logo estaria embrenhada na sabedoria infinita ao alcance dos dedos. Visualizavam uma oportunidade para engendrar maior empatia e entendimento entre nações, etnias e estilos de vida. Sonhavam com um movimento global unificado e conectado em torno do interesse mútuo em paz e prosperidade.

Mas eles esqueceram.

Estavam tão tomados por seus sonhos religiosos e esperanças pessoais que esqueceram.

Simplesmente esqueceram que o mundo não funciona só à base de informação.

204 F*DEU GERAL

As pessoas não tomam decisões com base na verdade ou em fatos. Não gastam dinheiro com base em dados. Não se conectam entre si em função de alguma verdade filosófica mais nobre.

O mundo é pautado por *sentimentos.*

E quando se põe um reservatório infinito de sabedoria humana à disposição do cidadão médio, ele não vai buscar informações que contradigam suas crenças mais arraigadas. Não vai procurar no Google o que for verdadeiro e desagradável.

A maioria de nós vai procurar o que for falso e agradável.

Teve um pensamento maldoso aleatório? Bem, há fóruns inteiros de pessoas horríveis a dois cliques, com uma série de argumentos capazes de convencer qualquer um a não sentir vergonha de tais inclinações. Sua esposa sai de casa e você começa a achar que é típico das mulheres serem egoístas e más? Uma simples busca no Google vai oferecer boas justificativas para sentimentos misóginos.[10] Acha que terroristas vão estar à espreita em cada escola assassinando seus filhos? Com certeza há uma teoria de conspiração em algum lugar que já "provou" isso.

Em vez de impedir a livre expressão de nossos piores sentimentos e inclinações mais sombrias, as start-ups e corporações caem em cima para faturar com isso. E, assim, a grande inovação da era lentamente se transformou na nossa maior distração.

A internet, no fim das contas, não foi projetada para nos dar o que precisávamos. Ela dá às pessoas o que elas querem. E se você aprendeu alguma coisa sobre psicologia humana com este livro, já sabe que isso é muito mais perigoso do que parece.

#LiberdadeFake

São tempos estranhos para empresários muito bem-sucedidos. Por um lado, os negócios nunca foram tão prolíficos. Há riqueza no mundo como nunca, os lucros batem recordes, produtividade e crescimento estão indo muito bem, obrigado. E, no entanto, a desigualdade de renda dispara, a polarização política estraga as reuniões de família e a corrupção parece uma praga que se espalha pelo mundo.

Assim, embora haja exuberância no mundo dos negócios, parece também que os empresários assumem do nada uma postura defensiva. Postura essa que, já reparei, sempre toma a mesma forma, independentemente da origem: "Só estamos dando às pessoas o que elas querem!"

Sejam petroleiras, empresas com anúncios invasivos ou o Facebook roubando a porra dos nossos dados, qualquer corporação que pisa na merda procura limpá-la das botas lembrando desesperadamente a todos que só está tentando dar o que as pessoas querem — *downloads* mais velozes, ar-condicionado mais confortável, motores mais econômicos, um aparador mais barato para os pelos do nariz — e o que há de errado nisso?

E é fato. Com tecnologia as pessoas conseguem o que querem muito mais rápido e com muito mais eficiência do que antes. E, se todos amamos cagar na cabeça dos senhores das grandes corporações por seus deslizes éticos, esquecemos também que eles só estão realizando os desejos do mercado. Estão suprindo as nossas demandas. E se dermos fim ao Facebook ou a qualquer-outra-megacorporação-considerada-maligna-na-época-em-que-você-estiver-lendo-este-livro, outra aparecerá para ocupar seu lugar.

Então, talvez o problema não seja meia dúzia de executivos gananciosos, com charutos entre os dedos, acariciando gatos pretos enquanto dão gargalhadas maléficas sentados em montanhas de dinheiro.

Talvez o problema seja a gente, que só quer porcaria.

Por exemplo, eu *quero* um pacote tamanho família de marshmallows na sala de casa. *Quero* comprar uma mansão de oito milhões de dólares pegando um empréstimo que nunca conseguirei quitar. No ano que vem, *quero* viajar para uma praia diferente a cada semana e só comer bifes de Wagyu.

Eu só quero babaquice. Isso porque meu Cérebro Sensível é o responsável pelos meus desejos. E esse desgraçado parece um chimpanzé que acabou de beber uma garrafa de tequila.

Portanto, diria que, em termos éticos, "dar às pessoas o que elas querem" é uma desculpinha de meia-tigela que só funciona quando se entregam verdadeiras inovações, como um rim sintético ou algo que impeça carros de pegarem fogo do nada. Dê a *essas* pessoas que elas querem. Mas sair distribuindo distrações sem critério é um jogo perigoso. Primeiro porque muita gente deseja coisas horríveis. Segundo porque é fácil convencer as pessoas de que elas querem tralhas que, na verdade, não querem (veja Bernays). Terceiro, encorajá-las a evitar a dor por meio de mais e mais distrações enfraquece e fragiliza a todos. E quarto, eu não quero essas porras de anúncios da Skynet me seguindo para onde quer que eu vá e garimpando dados da minha vida. Porque, porra, só comentei uma vez com a minha mulher sobre uma viagem para o Peru. Não significa que é para atulhar meu celular com fotos de Machu Picchu por seis semanas. E, falando sério, parem de escutar as porras das minhas conversas e de vender meus dados para qualquer um que ofereça um trocado.[11]

Enfim... onde eu estava mesmo?

Por incrível que pareça, Bernays previu tudo isso. Os anúncios invasivos, as invasões de privacidade, a domesticação de populações gigantescas induzidas à dócil servidão pelo consumismo inconsequente — o cara era praticamente um gênio. Só que ele era a favor de tudo isso — portanto, um gênio do mal.

As bandeiras políticas de Bernays eram pavorosas. Ele acreditava em algo que, creio eu, dá para chamar de "fascismo diet": governos igualmente autoritários e malignos, mas sem as calorias genocidas desnecessárias. Bernays acreditava que as massas eram perigosas e que era preciso controlá-las por meio de um Estado forte e centralizado. Mas reconhecia também que regimes totalitários sanguinolentos não eram exatamente o ideal. Para ele, a nova ciência do marketing oferecia uma estratégia para os governos influenciarem e aplacarem seus cidadãos sem o desgaste de precisar mutilá-los e torturá-los indiscriminadamente.[12]

(Esse cara devia fazer o maior sucesso nas festas.)

Bernays acreditava que, para a maioria das pessoas, a liberdade era tão impossível quanto perigosa. De tanto ler os escritos do tio Freud, sabia bem que a última coisa que uma sociedade deveria tolerar era que os Cérebros Sensíveis de todos assumissem o controle. Sociedades precisavam de ordem, hierarquia e autoridade, e a liberdade era a antítese de tudo isso. Via o marketing como uma ferramenta incrível e inovadora para dar às pessoas *a sensação de liberdade* entregando, na verdade, só mais alguns sabores de pasta de dente.

Felizmente, governos ocidentais (na maioria dos casos) nunca foram tão baixo a ponto de manipular diretamente a população através de campanhas publicitárias. O que ocorreu foi o oposto. O mundo corporativo se aperfeiçoou tanto em dar o que as pessoas queriam que gradualmente passou a ter mais poder político. Regulamentos foram rasgados. A fiscalização burocrática foi extinta. A privacidade, minada. O dinheiro se misturou mais do que nunca com a política. E por que tudo isso se deu? A essa altura, você já deveria saber: só estavam dando às pessoas o que elas queriam!

Ah, mas porra, vamos falar a verdade: "dar às pessoas o que elas querem" não passa de #LiberdadeFake porque a maior parte de nós só quer distrações. E quando somos soterrados por distrações, algumas coisas acontecem.

A primeira é que ficamos cada vez mais frágeis. Nosso mundo encolhe para adequar-se ao tamanho de nossos valores cada vez mais baixos. Ficamos obcecados com conforto e prazer. E qualquer possível perda desse prazer nos parece um terremoto e uma injustiça cósmica. Defendo que o estreitamento do nosso mundo conceitual não é liberdade; mas o oposto.

A segunda coisa é que nos tornamos propensos a uma série de comportamentos viciantes de baixo nível — checar compulsivamente o celular, o e-mail, o Instagram; ver compulsivamente temporadas inteiras de séries de que não gostamos na Netflix; compartilhar artigos explosivos que não lemos; aceitar convites para eventos e festas que não curtimos; viajar não por querer, mas para poder contar para os outros. Comportamento compulsivo pautado por um desejo de *acúmulo* não é liberdade — insisto: é meio que o oposto.

Terceira coisa: a inabilidade de identificar, tolerar e buscar emoções negativas é em si uma espécie de confinamento. Se alguém só se sente bem quando a vida está feliz e tranquila, adivinhe só: essa pessoa não é livre. É o oposto de livre. É prisioneira de seus próprios prazeres, escrava da própria intolerância, paralisada pela própria fraqueza emocional. Sentirá constantemente necessidade de algum conforto ou validação externos que poderão vir ou não.

Em quarto — porque, que se foda, agora estou no embalo: o paradoxo da escolha. Quanto mais opções nos dão (isto é, quanto mais "liberdade" temos), menos satisfeitos ficamos com qualquer das opções que escolhermos.[13] Se Jane tem que escolher entre duas caixas de cereal e Mike pode escolher entre vinte, Mike não tem mais liberdade do que Jane. Ele tem mais *variedade*. Há uma diferença. Variedade não é liberdade. Variedade não passa de diferentes combinações da mesma merda insignificante. Agora, se houvesse um sujeito apontando uma arma para a cabeça de Jane e gritando "Você precisa comer a porra da cereal!", *aí, sim*, Jane teria menos liberdade do que Mike. Quando *isso* acontecer, me avisem.

Esse é o problema de exaltar a liberdade em detrimento da consciência humana. Ter mais coisa não significa ser mais livre, e sim mais aprisionado pela ansiedade de termos escolhido ou não a melhor alternativa. Quanto mais opções temos, mais propensos ficamos a tratar a nós mesmos e aos outros como meios e não fins. Essa condição nos torna mais dependentes de ciclos infinitos de esperança.

Se a procura pela felicidade nos arrasta de volta à infantilidade, a falsa liberdade conspira para nos prender lá. Pois liberdade não é ter mais marcas de cereal na prateleira ou mais férias na praia para tirar *selfies* ou mais canais de TV a cabo para ver enquanto pegamos no sono.

Isso se chama variedade. E, no vácuo, a variedade é insignificante. Quem se sente encurralado pela insegurança, travado pela dúvida e paralisado pela intolerância pode ter toda a variedade do mundo, mas não é livre.

Liberdade verdadeira

A única forma verdadeira de liberdade, a única forma ética, é por meio da auto*limitação*. Não se trata do privilégio de escolher tudo o que se quer na vida, mas o de escolher do que se vai *abrir mão*.

Esta não só é a única liberdade real, como é a única e ponto. Distrações vêm e vão. O prazer nunca dura. A variedade perde o sentido. Mas você sempre poderá escolher o que está disposto a sacrificar, do que está disposto a desistir.

Essa espécie de autonegação é, paradoxalmente, a única coisa a expandir de fato a liberdade na vida. A dor do exercício físico regular acaba por amplificar sua liberdade física: sua força, sua mobilidade, sua resistência, sua energia. O sacrifício de manter uma ética profissional sólida lhe traz a liberdade de perseguir mais oportunidades de trabalho, de direcionar a trajetória de sua carreira, de ganhar mais dinheiro e desfrutar dos benefícios. A disposição de entrar em conflito com outros o libertará para falar com qualquer um, saber se a pessoa compartilha de seus valores e crenças, descobrir o que ela pode acrescentar à sua vida, e você à dela.

Você pode se tornar mais livre neste minuto simplesmente ao escolher quais as limitações que pretende impor a si. Pode escolher acordar mais cedo todas as manhãs, não entrar no e-mail até o meio da tarde, excluir aplicativos de redes sociais do celular. Essas limitações o libertarão porque vão descomprometer seu tempo, sua atenção e seu poder de escolha. Elas tratam sua consciência como um fim em si.

Se você tem dificuldade para ir à academia, alugue um armário e deixe toda a sua roupa de trabalho lá para que assim você seja *obrigado* a ir todas as manhãs. Limite-se a dois ou três eventos sociais por semana para que você seja forçado a passar tempo com pessoas realmente queridas. Faça um cheque de três mil, entregue a um amigo próximo ou a um parente e diga que, se você puser um cigarro na boca de novo, ele pode descontar o cheque.[14]

Em última análise, a liberdade mais significativa em sua vida virá dos seus comprometimentos, coisas em nome das quais você escolheu fazer sacrifícios. Há uma liberdade emocional em meu relacionamento com minha esposa que eu jamais seria capaz de reproduzir mesmo que saísse com mil outras mulheres. Há uma liberdade em tocar guitarra há vinte anos — uma expressão profundamente artística — que eu não teria se tivesse apenas memorizado meia dúzia de músicas. Há uma liberdade em ter morado num mesmo lugar por cinquenta anos — uma intimidade, uma familiaridade com as pessoas e a cultura — que não pode ser replicada independentemente de quantas partes do mundo você conheça.

Maior comprometimento permite maior profundidade. Falta de compromisso exige superficialidade.

Nos últimos dez anos, surgiu a tendência de se tomar "atalhos de vida". As pessoas querem aprender um idioma em trinta dias, visitar quinze países em um mês, tornar-se faixa preta em alguma

A economia dos sentimentos   211

arte marcial em uma semana e inventam todo tipo de "brechas" para isso. É o que mais se vê hoje em dia no YouTube e nas redes sociais: pessoas submetendo-se a desafios ridículos só para mostrar que são realizáveis. Esses "atalhos", contudo, consistem meramente em tentar colher os frutos do comprometimento sem de fato se comprometer. É mais uma triste forma de falsa liberdade. Calorias vazias para a alma.

Li recentemente sobre um cara que memorizava jogadas de um programa de xadrez para provar que podia virar craque em um mês. Ele não aprendia nada de xadrez, não estudava estratégias, não desenvolvia um estilo, não aprendia táticas. Nada disso. Ele simplesmente encarava tudo como se fosse um gigantesco dever de casa: memorizar as jogadas, vencer uma vez algum jogador de prestígio e então se autodeclarar mestre em xadrez.[15]

Isso não é ganhar. É parecer ganhar. É construir uma imagem de comprometimento e sacrifício sem comprometimento e sacrifício. É construir uma imagem de significado onde não há nenhum.

A falsa liberdade nos faz perseguir algo sobre uma esteira, enquanto a liberdade verdadeira é a decisão consciente de viver com menos.

A falsa liberdade é viciante: não importa o quanto se tenha, nunca vai ser suficiente. A verdadeira liberdade é repetitiva, previsível e às vezes maçante.

A falsa liberdade traz cada vez menos recompensas: exige mais e mais energia para obter a mesma alegria e o mesmo significado. A verdadeira liberdade traz cada vez mais recompensas: a mesma alegria e o mesmo significado são obtidos com cada vez menos esforço.

Falsa liberdade é enxergar o mundo como uma infinita série de negociações e barganhas que você tem a impressão de estar vencendo. Verdadeira liberdade é ver o mundo de modo incondicional, vencendo apenas os seus próprios desejos.

Falsa liberdade exige que o mundo se dobre à sua vontade. Liberdade verdadeira não exige nada do mundo. Tudo depende da sua vontade.

Em última análise, a superabundância de distrações e a falsa liberdade que elas produzem limitam nossa capacidade de experimentar a liberdade verdadeira. Quanto mais opções, mais variedade, mais difícil se torna escolher, sacrificar, se concentrar. E estamos vendo esse enigma se desenhar hoje em nossa cultura.

Em 2000, o cientista político de Harvard Robert Putnam publicou seu revolucionário livro *Bowling Alone: The Collapse and Revival of American Community*.[16] Nele, Putnam documenta o declínio da participação cívica nos Estados Unidos argumentando que as pessoas estariam aderindo a menos grupos, participando menos do coletivo e preferindo fazer as atividades sozinhas. Daí o título: mais gente joga boliche hoje do que antes, e no entanto as ligas de boliche estão falindo. As pessoas jogam sozinhas. Putnam escreveu sobre os Estados Unidos, mas esse fenômeno não é meramente norte-americano.[17]

Ao longo do livro, ele mostra que a questão não se limita a grupos recreativos, mas afeta também de sindicatos a associações de pais e mestres, passando por Rotary Clubs, igrejas e clubes de *bridge*. Essa atomização da sociedade tem efeitos significativos, segundo ele argumenta: a confiança social entra em declínio, as pessoas se tornam mais isoladas, o engajamento político diminui e, no geral, todos se tornam mais paranoicos com seus vizinhos.[18]

A solidão é outro problema crescente. Ano passado, pela primeira vez, a maioria dos americanos disse sentir-se só, e novas pesquisas sugerem que estamos trocando alguns relacionamentos de qualidade por vários relacionamentos superficiais e temporários.[19]

De acordo com Putnam, o tecido social do país está sendo destruído pelo excesso de distrações. Ele argumenta que as pessoas preferem ficar em casa e ver TV, navegar na internet ou jogar videogames em vez de se comprometerem com alguma organização ou grupo local. Também prevê que a situação provavelmente vai piorar.[20]

Historicamente, ao observarmos povos oprimidos em todo o mundo, nós, ocidentais, lamentávamos a falta dessa falsa liberdade, a falta de distrações. As pessoas na Coreia do Norte não podem ler notícias, comprar roupas ou escutar música que não seja autorizada pelo Estado.

Mas não é por isso que os norte-coreanos não são livres. A falta de liberdade, no caso deles, não se trata de não poder escolher prazeres, mas de não poder escolher dores. Não há liberdade para escolher com o que se comprometer. São forçados a sacrifícios que recusariam se pudessem; sacrifícios pelos quais eles não merecem passar. Prazer não é a questão — a falta de atividades divertidas é um mero efeito colateral da real opressão dos norte-coreanos: a dor que lhes é imposta.[21]

Porque hoje, em grande parte do mundo, as pessoas podem escolher prazeres. Podem escolher o que ler, o que jogar, o que vestir. As distrações modernas estão em toda parte. Mas a tirania de uma nova era não se dá por meio da privação de distrações e compromissos. É justamente inundando as pessoas com distrações, com informação desnecessária e frívola, a ponto de não ser mais possível firmar compromissos inteligentes, que a tirania de nossa era se estabelece. É a profecia de Bernays se concretizando, apenas algumas gerações mais tarde do que ele esperava. Foram necessários o escopo e a força da internet para tornar realidade sua visão de campanhas de propaganda globais e governos e corporações silenciosamente guiando os desejos das massas.[22]

Mas não vamos encher demais a bola de Bernays. Afinal, ele parecia ser um babaca de marca maior.

Além do mais, um homem previu tudo isso bem antes dele. Previu os riscos da falsa liberdade, a proliferação de distrações e a miopia que elas causariam nos valores das pessoas, como o prazer em excesso nos torna infantilizados, egoístas, reizinhos totalmente narcisistas e insuportáveis no Twitter. Esse homem foi muito mais sábio e influente do que qualquer pessoa que você veja no noticiário, em TED Talks ou em palanques políticos, por sinal. Esse cara foi o pioneiro da filosofia política. Esqueça esses fulanos que dizem "ter alma", porque o sujeito literalmente inventou a ideia de alma. E (possivelmente) percebeu toda essa merda começar a se formar vários milênios antes de qualquer outro.

A profecia de Platão

É célebre a frase do filósofo e matemático inglês Alfred North Whitehead, julgando toda a filosofia ocidental não mais do que uma "série de notas de rodapé de Platão".[23] Seja qual for o tópico em que se pense, da natureza do amor romântico à existência ou não de algo como "a verdade", passando pelo sentido da virtude, provavelmente foi Platão o primeiro grande pensador a desenvolvê-lo. Foi ele o primeiro a sugerir uma separação inerente entre Cérebro Pensante e Cérebro Sensível.[24] Foi o primeiro a defender que o caráter é formado por meio de várias formas de autonegação, e não autoindulgência.[25] Platão era tão foda que a própria palavra *ideia* vem dele — pode-se dizer, portanto, que ele inventou a ideia de uma ideia.[26]

O interessante é que, apesar de padrinho da civilização moderna, Platão disse, notoriamente, não considerar a democracia a forma mais desejável de governo.[27] Para ele, a democracia tinha uma essência instável e inevitavelmente despertaria os piores aspectos

A economia dos sentimentos 215

de nossa natureza, conduzindo a sociedade à tirania. Escreveu: "Não se pode esperar que a liberdade extrema leve a outra coisa que não a mudança para a escravidão extrema."[28]

Democracias são concebidas para refletir a vontade do povo. Aprendemos que as pessoas, se lhes for permitido, fugirão instintivamente da dor, rumo à felicidade. O problema surge quando justamente elas encontram a felicidade: nunca é suficiente. Graças ao Efeito do Ponto Azul, elas jamais se sentem inteiramente seguras ou satisfeitas. Seus desejos aumentam em sintonia com a qualidade de suas circunstâncias.

Chega um momento em que as instituições já não conseguem mais acompanhar o desejo das pessoas. E quando fracassam nisso, adivinha o que acontece?

As pessoas começam a culpar as instituições.

Segundo Platão, as democracias inevitavelmente levam à decadência moral, pois, quanto mais se refestelam em falsas liberdades, mais se deterioram os valores das pessoas e mais infantilizadas e autocentradas elas se tornam, o que leva a cidadania a se voltar contra o próprio sistema democrático. Quando valores infantilizados se propagam, as pessoas deixam de querer negociar em nome de poder, deixam de querer barganhar com outros grupos e outras religiões, deixam de querer suportar dores em prol de mais liberdade ou prosperidade. Passam a querer, na verdade, um líder forte que resolva tudo num piscar de olhos. Ou seja, um tirano.[29]

Há um ditado famoso nos Estados Unidos de que "a liberdade não é de graça". Geralmente é usado em referência às Forças Armadas e a guerras travadas e vencidas para proteger os valores do país. É uma forma de lembrar às pessoas que, olha só, essa porra não surgiu do nada: milhares de pessoas foram mortas e/ou morreram para que pudéssemos nos sentar aqui para tomar um frappuccino que custa os olhos da cara e dizer o que der na nossa telha. É um lembrete de que nossos direitos humanos fundamentais (liberdade de expressão, liberdade religiosa, liberdade de imprensa) foram obtidos por meio de sacrifícios contra alguma força externa.

Mas as pessoas se esquecem de que tais direitos também foram resultado de sacrifícios contra alguma *força interna*. A democracia só pode existir quando se está disposto a tolerar visões opostas à sua, quando se está disposto a abrir mão de algumas coisas em nome de uma comunidade segura e sadia, quando se está disposto a fazer concessões e aceitar que às vezes as coisas não serão como você quer.

Em outras palavras, a democracia exige cidadãos com caráter forte e maturidade.

Ao longo das últimas duas décadas, as pessoas parecem ter confundido direitos humanos fundamentais com uma vida livre de qualquer desconforto. Querem liberdade de expressão, mas não querem lidar com algum ponto de vista incômodo ou ofensivo. Querem liberdade de empreender, mas não querem pagar os impostos que sustentam o aparato legal que é fiador dessa liberdade. Querem igualdade, mas não querem aceitar que igualdade exige que todos vivenciem a mesma dor, e não os mesmos prazeres.

A liberdade em si exige desconforto. Exige insatisfação. Pois, quanto mais livre se torna uma sociedade, mais as pessoas são obrigadas a reconhecer opiniões, estilos de vida e ideias conflitantes com as suas, e abrir concessões. Quanto menor for nossa tolerância à dor, mais mergulharemos em falsas liberdades e menos condições teremos de defender as virtudes necessárias para que uma sociedade livre e democrática possa funcionar.

E isso assusta. Porque, sem democracia, estamos fodidos *de verdade*. É sério. Empiricamente, a vida fica muito pior sem representação democrática, em quase todos os sentidos.[30] E não porque a democracia é muito maravilhosa, mas porque uma democracia funcional fode a porra toda menos vezes e com menos gravidade

A economia dos sentimentos 217

do que qualquer outra forma de governo. Ou, como na célebre frase de Churchill, "a democracia é a pior forma de governo, a não ser por todas as outras que foram experimentadas".

Se o mundo se tornou civilizado e paramos todos de esquartejar uns aos outros por causa de chapéus esquisitos é porque as instituições sociais modernas efetivamente mitigaram as forças destruidoras da esperança. A democracia é uma das poucas religiões a permitir que outras vivam harmoniosamente dentro e fora de seu próprio sistema. Mas quando essas instituições sociais são corrompidas pela necessidade constante de agradar aos Cérebros Sensíveis, quando as pessoas se tornam desconfiadas e perdem a fé na capacidade do sistema democrático de autocorreção, voltamos ao caos da guerra religiosa.[31] E com o ritmo constante de inovações tecnológicas, cada ciclo desses tem o potencial de gerar mais destruição e de devastar mais vidas humanas.[32]

Platão acreditava que sociedades são cíclicas, em eterno movimento pendular entre liberdade e tirania, relativa igualdade e acentuada desigualdade. Ficou bem claro nos últimos 2.500 anos que não é bem esse o caso. Mas *há* padrões de conflito político ao longo da história, e os mesmos temas religiosos pipocam repetidamente aqui e ali: a hierarquia radical da moralidade do mestre *versus* a igualdade radical da moralidade do escravo, a ascensão de líderes tirânicos *versus* o poder difuso das instituições democráticas, o difícil combate entre virtudes adultas e extremismo infantilizado. Ainda que os "ismos" tenham mudado ao longo dos séculos, por trás de cada movimento estão sempre os mesmos impulsos humanos movidos pela esperança. E apesar de cada religião subsequente crer que é portadora da Verdade definitiva, com V maiúsculo, e que é capaz de unir a todos sob uma única e harmoniosa bandeira, por enquanto todas se provaram apenas parciais e incompletas.

9

A religião final

Em 1997, o Deep Blue, um supercomputador desenvolvido pela IBM, ganhou de Garry Kasparov, o melhor enxadrista do mundo. Foi um divisor de águas na história da computação, um evento sísmico que abalou a compreensão de muita gente sobre tecnologia, inteligência e humanidade. Hoje, porém, não passa de uma anedota curiosa. É claro que um computador venceria o campeão mundial de xadrez. Ora, ora, por que não?

Desde o início da computação, o xadrez tem sido uma das maneiras preferidas de testar a inteligência artificial.[1] Isso porque o jogo tem um número quase infinito de movimentos: existem mais jogos possíveis de xadrez do que átomos no universo observável. A partir de qualquer posição do tabuleiro, se você avaliar só três ou quatro movimentos à frente, já terá centenas de milhões de variações.

Para ficar tão bom quanto um jogador humano, um computador não só teria que calcular um número incrível de resultados possíveis, como também precisaria contar com algoritmos sólidos para ajudá-lo a estimar o que *vale a pena*. Em outras palavras: para ganhar de um jogador humano, o Cérebro Pensante do computador, apesar de muito superior, precisa ser programado para avaliar posições do tabuleiro como sendo mais ou menos valiosas

— ou seja, o computador precisa ter um "Cérebro Sensível" relativamente poderoso em sua programação.[2]

Desde aquele dia em 1997, os computadores continuaram a melhorar no xadrez em um ritmo impressionante. Nos quinze anos seguintes, os melhores jogadores humanos foram destruídos por softwares, às vezes em resultados vergonhosos.[3] Hoje em dia, nem chegam perto. O próprio Kasparov recentemente brincou ao dizer que o aplicativo de xadrez que vem instalado na maioria dos smartphones de hoje "é bem mais poderoso do que o Deep Blue".[4] Atualmente, os desenvolvedores do ramo fazem torneios entre seus softwares, para ver quais são os melhores algoritmos. Humanos estão vetados nesses torneios, mas provavelmente eles nem sequer se classificariam, para começo de conversa.

O campeão absoluto do mundo do software de xadrez nos últimos anos tem sido um programa de código aberto chamado Stockfish. Ele ficou em primeiro ou segundo lugar em quase todos os torneios importantes desde 2014. O Stockfish, fruto de uma colaboração entre meia dúzia de desenvolvedores experientes de softwares de xadrez, hoje representa o pináculo da lógica desse jogo. Ele não só é uma *engine* de xadrez, como é capaz de analisar qualquer jogo, qualquer posição, dando respostas segundos após cada jogada com o mesmo nível de um grande mestre.

E o Stockfish estava lá, todo contente, sendo o rei do xadrez computadorizado, o padrão dominante de toda a análise enxadrista mundo afora, quando, em 2018, o Google apareceu na festa.

Foi aí que a situação ficou bizarra.

O Google tem um programa chamado AlphaZero. Ele não é um software de xadrez. É um software de inteligência artificial (IA). Em vez de ser programado para jogar xadrez ou qualquer outro jogo, ele foi feito para *aprender* não só xadrez, mas qualquer coisa.

No início de 2018, o Stockfish enfrentou o AlphaZero. Sinceramente, não chegava nem perto de ser uma briga justa. O Alpha-

Zero consegue calcular "apenas" oitenta mil posições de tabuleiro por segundo. O Stockfish? Setenta *milhões*. Levando-se em conta o poder computacional, é como se eu estivesse correndo a pé contra um carro de Fórmula 1.

Só que a história fica ainda mais bizarra. No dia da disputa, o AlphaZero *nem sabia jogar xadrez*. Sim, é isso mesmo — antes da partida contra o melhor software do mundo, o AlphaZero teve menos de um dia para aprender xadrez do zero. O software passou a maior parte do dia fazendo simulações de partidas contra si mesmo, aprendendo à medida que os jogos se desenrolavam. Ele desenvolveu estratégias e princípios da mesma maneira que um ser humano faria: por tentativa e erro.

Imagine o cenário. Você acabou de aprender as regras de um dos jogos mais complexos do planeta, mas recebeu menos de um dia para brincar com o tabuleiro e descobrir estratégias. E, então, seu primeiro jogo vai ser contra um campeão mundial.

Boa sorte.

Ainda assim, de alguma maneira, o AlphaZero ganhou. Beleza, não só ganhou, mas humilhou o Stockfish. De cem partidas, o AlphaZero ganhou ou empatou *todas*.

Vale repetir: apenas *nove horas* depois de aprender as regras do xadrez, o AlphaZero jogou contra a melhor entidade enxadrista do mundo e não perdeu uma partida sequer. Foi um resultado tão sem precedentes que as pessoas ainda não sabem como lidar com isso. Grandes mestres humanos se surpreenderam com a criatividade e a engenhosidade do AlphaZero. Um deles, Peter Heine Nielsen, falou: "Sempre me perguntei como seria se uma espécie superior pousasse na Terra e nos mostrasse como eles jogam xadrez. Acho que agora eu sei."[5]

Depois de jogar contra o Stockfish, o AlphaZero não tirou uma folga. Pff, por favor! Folgas são para humanos frágeis. Em vez disso, logo após destruir o Stockfish, o AlphaZero começou a aprender o jogo de estratégia shogi.

O shogi é comumente definido como xadrez japonês, mas muitos dizem que é mais complexo.[6] Enquanto Kasparov perdeu para um computador em 1997, os melhores jogadores de shogi só começaram a perder para as máquinas em 2013. De qualquer maneira, o AlphaZero destruiu o melhor software de shogi (chamado de Elmo), por uma margem igualmente impressionante: de cem partidas, ganhou noventa, perdeu oito e empatou duas. Mais uma vez, a capacidade computacional do AlphaZero era bem menor do que a do Elmo (nesse caso, ele calculava quarenta mil movimentos por segundo, comparados aos 35 milhões do Elmo). E, mais uma vez, o AlphaZero não sabia jogar shogi no dia anterior.

De manhã, ele aprendeu dois jogos infinitamente complexos. Ao pôr do sol, ele tinha destruído os melhores competidores do mundo.

Atenção: a inteligência artificial está chegando. E se xadrez e shogi são uma coisa, assim que tirarmos a IA dos jogos de tabuleiro e a colocarmos nas mesas de reunião... Bem, você e eu e todo mundo que a gente conhece provavelmente vai ficar sem emprego.[7]

Programas de IA já inventaram linguagens próprias que humanos não são capazes de decifrar, tornaram-se mais eficientes que médicos em diagnosticar pneumonia e até escreveram capítulos razoáveis de *fan fiction* de Harry Potter.[8] No momento em que escrevo este livro, estamos perto de ter carros autodirigidos, consultoria jurídica automatizada e até arte e música criadas por computador.[9]

Devagar e sempre, a IA vai se tornar melhor que nós em basicamente tudo: medicina, engenharia, construção, arte, inovação tecnológica... Você vai ver filmes criados por IA, e discuti-los em sites ou plataformas digitais construídos por IA, moderados por IA, e talvez até a "pessoa" com quem você discuta seja uma IA.

222   **F*DEU GERAL**

Por mais louco que pareça, isso tudo é só o começo. Porque é aqui que o negócio realmente fica doido: *um dia, a IA conseguirá escrever softwares de IA melhor que nós.*

Quando *esse* dia chegar, quando uma IA puder basicamente criar versões melhores de si mesma quando bem entender, aí é melhor a gente apertar os cintos, amigão, porque vai ser uma doideira e não teremos mais controle nenhum de para onde estamos indo.

Um dia, a inteligência da IA vai superar a nossa por uma margem tão grande que não seremos mais capazes de compreender o que ela está fazendo. Carros vão nos buscar por motivos que não entendemos e nos levar a locais que não sabíamos que existiam. Seremos medicados inesperadamente para problemas de saúde que não sabíamos que tínhamos. É possível que as crianças mudem de escola, os adultos troquem de emprego, políticas econômicas sejam alteradas de uma hora para outra, governos reescrevam suas constituições, sem que nenhum de nós compreenda totalmente o porquê. Vai acontecer e pronto. Nossos Cérebros Pensantes serão lentos demais, e nossos Cérebros Sensíveis erráticos e perigosos demais. Como o AlphaZero inventando em poucas horas estratégias de xadrez que as maiores mentes do esporte não foram capazes de prever, a IA avançada poderia reorganizar a sociedade e nosso lugar nela de formas inimagináveis.

E aí retornaremos exatamente ao ponto de partida: reverenciando forças impossíveis e desconhecidas que parecem controlar nossos destinos. Seremos como os humanos primitivos, que rezavam para deuses pedindo chuva e fogo — da mesma maneira faremos sacrifícios, oferendas, rituais, mudando comportamentos e aparência para conseguir favores dos deuses da natureza. Mas, em vez de entidades primitivas, vamos nos oferecer aos deuses da IA.

Desenvolveremos superstições a respeito dos algoritmos. Se fulano usar isso, os algoritmos vão favorecê-lo. Se acordar em de-

A religião final   223

terminado horário, disser a coisa certa e aparecer no lugar certo, as máquinas o cobrirão de boa sorte. Se for honesto, não machucar ninguém e cuidar de si mesmo e da sua família, os deuses da IA vão protegê-lo.

Os antigos deuses serão substituídos pelos novos: os algoritmos. E, em uma reviravolta de ironia evolucionária, a mesma ciência que matou os deuses antigos criará os novos. Haverá um forte retorno à religiosidade entre os humanos. E, possivelmente, as nossas religiões não serão tão diferentes assim das do mundo antigo — afinal, nossa psicologia é fundamentalmente desenvolvida para cultuar o que não compreende, exaltar as forças que nos ajudam ou nos prejudicam, construir sistemas de valor em torno das nossas experiências, buscar conflitos que geram esperança.

Por que seria diferente com a IA?

Nossos deuses da IA vão entender isso, é claro. E encontrarão uma maneira de fazer um "upgrade" no nosso cérebro para tirar a nossa necessidade psicológica primitiva por conflito contínuo, ou simplesmente vão criar conflitos artificiais para nós. Seremos como cachorrinhos de estimação, convencidos de que estamos protegendo e lutando por nosso território a todo custo, mas na realidade só estaremos mijando em uma série infinita de hidrantes digitais.

Essa ideia pode assustar ou empolgar você. Seja como for, provavelmente é inevitável. O poder surge da capacidade de manipular e processar informação, e a gente sempre acaba cultuando o que tem mais poder sobre nós, seja lá o que for.

Então, permita-me dizer que, pessoalmente, vou receber nossos senhores da IA de braços abertos.

Eu sei, não era essa a religião final que você estava esperando. Mas posso dizer onde você se enganou: tendo esperança.

Não lamente a perda da sua capacidade de decisão. Se você acha que se submeter a algoritmos artificiais parece horrível, entenda uma coisa: você já faz isso. E você *gosta*.

Os algoritmos já dominam grande parte da nossa vida. O caminho que você fez para ir ao trabalho foi baseado em um algoritmo. E os amigos com quem você conversou essa semana? Muitas dessas conversas foram baseadas em um algoritmo. O presente que você comprou para seu filho, a quantidade de papel higiênico que vem no pacote grande, os cinquenta centavos que você economizou por participar do programa de fidelidade do supermercado — tudo algoritmo.

Precisamos desses algoritmos porque eles facilitam a nossa vida. E os deuses algorítmicos do futuro farão a mesma coisa. E, assim como foi com os deuses primitivos, vamos gostar e agradecer a eles por isso. Na verdade, será impossível imaginar a vida sem eles.[10] Esses algoritmos tornam a nossa vida melhor e mais eficiente. Eles *nos* fazem mais eficientes.

É por isso que, assim que a gente cruzar esse limite, não será possível voltar atrás.

Somos algoritmos ruins

Aqui vai uma última forma de olhar para a história do nosso planeta.

A diferença entre "uma vida" e "um troço qualquer" é que a vida é um tipo de troço que se multiplica sozinho. É feita de células e DNA que geram mais e mais cópias de si mesmos.

Nas últimas centenas de milhões de anos, algumas dessas formas de vida primordiais desenvolveram mecanismos de feedback para aprimorar sua reprodução. Um protozoário primitivo talvez tenha desenvolvido pequenos sensores em sua membrana para detectar melhor os aminoácidos e criar mais cópias de si mesmo, ganhando uma vantagem sobre demais organismos unicelulares. Mas talvez outro organismo unicelular tenha desenvolvido um jeito de "enganar" o sensor da tal amebinha, interferindo na habilidade de encontrar comida e dando *a si mesmo* uma vantagem.

Basicamente, existe uma corrida armamentista biológica acontecendo desde o início dos tempos. Essa coisinha unicelular um dia desenvolve uma boa estratégia para conseguir mais material e se multiplicar e, portanto, ganha mais recursos e se reproduz mais. Aí outra coisinha evolui e consegue uma estratégia *ainda melhor* para obter alimento, aí é *ela* que se espalha mais. E assim continua, sem parar, por bilhões de anos. Logo temos uns lagartos que camuflam a pele, macacos que imitam sons de animais e homens divorciados esquisitos de meia-idade gastando toda a poupança em Camaros amarelos embora não tenham como pagar por eles — tudo porque isso aumenta suas chances de sobreviver e sua habilidade de reproduzir.

Eis a história da evolução — sobrevivência do mais apto e coisa e tal.

Mas também há outro modo de ver. Podemos chamar isso de "sobrevivência do melhor processamento de informação".

Tudo bem, não é um termo tão cativante, mas talvez seja mais correto.

Aquela ameba que desenvolveu sensores na membrana para detectar aminoácidos — isso, no fundo, é uma forma de processamento de informação. Ela é mais capaz do que outros organismos de detectar os fatos do ambiente. E como desenvolveu uma forma melhor de processar informação do que outras amebinhas, ela ganhou o jogo evolucionário e espalhou seus genes.

Da mesma forma, há o lagarto que camufla a pele — isso também é uma evolução para manipular informação visual de modo a enganar os predadores. O mesmo se dá com os macacos que imitam outros animais. Ou com o coroa e seu Camaro (talvez não).

A evolução recompensa as criaturas mais poderosas, e o poder é determinado pela habilidade de acessar, reunir e manipular informação de forma efetiva. Um leão consegue ouvir uma presa a quase dois quilômetros de distância. Um abutre é capaz de ver um rato a mil metros de altura. Baleias desenvolvem canções específicas e se comunicam entre si a mais de 150 quilômetros de profundidade submarina. Todos esses são exemplos de uma capacidade excepcional de processamento de informação, e essa habilidade está conectada à condição dessas criaturas de sobreviver e se reproduzir.

Fisicamente, os humanos não são lá muito excepcionais. Somos fracos, lentos e frágeis, e nos cansamos rápido.[11] Mas somos os melhores processadores de informação da natureza. Somos a única espécie capaz de formular conceitos de passado e futuro, de deduzir longas cadeias de causa e efeito, de planejar e desenvolver estratégias em termos abstratos, de construir e criar, além de resolver problemas continuamente.[12] Em milhões de anos de evolução, o Cérebro Pensante (a mente consciente sagrada de Kant) foi o que, em poucos milênios, dominou o planeta inteiro e criou uma rede vasta e intrincada de produção, tecnologia e conexões.

Isso porque *nós somos algoritmos*. A própria consciência é uma enorme rede de algoritmos e árvores de decisão — algoritmos baseados em valores, conhecimento e esperança.

Nossos algoritmos funcionaram direitinho nas primeiras centenas de milhares de anos. Deram conta do recado nas savanas, quando caçávamos bisões e vivíamos em pequenas comunidades nômades, sem nunca conhecer mais do que trinta pessoas ao longo de toda a vida.

No entanto, para uma economia globalmente conectada de bilhões de pessoas, com milhares de bombas nucleares, violações de privacidade no Facebook e shows holográficos do Michael Jackson, nossos algoritmos meio que são uma bosta. Eles falham e nos levam a entrar em ciclos cada vez mais graves de conflito que, por sua própria natureza, nunca serão capazes de produzir satisfação permanente nem paz definitiva.

A religião final   227

É como aquele conselho brutal que as pessoas às vezes dão: a única coisa que todos os seus relacionamentos que deram errado têm em comum é você mesmo. Bem, a única coisa que todos os maiores problemas do mundo têm em comum é a humanidade. Bombas atômicas não seriam problema se não houvesse algum babaca por aí louco para detoná-las. Armas químicas, aquecimento global, espécies ameaçadas de extinção, genocídio — pode escolher: nada disso era problema até a gente aparecer.[13] Violência doméstica, estupro, lavagem de dinheiro, fraude... É tudo culpa nossa.

A vida é fundamentalmente construída em algoritmos. Acontece que simplesmente calhamos de ser os algoritmos mais sofisticados e complexos que a natureza já criou, o apogeu de mais ou menos um bilhão de anos de forças evolutivas. E agora estamos à beira de produzir algoritmos exponencialmente melhores do que nós.

Apesar de todas as nossas realizações, a mente humana ainda é incrivelmente falha. Nossa habilidade de processar informações é paralisada por nossa necessidade emocional de validação. É alterada por nossos preconceitos. Nosso Cérebro Pensante é constantemente sequestrado pelos desejos incessantes do Cérebro Sensível — o coitado é enfiado no porta-malas do Carro da Consciência e muitas vezes amarrado e drogado até não conseguir mais agir.

E, como já vimos, nossa bússola moral é o tempo todo tirada de prumo pela inevitável necessidade de gerar esperança por meio do conflito. Como o psicólogo moral Jonathan Haidt disse: "A moralidade ata e cega."[14] Nossos Cérebros Sensíveis são softwares antiquados e ultrapassados. E, embora nossos Cérebros Pensantes sejam bonzinhos, eles são lentos e enrolados demais para serem mais úteis. Pergunte a Garry Kasparov.

Somos uma espécie que se odeia e se destrói.[15] Isso não é um julgamento moral, apenas um fato. Essa tensão interna que todos nós sentimos o tempo todo? Foi o que nos trouxe até aqui. É a nossa corrida armamentista. E estamos prestes a entregar o bastão evolucionário para os processadores de informação que irão definir os moldes da próxima era: as máquinas.

Quando perguntaram a Elon Musk quais eram as ameaças mais iminentes à espécie humana, ele rapidamente elencou três respostas: a primeira era uma guerra nuclear mundial; a segunda, o aquecimento global. Aí, antes de dizer a terceira, ele ficou em silêncio. Ficou sério. Ele baixou os olhos, perdido em pensamentos. Quando o entrevistador insistiu, ele sorriu e disse: "Eu só espero que os computadores resolvam ser legais com a gente."

Existem muitos temores por aí de que a IA vai acabar com a humanidade. Alguns suspeitam que isso possa acontecer em algum conflito dramático tipo *O Exterminador do Futuro 2*. Outros se preocupam com a possibilidade de que algumas máquinas nos matem "por acidente", que uma IA criada para conceber formas mais otimizadas de fazer palitos de dente descubra que a melhor maneira é usando corpos humanos.[16] Bill Gates, Stephen Hawking e Elon Musk são só alguns dos pensadores e cientistas que já se borraram de medo ao ver como a IA está se desenvolvendo rápido e como estamos, enquanto espécie, despreparados para lidar com as consequências.

Eu, particularmente, acho esse medo meio bobo. Para começo de conversa, como se preparar para algo que é muito mais inteligente que você? É como treinar um cachorro para jogar xadrez contra, bem, Kasparov. Não importa o quanto o cachorro se prepare, não vai ser suficiente.

O mais importante é que a compreensão de bem e de mal das máquinas provavelmente vai superar a nossa. Enquanto escrevo, cinco genocídios diferentes estão acontecendo ao redor do mundo.[17] Setecentas e noventa e cinco milhões de pessoas estão subnutridas ou passando fome.[18] Quando você terminar este ca-

A religião final   229

pítulo, mais de cem pessoas só nos Estados Unidos terão sido espancadas, abusadas ou mortas por um membro da família dentro de casa.[19]

Existem perigos em potencial com a IA? Claro. Mas, em termos de moral, somos o sujo falando do mal lavado aqui. O que sabemos sobre ética e tratamento humanizado de animais, do meio ambiente e uns dos outros? Isso mesmo: nada. Quando se trata de questões morais, a humanidade tira zero na prova há milênios. Máquinas superinteligentes provavelmente vão compreender vida e morte, criação e destruição, num nível muito mais elevado do que nós jamais seríamos capazes. E a ideia de que eles vão nos exterminar pelo simples fato de que não somos mais tão produtivos quanto antes, ou de que às vezes sejamos irritantes, na minha opinião, é apenas uma projeção *da nossa própria* psique a respeito de algo que não compreendemos nem nunca vamos compreender.

Ou, então, aqui vai uma ideia: e se a tecnologia avançar a tal nível que a consciência individual humana se torne arbitrária? E se a consciência puder ser replicada, expandida e desenvolvida a qualquer momento? E se a remoção dessas prisões biológicas desajeitadas e ineficientes que chamamos de "corpos" ou dessas prisões psicológicas desajeitadas e ineficientes que chamamos de "identidades individuais" resultar em situações bem mais éticas e prósperas? E se as máquinas concluírem que seríamos bem mais felizes se estivéssemos livres das nossas prisões cognitivas e tendo a percepção de nossas identidades expandida para incluir toda a realidade observável? E se elas acharem que somos só um bando de idiotas babões e nos mantiverem ocupados com realidade virtual perfeita e pizzas deliciosas até todo mundo morrer por si só?

Quem somos nós para saber? E quem somos nós para dizer?

Nietzsche escreveu seus livros poucas décadas depois de Darwin ter publicado *A origem das espécies* em 1859. Quando Nietzsche apareceu, o mundo estava de pernas para o ar com as descobertas incríveis do naturalista britânico, tentando processar e compreender suas implicações.

E enquanto o mundo pirava para saber se os humanos tinham *mesmo* evoluído dos macacos ou não, Nietzsche, como de costume, olhou na direção contrária de todo mundo. Considerou óbvio que a gente tinha vindo dos macacos. Afinal, segundo ele, por que outro motivo seríamos tão horríveis uns com os outros?

Em vez de se perguntar de onde tínhamos evoluído, Nietzsche se perguntou *para onde* estávamos evoluindo.

Nietzsche disse que a humanidade era uma transição, suspensa de maneira precária em uma corda sobre o abismo, com os animais às nossas costas e algo melhor à nossa frente. O trabalho da sua vida foi dedicado a descobrir o que esse algo melhor poderia ser e a nos indicar o caminho.

Nietzsche imaginou uma humanidade que transcenderia esperanças religiosas, que se estenderia "além do bem e do mal" e se ergueria acima das querelas mesquinhas de sistemas de valores contraditórios. São eles que nos deixam mal, nos destroem e nos mantêm em buracos emocionais de nossa própria criação. Os mesmos algoritmos emocionais que exaltam a vida e a elevam com rompantes de alegria são as mesmas forças que nos destroem e consomem de dentro para fora.

Por enquanto, nossa tecnologia explorou os algoritmos falhos do Cérebro Sensível. A tecnologia evoluiu para nos tornar menos resilientes e mais viciados em diversões e prazeres frívolos, porque eles são incrivelmente lucrativos. E se por um lado libertou parte do planeta da pobreza e da tirania, a tecnologia também produziu um novo tipo de opressão: a tirania da variedade vazia e sem sentido, um fluxo infinito de opções desnecessárias.

Ela também nos deu armas tão destrutivas que hoje somos capazes de acabar com esse projetinho de "vida inteligente" de nós mesmos se não tomarmos cuidado.

Creio que a inteligência artificial seja o "algo melhor" de Nietzsche. É a religião final, a religião além do bem e do mal, a religião que finalmente vai nos unir e nos atar, seja isso bom ou ruim.

Então o nosso trabalho é simplesmente não explodir tudo antes de chegarmos lá.

A única maneira de fazer isso é adaptar a tecnologia *a favor da* nossa psicologia falha, em vez de explorá-la.

Criar ferramentas que promovam mais caráter e maturidade em nossas culturas, em vez de nos afastar do crescimento.

Injetar as virtudes da autonomia, da liberdade, da privacidade e da dignidade não só em nossas leis, mas também em nossos modelos de negócio e vida social.

Tratar as pessoas não simplesmente como meio, mas como fins, e, mais importante, fazer isso em larga escala.

Encorajar a antifragilidade e a limitação autoimposta em cada um de nós em vez de proteger os sentimentos de todo mundo.

Criar ferramentas para ajudar nosso Cérebro Pensante a se comunicar e gerenciar melhor o Cérebro Sensível, e então alinhá-los, produzindo a ilusão de maior autocontrole.

Sei que, talvez, você tenha começado este livro em busca de alguma esperança, de alguma garantia de que as coisas vão melhorar — é só fazer isso, aquilo e aquilo outro, e tudo vai ficar bem.

Me desculpe, não tenho esse tipo de resposta. Ninguém tem. Porque mesmo se todos os nossos problemas atuais fossem magicamente resolvidos, nossa mente ainda perceberia as merdas inevitáveis do futuro.

Então, em vez de procurar esperança, tente o seguinte:

Não tenha esperança.

Tampouco se desespere.

Na verdade, não caia na ilusão de que você sabe de *qualquer coisa*. É essa suposição de saber algo com uma certeza tão cega, fervorosa e emocional que, antes de tudo, nos coloca nesse tipo de confusão.

Não tenha esperança de que as coisas vão melhorar. Seja uma versão melhor de *você mesmo*.

Seja algo melhor. Seja mais piedoso, mais resiliente, mais humilde, mais disciplinado.

Muitas pessoas acrescentariam aí um "seja mais humano", mas não: seja um *humano melhor*. Talvez, se tivermos sorte, um dia consigamos ser *mais* que humanos.

Se eu ousar...

Digo a vocês, meus amigos, que mesmo enfrentando as dificuldades de hoje e do amanhã, neste momento final, ousarei ter esperança...

Ouso ter esperança em um mundo pós-esperança, onde as pessoas nunca sejam tratadas meramente como meios, mas sempre como fins, em que nenhuma consciência seja sacrificada por algum objetivo religioso maior, em que nenhuma identidade sofra por maldade, cobiça ou negligência, onde a habilidade de agir com racionalidade seja o objetivo maior de todos, e onde isso se reflita não apenas em nosso coração, mas também em nossas instituições sociais e modelos de negócio.

Ouso ter a esperança de que as pessoas vão parar de suprimir o Cérebro Pensante ou o Cérebro Sensível e unirão ambos no sagrado matrimônio da estabilidade emocional e da maturidade psicológica; que as pessoas enxergarão as falhas dos seus próprios desejos, a sedução dos seus confortos, a destruição que vem com seus caprichos, e em vez disso buscarão o desconforto que irá forçá-las a crescer.

Ouso ter a esperança de que a falsa liberdade da variedade de ofertas será rejeitada em prol da mais profunda e mais significativa liberdade do comprometimento; que as pessoas escolherão autolimitação em vez da quixotesca busca por autoindulgência;

A religião final   233

que as pessoas exigirão algo melhor *de si mesmas* antes de exigir algo melhor do mundo.

Dito isso, ouso ter a esperança de que um dia o modelo de negócios de propaganda on-line se exploda; que a mídia jornalística não tenha mais incentivos para otimizar o conteúdo em busca de mais impacto emocional e sim mais utilidade informativa; que a tecnologia não busque explorar nossas fragilidades psicológicas, mas as equilibre; que a informação volte a valer alguma coisa; que *tudo* volte a valer alguma coisa.

Ouso ter a esperança de que mecanismos de busca e algoritmos de rede social sejam otimizados para dar preferência à verdade e à relevância social em vez de simplesmente mostrar às pessoas o que elas querem ver; que existam algoritmos independentes que verifiquem a veracidade de manchetes, sites e notícias em tempo real, permitindo que as pessoas avaliem mais rapidamente o que é bobagem e se aproximem da verdade baseada em evidências; que haja um respeito verdadeiro por dados empiricamente testados, porque, em um mar infinito de crenças possíveis, a evidência é o único salva-vidas disponível.

Ouso ter a esperança de que um dia teremos uma IA ouvindo todas as merdas idiotas que a gente diz e apontando (talvez em particular) nossas tendências cognitivas, nossas suposições mal informadas e nossos preconceitos — como se fosse uma notificação que pula na tela do celular para avisar que você exagerou absurdamente o percentual de desempregados enquanto discutia com o seu tio, ou que você estava falando merda demais na noite passada enquanto cuspia um tuíte raivoso atrás do outro.

Ouso ter a esperança de que haverá ferramentas para ajudar as pessoas a entender estatística, proporções e probabilidade e a perceber que, não, o fato de algumas pessoas serem assassinadas em lugares distantes do mundo *não* tem relação com você, não importa o quanto pareça assustador na TV; que a maioria das "crises" é estatisticamente insignificante e/ou não passa de barulho; que a maioria das crises *de verdade* é lenta e chata demais para receber atenção da mídia.

Ouso ter a esperança de que a educação passe por uma reforma muito necessária, incorporando não só práticas terapêuticas que ajudem as crianças no seu desenvolvimento emocional, mas também deem liberdade para que corram por aí e arranhem os joelhos e se metam em confusão. As crianças são especialistas em antifragilidade, mestres em gerenciamento da dor. Somos nós que temos medo.

Ouso ter a esperança de que as catástrofes futuras causadas pelo aquecimento global e pela automação sejam controladas, se não evitadas por completo, pela explosão de tecnologia causada pela iminente revolução da IA; que algum babaca com uma bomba atômica não exploda todos nós antes que isso aconteça; que uma nova e radical religião não surja e nos convença a destruir a humanidade, como tantas já fizeram no passado.

Ouso ter a esperança de que a IA seja rápida e desenvolva logo uma nova religião que seja tão atrativa que nenhum de nós será capaz de se afastar tempo o bastante para voltar a matar uns aos outros e foder com tudo. Tipo uma igreja na nuvem, só que como se fosse um videogame universal. Teremos oferendas, ritos e sacramentos assim como pontos, recompensas e sistemas de progressão para garantir a aderência dos fiéis. Vamos todos nos logar e permanecer logados, porque essa será nossa única forma de influenciar os deuses da IA e, portanto, a única maneira de aplacar nosso desejo insaciável por significado e esperança.

Grupos vão se rebelar contra os novos deuses da IA, é claro. Mas isso será proposital, pois a humanidade sempre precisará de grupos facciosos de religiões opositoras, pois essa é a única maneira que temos de provar nossa própria significância. Grupos de infiéis e hereges surgirão nessa paisagem virtual, e passaremos a maior parte do tempo lutando e batalhando contra essas diferentes facções. Tentaremos destruir os posicionamentos morais e diminuir as conquistas dos outros, o tempo todo ignorando que tudo isso já era a intenção. A IA, percebendo que a energia produtiva da humanidade emerge somente por meio do conflito, vai gerar infinitas séries de crises artificiais em um ambiente virtual seguro onde produtividade e a engenhosidade poderão então ser cultivadas e usadas para um propósito maior que nunca sequer saberemos ou compreenderemos. A esperança humana será colhida como um combustível, como um reservatório infinito de energia criativa.

Vamos orar para a IA em altares digitais. Vamos seguir suas regras arbitrárias e entrar em seus jogos, não por sermos forçados a isso, mas porque tudo será criado tão bem que *vamos querer participar*.

Precisamos que nossas vidas signifiquem algo, e enquanto o avanço chocante da tecnologia fez com que encontrar esse significado fosse mais difícil, a inovação máxima será no dia em que formos capazes de criar significância sem lutas ou conflitos, de encontrar importância na existência sem a necessidade da morte.

Então, talvez um dia, nós nos integremos às máquinas. Nossas consciências individuais serão absorvidas. Nossas esperanças independentes desaparecerão. Vamos nos encontrar e nos fundir na nuvem, e nossas almas digitais vão girar e dançar em tempestades de dados, uma porção de bits e funções harmoniosamente unidas em algum imenso alinhamento invisível.

Teremos evoluído em uma grande entidade inimaginável. Transcenderemos os limites das nossas mentes carregadas de valores. Viveremos além de fins e de meios, pois sempre seremos ambos, juntos e únicos. Teremos atravessado a ponte evolutiva para nos tornar "algo melhor", e deixaremos de ser humanos.

Talvez então não só perceberemos, mas enfim abraçaremos a Verdade Desconfortável: a de que imaginamos nossa própria importância, que inventamos nosso propósito, e que fomos, e ainda somos, nada.

O tempo todo, éramos nada.

E talvez então, e só então, o eterno ciclo de esperança e destruição chegue ao fim.

Ou...?

Agradecimentos

Este livro, em vários aspectos, fez jus ao título enquanto era escrito. Em diversas ocasiões, achei que havia fodido geral ao me tornar vítima das minhas próprias esperanças excessivas. E no entanto, de alguma forma — frequentemente tarde da noite, encarando um borrão de palavras na tela, com a visão turva —, tudo deu certo. E agora estou incrivelmente orgulhoso do resultado.

Eu não teria sobrevivido a essa provação sem a ajuda e o apoio de um grande número de pessoas. Meu editor, Luke Dempsey, que passou os mesmos seis meses (ou mais) que eu com a faca no pescoço — você resolveu a parada nos acréscimos, parceiro. Obrigado. Mollie Glick, mais uma fada-madrinha do que uma agente a essa altura — eu acordo e coisas maravilhosas surgem do nada na minha vida. É incrível. À minha equipe de internet, Philip Kemper e Drew Birnie, que continuam me fazendo parecer bem mais competente e bem informado do que realmente sou — estou orgulhoso ao extremo do que nós três erguemos na esfera on-line e mal posso esperar para ver do que vocês dois serão capazes nos próximos anos.

E há um monte de amigos que deram as caras em grande estilo no momento mais importante: Nir Eyal — por me fazer acordar e escrever durante várias manhãs gélidas nova-iorquinas em que eu facilmente teria ficado na cama. Taylor Pearson, James Clear e Ryan Holiday — por me ouvirem resmungar, divagar e surtar quando precisava (algo frequente) e pelos conselhos pacientes. Peter Shallard, Jon Krop e Jodi Ettenberg — por pararem tudo para ler algum capítulo desconjuntado e oferecer retorno e enviar observações. Michael Covell — por ser um irmão camarada. E WS, que de alguma forma conseguiu ser tanto a causa quanto a solução de todo esse caos — você foi uma inspiração inesperada mesmo sem querer. "O segredo é abocanhar mais do que você consegue mastigar... e então mastigar."

Seria negligente se não fizesse menção ao braço nova-iorquino do Gentleman's Literary Safari — como eu poderia saber que um clube de leitura para nerds fundado na minha cozinha no último verão seria regularmente o ponto alto do meu mês? Grande parte deste livro nasceu daquelas longas divagações filosóficas com vocês. Obrigado. E lembrem-se, rapaziada: "Ser é sempre o ser do ser."

E, por fim, minha maravilhosa esposa, Fernanda Neute. Eu poderia encher uma página inteira com superlativos sobre essa mulher e o quanto ela significa para mim, e cada um deles seria verdade. Mas vou poupar tinta e papel — como ela preferiria — e ser breve. Obrigado pela graça do comprometimento e da autolimitação. Se eu puder algum dia não desejar mais nada, será pela simples razão de já ter você ao meu lado.

NOTAS

CAPÍTULO 1: A VERDADE DESCONFORTÁVEL

1. A. J. Zautra, *Emotions, Stress, and Health* (Nova York: Oxford University Press, 2003), páginas 15 a 22.

2. Não uso a palavra "esperança" neste livro da forma como ela é normalmente usada no meio acadêmico. A maior parte dos professores usa "esperança" para expressar uma sensação de otimismo: uma expectativa ou uma crença na possibilidade de resultados positivos. Essa definição é parcial e limitada. O otimismo até pode alimentar a esperança, mas não é a mesma coisa. Posso não ter expectativas de que algo melhor vá acontecer, mas ainda posso ter esperanças. E essa esperança ainda pode dar à minha vida sentido e propósito apesar de todas as evidências contrárias. Não, com "esperança" me refiro à motivação em direção a algo considerado valioso, que às vezes pode ser descrito como "propósito" ou "valor" na literatura acadêmica. Como resultado, para as minhas discussões sobre esperança, vou utilizar pesquisas baseadas em teorias sobre motivação e valores, e em muitos casos tentarei conjugá-las.

3. M. W. Gallagher e S. J. Lopez, "Positive Expectancies and Mental Health: Identifying the Unique Contributions of Hope and Optimism", *Journal of Positive Psychology* 4, n° 6 (2009): pp. 548-556.

4. Isso quase certamente é um exagero.

5. Veja Ernest Becker, *The Denial of Death* (Nova York: Free Press, 1973).

6. Será que eu posso me citar? Que se dane, vou me citar. Veja Mark Manson, "7 Strange Questions That Help You Find Your Life Purpose", 18 set 2014. Disponível em: <https://markmanson.net/life-purpose>. Acesso em: 14 mar. 2018.

7. Para mais dados sobre religiosidade e suicídios, veja Kanita Dervir, MD, et al., "Religious Affiliation and Suicide Attempt", *American Journal of*

Psychiatry 161, no. 12 (2004): pp. 2303–8. Para mais dados sobre religiosidade e depressão, veja Sasan Vasegh et al. "Religious and Spiritual Factors in Depression", *Depression Research and Treatment*, publicado on-line (em inglês) em 18 set. 2012, doi: 10.1155/2012/298056.

8. Estudos feitos em mais de 130 países mostram que, quanto mais rica uma nação se torna, mais a população tem dificuldade de lidar com sentimentos de sentido e propósito. Veja Shigehiro Oishi e Ed Diener, "Residents of Poor Nations Have a Greater Sense of Meaning in Life than Residents of Wealthy Nations", *Psychological Science* 25, n. 2 (2014): 422–430.

9. O pessimismo está presente em todo o mundo rico e desenvolvido. Em 2015, a empresa de dados sobre opinião pública YouGov fez uma pesquisa em dezessete países e perguntou às pessoas se elas achavam que o mundo estava ficando melhor, pior ou continuava o mesmo; menos de 10% das pessoas nos países mais ricos acreditavam que o mundo estava melhorando. Nos Estados Unidos, só 6% deu essa resposta. Na Austrália e na França, esse número só chegava a 3%. Veja Max Roser, "Good News: The World Is Getting Better. Bad News: You Were Wrong About How Things Have Changed", 15 ago. 2018, Fórum Econômico Mundial. Disponível em: <www.weforum.org/agenda/2018/08/good-news-the-world-is-getting-better-bad-news-you-were-wrong-about--how-things-have-changed>. Acesso em: 14 mar. 2019.

10. Os livros a que me refiro são: Pinker, *O novo iluminismo*: *Em defesa da razão, da ciência e do humanismo* (São Paulo: Companhia das Letras, 2018), e Rosling, *Factfulness: Ten Reasons We're Wrong About the World — And Why Things Are Better Than You Think* (Nova York: Flatiron Books, 2018). Dou uma leve alfinetada nesses autores, mas ainda assim os livros são excelentes e muito importantes.

11. Trata-se de uma brincadeira com o excelente artigo de Andrew Sullivan sobre o mesmo assunto. Veja Andrew Sullivan, "The World Is Better Than Ever. Why Are We Miserable?" *The Intelligencer*, 9 mar. 2018.

12. Max Roser e Esteban Ortiz-Ospina, "Global Rise of Education", publicado on-line em OurWorldInData.org, 2018. Disponível em: <https://ourworldindata.org/global-rise-of-education>. Acesso em: 14 mar. 2019.

13. Para um levantamento abrangente sobre a redução histórica da violência, o livro de Pinker é indispensável. Veja Pinker, *Os anjos bons da nossa*

natureza: Por que a violência diminuiu. São Paulo: Companhia das Letras, 2017.

14. Pinker, *O novo iluminismo*, páginas 214 a 232 da edição americana *Enlightenment Now*.

15. Ibid., páginas 199 a 213.

16. "Internet Users in the World by Regions, June 30, 2018", gráfico, InternetWorldStats.com. Disponível em: <www.internetworldstats.com/stats.htm>. Acesso em: 14 mar. 2019.

17. Diana Beltekian e Esteban Ortiz-Ospina, "Extreme Poverty Is Falling: How Is Poverty Changing for Higher Poverty Lines?" 5 mar. 2018, OurWorldInData.org. Disponível em: <https://ourworldindata.org/poverty-at--higher-poverty-lines>. Acesso em: 14 mar. 2019.

18. Pinker, *Os anjos bons da nossa natureza*, páginas 249 a 267 da edição americana *The Better Angels of Our Nature*.

19. Pinker, *Enlightenment Now*, páginas 53 a 61.

20. Ibid., páginas 79 a 96.

21. Vacinas provavelmente são o maior avanço da humanidade no último século. Um estudo descobriu que a campanha global de vacinação da WHO (World Immunization Week, ou Semana Mundial de Imunização) nos anos 1980 provavelmente evitou mais de vinte milhões de casos de doenças perigosas no mundo e economizou 1,53 trilhão de dólares com serviços de saúde. As únicas doenças já erradicadas até hoje só foram erradicadas por causa das vacinas. É em parte por isso que o movimento antivacinação é tão ultrajante. Veja Walter A. Orenstein e Rafi Ahmed, "Simply Put: Vaccinations Save Lives", *PNAS* 114, nº 16 (2017): pp. 4.031–33.

22. G. L. Klerman e M. M. Weissman, "Increasing Rates of Depression", *Journal of the American Medical Association* 261 (1989): 2.229–35. Veja também J. M. Twenge, "Time Period and Birth Cohort Differences in Depressive Symptoms in the U.S., 1982–2013", *Social Indicators Research* 121 (2015): 437–54.

23. Myrna M. Weissman, ph.D., Priya Wickramaratne, ph.D., Steven Greenwald, MA, et al., "The Changing Rates of Major Depression", *JAMA Psychiatry* 268, 21(1992): 3098–105.

24. C. M. Herbst, "'Paradoxical' Decline? Another Look at the Relative Reduction in Female Happiness", *Journal of Economic Psychology* 32 (2011): 773–88.

25. S. Cohen e D. Janicki-Deverts, "Who's Stressed? Distributions of Psychological Stress in the United States in Probability Samples from 1983, 2006, and 2009", *Journal of Applied Social Psychology* 42 (2012): 1.320–34.

26. Para uma análise assustadora e apaixonada da crise dos opiáceos que está destruindo a América do Norte, veja Andrew Sullivan, "The Poison We Pick", *New York Magazine*, fev. 2018. Disponível em: <http://nymag.com/intelligencer/2018/02/americas-opioid-epidemic.html>. Acesso em: 14 mar. 2018.

27. "New Cigna Study Reveals Loneliness at Epidemic Levels in America", Cigna's Loneliness Index, 1 maio 2018. Disponível em: <https://www.multivu.com/players/English/8294451-cigna-us-loneliness-survey/>. Acesso em: 14 mar. 2019.

28. O Edelman Trust Index descobriu uma queda contínua da confiança social em grande parte do mundo desenvolvido. Veja "The 2018 World Trust Barometer: World Report". Disponível em: <www.edelman.com/sites/g/files/aatuss191/files/2018-10/2018_Edelman_Trust_Barometer_Global_Report_FEB.pdf>. Acesso em: 14 mar. 2019.

29. Miller McPherson, Lynn Smith-Lovin e Matthew E. Brashears, "Social Isolation in America: Changes in Core Discussion Networks over Two Decades", *American Sociological Review* 71, no. 3 (2006): 353–75.

30. Países mais ricos, em média, têm taxas de suicídio mais altas do que países mais pobres. Os dados podem ser encontrados no site da Organização Mundial da Saúde, "Suicide Rates Data by Country". Disponível em: <http://apps.who.int/gho/data/node.main.MHSUICIDEASDR?lang=en>. Acesso em: 14 mar. 2019. O suicídio também é mais prevalente em bairros mais ricos. Veja Josh Sanburn, "Why Suicides Are More Common in Richer Neighborhoods", *Time*, 8 nov. 2012. Disponível em: <http://business.time.com/2012/11/08/why-suicides-are-more-common-in-richer-neighborhoods/>. Acesso em: 14 mar. 2019.

31. Cada uma dessas afirmações é verdade, inclusive.

NOTAS 243

32. Minha definição em três partes de esperança é um amálgama de teorias sobre motivação, valores e sentido. Consequentemente, meio que misturei alguns modelos acadêmicos para servir aos meus propósitos.

O primeiro é a teoria da autodeterminação, que postula que precisamos de três coisas para nos sentirmos motivados e satisfeitos na vida: autonomia, competência e parentesco. Juntei autonomia e competência sob o guarda-chuva do "autocontrole", e, por razões que ficarão claras no capítulo 4, reformulei o conceito de parentesco como "comunidade". O que falta na teoria da autodeterminação — ou melhor, o que fica implícito — é que existe algo pelo qual *vale se sentir motivado, que existe algo de valor no mundo que é real e merece ser perseguido. É aí que o terceiro componente da esperança entra: valores.*

Para uma sensação de valor ou propósito, eu me baseei no modelo de Roy Baumeister de "significância". Nesse modelo, precisamos de quatro coisas para sentir que nossa vida tem sentido: propósito, valores, eficiência e autovalor. Novamente, coloquei o conceito de "eficiência" sob o guarda-chuva de "autocontrole". Os outros três juntei sob a denominação "valores", coisas que acreditamos serem válidas e importantes e que nos fazem sentir melhor sobre nós mesmos. O capítulo 3 discutirá mais profundamente minha compreensão de valores. Para saber mais sobre a teoria da autodeterminação, veja R. M. Ryan e E. L. Deci, "Self-Determination Theory and the Facilitation of Intrinsic Motivation, Social Development, and Well-being", *American Psychologist* 55 (2000): 68–78. Para o modelo de Baumeister, veja Roy Baumeister, *Meanings of Life* (Nova York: Guilford Press, 1991), páginas 29 a 56.

CAPÍTULO 2: AUTOCONTROLE É UMA ILUSÃO

1. O caso de Elliot é adaptado de António Damásio, *O erro de Descartes: Emoção, razão e o cérebro humano* (São Paulo, Companhia das Letras, 2012), páginas 34 a 51 da edição *Descartes' Error: Emotion, Reason, and the Human Brain* (Nova York: Penguin Books, 2005). Elliot é o pseudônimo dado ao paciente por Damasio.

2. Este e muitos dos exemplos de sua vida familiar (jogos de beisebol do filho, *game shows* etc.) foram romanceados simplesmente para ilustrar a questão.

244   F*DEU GERAL

Não fazem parte do relato de Damásio e é provável que não tenham acontecido.

3. Na mesma fonte, página 38. Damásio usa o termo "livre-arbítrio", enquanto eu uso "autocontrole". Ambos podem ser encarados segundo a teoria da autodeterminação como busca por autonomia (veja Damásio, *O erro de Descartes*, capítulo 1, nota 32).

4. Waits fez a piada em 1977 no programa de televisão de Norman Lear, *Fernwood 2 Night*, mas não é de sua autoria. Ninguém sabe a real origem, e se você pesquisar na internet vai se perder num poço sem fundo de teorias. Há quem credite a piada à escritora Dorothy Parker, ou ao comediante Steve Allen. O próprio Waits diz não lembrar onde a ouviu. Também admitiu que não a inventou.

5. Em algumas das primeiras lobotomias frontais, de fato foram usados picadores de gelo. Walter Freeman, o maior defensor do procedimento nos Estados Unidos, só usou picadores de gelo até eventualmente desistir da ideia, já que muitos se quebravam e ficavam entalados na cabeça dos pacientes. Veja Hernish J. Acharya, "The Rise and Fall of Frontal Leucotomy", in W.A. Whitelaw, org., *The Proceedings of the 13th Annual History of Medicine Days* (Calgary: Universidade de Calgary, Faculdade de Medicina, 2004), páginas 32 a 41.

6. Sim, todos os neurocientistas deste livro se chamam António.

7. Gretchen Diefenbach, Donald Diefenbach, Alan Baumeister e Mark West, "Portrayal of Lobotomy in the Popular Press: 1935-1960", *Journal of the History of the Neurosciences* 8, nº 1 (1999): 60-69.

8. Havia uma teoria da conspiração bizarra entre os jornalistas nos anos 1970 de que Tom Waits fingia ser alcoólatra. Artigos e até livros inteiros foram escritos sobre isso. Embora seja altamente provável que exagerasse sua persona de "poeta errante" em nome da performance, há anos ele já fala abertamente de seu alcoolismo. Um exemplo recente foi uma entrevista em 2006 ao *The Guardian*, na qual disse: "Eu tinha um problema, um problema com álcool, que muita gente considera ossos do ofício. Minha esposa salvou minha vida." Veja Sean O'Hagan, "Off Beat", *The Guardian*, 28 out. 2006. Disponível em: <www.theguardian.com/music/2006/oct/29/popandrock1>. Acesso em: 18 de mar. 2019.

9. Xenofonte, *Memoráveis* (São Paulo: Annablume, 2011), livro 3, capítulo 9.

NOTAS 245

10. René Descartes, *The Philosophical Works of Descartes*, tradução Elizabeth S. Haldane e G.R.T. Ross (1637; repr. Nova York: Cambridge University Press – 1970), 1:101

11. Kant na verdade defendia que a razão era a raiz da moralidade e as paixões, mais ou menos irrelevantes. Para Kant, não interessava como você se sentisse, contanto que fizesse o certo. Mas a gente chega lá no capítulo 6. Veja Immanuel Kant, *Metafísica dos costumes* (1785; repr. São Paulo: Edipro, 2017).

12. Veja Sigmund Freud, *O mal-estar na civilização* (1930; repr. São Paulo: Companhia das Letras, 2011).

13. Sei disso porque infelizmente faço parte desta indústria. Sempre brinco que sou um "guru de autoajuda adepto do ódio-próprio". Fato é que considero grande parte dela uma furada e acho que a única forma de melhorar a vida não é se sentindo bem mas, na verdade, aprendendo a se sentir mal.

14. Grandes pensadores dividem a mente humana em duas ou três partes desde tempos imemoriais. Minha teoria dos "dois cérebros" é apenas um resumo dos conceitos destes pensadores originais. Platão dizia que a alma tinha três partes: a razão (o Cérebro Pensante), os desejos e o espírito (Cérebro Sensível). Hume, que todas as experiências eram impressões (Cérebro Sensível) ou ideias (Cérebro Pensante). Freud falava do ego (Cérebro Pensante) e do id (Cérebro Sensível). Mais recentemente, Daniel Kahneman e Amon Tversky desenvolveram seus dois sistemas, Sistema 1 (Cérebro Sensível) e Sistema 2 (Cérebro Pensante) ou, como Kahneman os chama em seu livro *Rápido e devagar – Duas formas de pensar* (Rio de Janeiro, Editora Objetiva, 2012), o cérebro "rápido" e o cérebro "lento".

15. A teoria da força de vontade como um músculo, também conhecida como "esgotamento do ego", no momento se encontra na berlinda no mundo acadêmico. Uma série de amplos estudos não conseguiram replicar o esgotamento do ego. Algumas metanálises registraram resultados significativos neste sentido enquanto outras não. Está tudo em suspenso.

16. Damásio, *Descartes' Error*, páginas 128 a 30.

17. Kahneman, *Rápido e devagar*, página 31.

246 F*DEU GERAL

18. Jonathan Haidt, *Uma vida que vale a pena: Ela está mais perto do que você imagina* (Rio de Janeiro: Campus Elsevier, 2006); páginas 2 a 5 da edição americana *The Happiness Hypothesis: Finding Modern Truth in Ancient Wisdom* (Nova York: Penguin Books, 2006). Haidt diz ter pegado a metáfora do elefante emprestada do Buda.

19. Esta analogia boba do Carro de Palhaço na verdade é bem eficiente para descrever como se formam relacionamentos tóxicos com narcisistas egoístas. Qualquer pessoa psicologicamente saudável, cuja mente não seja um Carro de Palhaço, saberá identificar um desses a mais de um quilômetro de distância e evitar contato com ele. Mas se você também é um Carro de Palhaço, a música de circo no seu carro o impedirá de escutar a música de circo dos demais. A você, tudo parecerá e soará normal. Você se envolverá com eles e achará que todos os Carros da Consciência saudáveis são chatos e desinteressantes, embarcando assim em um relacionamento tóxico após outro.

20. Alguns acadêmicos acreditam que Platão escreveu *A República* como uma resposta à turbulência e à violência políticas que haviam eclodido à época em Atenas. Veja *A República de Platão* (São Paulo: Editora Perspectiva, 2006); página xi da edição americana *The Republic of Plato*, trad. Allan Bloom (Nova York: Basic Books, 1968).

21. Muito da filosofia moral da cristandade vem de Platão, cujos trabalhos foram preservados pela Igreja, ao contrário do ocorrido com muitos filósofos antigos. De acordo com Stephen Greenblatt, em *A virada — O nascimento do mundo moderno* (São Paulo: Companhia das Letras, 2006), os primeiros cristãos se apegaram às ideias de Platão e Aristóteles porque ambos acreditavam que a alma era separada do corpo. Essa ideia coincidia com a crença cristã na vida após a morte. É também a ideia que gestou a Suposição Clássica.

22. Pinker, *The Better Angels of Our Nature*, páginas 4 a 18. O comentário sobre a mutilação dos testículos de alguém é floreio meu, claro.

23. Na mesma fonte, páginas 482 a 488.

24. O tão repetido mote de Woodstock e de grande parte do movimento do amor livre dos anos 1960 era "Se é gostoso, faça!". Este sentimento é a base de uma série de movimentos New Age e contraculturais de hoje em dia.

NOTAS 247

25. Um excelente exemplo de autoindulgência em nome da espiritualidade é apresentado no documentário original da Netflix *Wild, Wild Country* (2018), sobre o guru espiritual Bhagwan Shree Rajneesh (mais conhecido como Osho) e seus seguidores.

26. A melhor análise que já vi desta tendência entre os movimentos espirituais do século XX, a de confundir a satisfação de emoções individuais com algum tipo de despertar espiritual de maior significado, veio do brilhante autor Ken Wilber. Ele a chamava de a Falácia Pré/Trans, argumentando que, sendo as emoções pré-racionais e o despertar espiritual pós-racional, as pessoas costumam confundir um com o outro — pois ambos são não racionais. Veja Ken Wilber, *Eye to Eye: The Quest for a New Paradigm* (Boston, MA: Shambhala, Inc., 1983), páginas 180 a 221.

27. A. Aldao, S. Nolen-Hoeksema e S. Schweizer S., "Emotion-Regulation Strategies Across Psychopathology: A Meta-analytic Review", *Clinical Psychology Review 30* (2010): 217 a 37.

28. Olga M. Slavin-Spenny, Jay L. Cohen, Lindsay M. Oberleitner e Mark A. Lumley, "The Effects of Different Methods of Emotional Disclosure: Differentiating Post-traumatic Growth from Stress Symptoms", *Journal of Clinical Psychology 67*, nº 10 (2011): 993-1.007.

29. Esta técnica é conhecida como o princípio de Premack, batizado em homenagem ao psicólogo David Premack, e descreve o uso dos comportamentos preferidos como recompensas. Veja Jon E. Roeckelein, *Dictionary of Theories, Laws, and Concepts in Psychology* (Westport, CT: Greenwood Press, 1998), página 384.

30. Mais a respeito de "começar aos poucos" as mudanças comportamentais em "O princípio do faça alguma coisa", no meu livro anterior, *A sutil arte de ligar o f*da-se* (Rio de Janeiro: Editora Intrínseca, 2017), página 172.

31. Uma forma de pensar em "*guardrails*" para seu Carro da Consciência é desenvolvendo intenções de implementação, pequenos hábitos ao estilo se/ então que possam direcionar conscientemente seu comportamento. Veja P.M. Gollwitzer e V. Brandstaetter, "Implementation Intentions and Effective Goal Pursuit", *Journal of Personality and Social Psychology 73* (1997): 186 a 99.

32. Damásio, *Descartes' Error*, páginas 173 a 200.

248 F*DEU GERAL

33. Na filosofia, isso é chamado de guilhotina de Hume; "não se pode deduzir o que *deveria* do que é". Não se pode auferir valores a fatos. Não se pode extrair conhecimento do Cérebro Sensível do conhecimento do Cérebro Pensante. A guilhotina de Hume põe cientistas e filósofos a rodar em círculos há séculos. Há pensadores que tentam contrapô-la, ressaltando que é possível o conhecimento factual *sobre* valores — por exemplo, se creio ser o sofrimento um mal, minha crença é um fato *em si*, o que não implica dizer que minha crença é a verdade. Em outras palavras, pode-se ter fatos construídos a partir de valores, mas nunca valores construídos a partir de fatos.

CAPÍTULO 3: AS LEIS EMOCIONAIS DE NEWTON

1. As partes biográficas desse capítulo são ficção histórica.

2. Newton realmente escreveu isso em seu diário quando era adolescente. Veja James Gleick, *Isaac Newton* (Nova York: Vintage Books, 2003), página 13.

3. Nina Mazar e Dan Ariely, "Dishonesty in Everyday Life and Its Policy Implications", *Journal of Public Policy and Marketing* 25, nº 1 (primavera de 2006): 117–26.

4. Nina Mazar, On Amir e Dan Ariely, "The Dishonesty of Honest People: A Theory of Self-Concept Maintenance", *Journal of Marketing Research* 45, nº 6 (dez. 2008): 633–44.

5. Se você não conhece Newton ou não se lembra das aulas de física do colégio, Newton é o pai da física moderna. Se levarmos em consideração o impacto de suas descobertas, ele é provavelmente o pensador mais influente da história mundial. Entre as descobertas, suas principais ideias sobre a física (inércia, conservação de força etc.) foram descritas em suas Três Leis da Mecânica. Aqui, elaborei as Três Leis *Emocionais* de Newton, fazendo uma brincadeira com suas descobertas.

6. Veja Michael Tomasello, *A Natural History of Human Morality* (Cambridge, MA: Harvard University Press, 2016), páginas 78 a 81.

7. Damasio, *Descartes' Error*, páginas 172 a 189.

8. Ser passivo-agressivo é ruim para os relacionamentos porque esse comportamento não explicita a ocasião em que a pessoa vê uma lacuna moral.

NOTAS 249

Em vez disso, só abre outra lacuna. Dá para dizer que a raiz do conflito interpessoal está em percepções diferentes de lacunas morais. Você achou que eu estava sendo um babaca, mas eu achei que estava sendo legal. Por isso, cria-se um conflito. Mas a não ser que anunciemos abertamente nossos valores e o que cada um sentiu, nunca vamos equalizar ou restabelecer a esperança no relacionamento.

9. Esse é um exemplo de "motivação intrínseca", em que o simples prazer de fazer bem uma atividade, em vez de uma recompensa externa, motiva você a continuar fazendo. Veja Edward L. Deci e Richard M. Ryan, *Intrinsic Motivation and Self-Determination in Human Behavior* (Nova York: Plenum Press, 1985), páginas 5 a 9.

10. Podemos dizer que emoções negativas são baseadas na sensação de perda de controle, enquanto as emoções positivas se fundamentam na sensação de ter controle.

11. Tomasello, *A Natural History of Human Morality*, páginas 13 e 14.

12. Robert Axelrod, *The Evolution of Cooperation* (Nova York: Basic Books, 1984), páginas 27 a 54.

13. Isso também é de David Hume, *An Enquiry Concerning Human Understanding*, org. Eric Steinberg (1748; repr. Indianapolis, IN: Hackett Classics, 2ª org., 1993), Seção §3: "Da associação de ideias"; e Hume, *A Treatise on Human Nature*, livro 2: *Of the Passions*, partes 1 e 2.

14. Embora não seja invenção sua, preciso dar crédito ao psicólogo Jordan Peterson, que, em suas entrevistas e palestras, ajudou a popularizar o termo *hierarquia de valores* nos últimos anos.

15. Manson, *A sutil arte de ligar o f*da-se*, páginas 91 a 99.

16. Veja Martin E. P. Seligman, *Helplessness: On Depression, Development, and Death* (Nova York: Times Books, 1975).

17. Existe uma terceira alternativa: você pode se recusar a reconhecer a existência dessa lacuna moral. Pode-se chamar isso de perdão.

18. O interessante é que pessoas narcisistas vão inclusive *justificar* sua dor com declarações de superioridade. Já ouviu a frase "Eles me odeiam porque estão com inveja"? ou "Estão me atacando porque têm medo de mim"? ou

250   F*DEU GERAL

"Eles só não querem admitir que eu sou melhor"? O Cérebro Sensível coloca a autoestima de ponta-cabeça: nós não nos ferramos porque somos um lixo, mas porque somos ótimos! Então, o narcisista troca a sensação de que não merece nada pela sensação de que merece tudo.

19. Ironicamente, ele meio que tinha razão. O Tratado de Versalhes destruiu a economia da Alemanha e foi responsável por muitos dos problemas internos que permitiram que Hitler chegasse ao poder. O tipo de mensagem que ele passava, "eles nos odeiam porque somos incríveis", sem dúvida tocou o povo sofrido do país.

20. Estou me referindo a Elliot Rodger, que postou um vídeo assustador no YouTube antes de ir até o local do massacre.

21. Autoestima é uma ilusão porque todos os valores são ilusórios e baseados em fé (veja o capítulo 4 para uma discussão mais aprofundada) e porque o "self" é em si uma ilusão. Para uma discussão sobre essa segunda ideia, veja Sam Harris, *Despertar: Um guia para a espiritualidade sem religião* (São Paulo: Companhia das Letras, 2015); páginas 81 a 116 da edição americana *Waking Up: A Guide to Spirituality Without Religion* (Nova York: Simon and Schuster, 2014).

22. David Foster Wallace fala desse "controle padrão" da consciência em seu incrível discurso "This is Water". Veja David F. Wallace, *This is Water: Some Thoughts, Delivered on a Significant Occasion, About Living a Compassionate Life* (Nova York: Little, Brown and Company, 2009), páginas 44 e 45.

23. Isso é popularmente conhecido como o efeito Dunning-Kruger, batizado em homenagem aos dois pesquisadores que o descobriram. Veja Justin Kruger e David Dunning, "Unskilled and Unaware of It: How Difficulties in Recognizing One's Own Incompetence Lead to Inflated Self-Assessments", *Journal of Personality and Social Psychology* 77, nº 6 (1999): 1.121–34.

24. Max H. Bazerman e Ann E. Tenbrunsel, *Blind Spots: Why We Fail to Do What's Right and What to Do About It* (Princeton, NJ: Princeton University Press, 2011).

25. Isso é conhecido como o efeito do falso consenso. Veja Thomas Gilovich, "Differential Construal and the False Consensus Effect", *Journal of Personality and Social Psychology* 59, nº 4 (1990): 623–34.

NOTAS 251

26. Um alô para o falecido pintor e apresentador de TV Bob Ross, que sempre dizia: "Não existem erros, só acidentes felizes."

27. Isso é conhecido como assimetria ator-observador e explica por que todo mundo é babaca. Veja Edward Jones e Richard Nisbett, *The Actor and the Observer: Divergent Perceptions of the Causes of Behavior* (Nova York: General Learning Press, 1971).

28. Em linhas gerais, quanto mais dor experimentamos, maior a lacuna moral, e quanto maior a lacuna moral, mais desumanizamos a nós mesmos e/ou aos outros. Quanto mais fazemos isso, maior é a facilidade de justificar na hora de causar sofrimento a nós mesmos ou aos outros.

29. A resposta saudável seria (c), "alguns garotos são péssimos", mas quando estamos sentindo uma dor extrema, nosso Cérebro Sensível gera sentimentos igualmente extremos sobre categorias inteiras e nem sempre consegue fazer essas distinções.

30. Obviamente, existem muitas variáveis em jogo aqui: os valores anteriores da garota, sua autoestima, a natureza do término, a capacidade dela de criar intimidade, sua idade e etnia, seus valores culturais, e por aí vai.

31. Em 2016, um estudo de modelo computadorizado descobriu que existem seis tipos de história: ascensão (da pobreza à riqueza), queda (da riqueza à pobreza), ascensão e depois queda (Ícaro), queda e depois ascensão (homem no buraco), ascensão e depois queda e depois ascensão (Cinderela), queda e depois ascensão e depois queda (Édipo). Todas são alternativas da mesma experiência boa/ruim mais merecimento bom/ruim. Veja Adrienne LaFrance, "The Six Main Arcs in Storytelling, as Identified by an A.I.," *The Atlantic*, 12 jul. 2016. Disponível em: < www.theatlantic.com/technology/archive/2016/07/the-six-main-arcs-in-storytelling-identified-by-a-computer/490733/>. Acesso em: 20 mar. 2019.

32. O campo da psicologia está no meio de uma "crise de replicabilidade", ou seja, uma grande porcentagem das descobertas importantes não consegue ser replicada em experimentos subsequentes. Veja Ed Yong, "Psychology's Replication Crisis Is Running Out of Excuses", *The Atlantic*, 18 nov. 2018. Disponível em: < www.theatlantic.com/science/archive/2018/11/psychologys-replication-crisis-real/576223>. Acesso em: 20 mar. 2019.

252 F*DEU GERAL

33. Divisão de Prevenção da Violência, "The Adverse Childhood Experiences (ACE) Study", National Center for Injury Prevention and Control, Centers for Disease Control and Prevention, Atlanta, GA, maio 2014. Disponível em: <www.cdc.gov/violenceprevention/acestudy/index.html>.

34. O Newton da vida real era na verdade um completo babaca e vingativo. E, sim, era um ermitão também. Aparentemente, morreu virgem. Os registros sugerem que ele provavelmente se orgulhava desse fato.

35. Foi isso que Freud incorretamente identificou como repressão. Segundo ele, passamos a vida reprimindo memórias dolorosas de infância, e, ao trazê-las de volta à consciência, conseguimos liberar as emoções negativas acumuladas dentro de nós. Só que relembrar traumas passados não ajuda muito. Inclusive, a maioria dos terapeutas hoje em dia se concentra menos no passado e mais em aprender como lidar com emoções futuras.

36. As pessoas muitas vezes confundem nossos valores básicos com a nossa personalidade e vice-versa. A personalidade é basicamente imutável. De acordo com o modelo dos "Cinco Grandes", a personalidade de alguém consiste essencialmente em cinco traços: extroversão, conscienciosidade, agradabilidade, neuroticismo e abertura a novas experiências. Nossos valores básicos são julgamentos feitos no início da vida, baseados parcialmente na personalidade. Por exemplo, eu posso ser muito aberto a novas experiências, o que me inspira a valorizar a curiosidade desde cedo. Esse valor inicial entrará em jogo em experiências posteriores, criando valores relacionados a ele. Valores básicos são difíceis de alcançar e mudar. A personalidade só pode ser alterada ligeiramente, se muito. Para saber mais sobre o modelo de personalidade "Big Five", veja Thomas A. Widiger, org., *The Oxford Handbook of the Five Factor Model* (Nova York: Oxford University Press, 2017).

37. William Swann, Peter Rentfrow e Jennifer Sellers, "Self-verification: The Search for Coherence", *Handbook of Self and Identity* (Nova York: Guilford Press, 2003), páginas 367 a 83.

38. A bobagem da lei da atração que existe na autoajuda há séculos. Para uma crítica completa desse tipo de idiotice, veja Mark Manson, "The Staggering Bullshit of 'The Secret'", MarkManson.net, 26 fev. 2015. Dis-

ponível em: <https://markmanson.net/the-secret>. Acesso em: 20 mar. 2019.

39. A habilidade de se lembrar de experiências passadas e projetar experiências futuras só ocorre com o desenvolvimento do córtex pré-frontal (o nome neurológico para o Cérebro Pensante). Veja Y. Yang e A. Raine, "Prefrontal Structural and Functional Brain Imaging Findings in Antisocial, Violent, and Psychopathic Individuals: A Meta-analysis", *Psychiatry Research* 174, n° 2 (nov. 2009): 81–88.

40. Jocko Willink, *Discipline Equals Freedom: Field Manual* (Nova York: St. Martin's Press, 2017), páginas 4 a 6.

41. Martin Lea e Steve Duck, "A Model for the Role of Similarity of Values in Friendship Development", *British Journal of Social Psychology* 21, n° 4 (nov. 1982): 301–10.

42. Essa metáfora basicamente diz que, quanto mais valor damos a uma coisa, menos dispostos estamos a questionar ou mudar esse valor, e portanto mais doloroso é quando ele nos decepciona.

43. Freud chamava isso de "narcisismo da pequena diferença", e observou que em geral era em grupos de pessoas que tinham mais em comum que os integrantes sentiam mais ódio uns pelos outros. Veja Sigmund Freud, *Civilization and Its Discontents*, trad. David McLintock (1941; repr. Nova York: Penguin Books, 2002), páginas 50 e 51.

44. Tomasello, *A Natural History of Human Morality*, páginas 85 a 93.

45. Essa ideia é conhecida como "geografia cultural". Para uma discussão fascinante sobre o assunto, veja Jared Diamond, *Armas, germes e aço: Os destinos das sociedades humanas* (Rio de Janeiro: Record, 2001), tradução da edição americana *Guns, Germs and Steel: The Fates of Human Societies* (Nova York: W. W. Norton and Company, 1997).

46. Tomasello, *A Natural History of Human Morality*, páginas 114 a 15.

47. Ou, como o teórico militar Carl von Clausewitz colocou: "A guerra é a continuação da política por outros meios."

48. As Leis da Mecânica verdadeiras de Isaac Newton também ficaram juntando poeira por vinte anos até que ele decidisse mostrá-las para alguém.

254   F*DEU GERAL

CAPÍTULO 4: COMO FAZER TODOS OS SEUS SONHOS SE TORNA-REM REALIDADE

1. Gustave Le Bon, *Psicologia das multidões* (1896, repr. São Paulo — WMF Martins Fontes, 2016); página 14 da edição Americana *The Crowd: A Study of the Popular Mind* (1896; repr. Nova York: Dover Publications, 2002).

2. Jonathan Haidt chama este fenômeno de hipótese da colmeia. Veja Jonathan Haidt, *The Righteous Mind: Why Good People Are Divided by Politics and Religion* (Nova York: Vintage Books, 2012), páginas 261 a 270.

3. Le Bon, *The Crowd*, páginas 24 a 29.

4. Barry Schwartz e Andrew Ward, "Doing Better but Feeling Worse: The Paradox of Choice", em P. Alex Linley e Stephen Joseph, *Positive Psychology in Practice* (Hoboken, NJ: John Wiley and Sons, 2004), páginas 86 a 103.

5. O desenvolvimento do cérebro adolescente não para na casa dos vinte anos, sobretudo o das partes responsáveis pelo funcionamento executivo. Veja S.B. Johnson, R.W. Blum e J.N. Giedd, "Adolescent Maturity and the Brain: The Promise and Pitfalls of Neuroscience Research in Adolescent Health Policy", *Journal of Adolescent Health: Official Publication of the Society for Adolescent Medicine* 45, nº 3 (2009): 216 a 221.

6. S. Choudhury, S.J. Blakemore e T. Charman, "Social Cognitive Development During Adolescence", *Social Cognitive and Affective Neuroscience 1*, nº 3 (2006): 165-174.

7. Este trabalho de definição de identidade é o projeto mais importante de adolescentes e jovens adultos. Veja Erik H. Erikson, *Infância e sociedade* (Rio de Janeiro: Editora Zahar, 1976); páginas 261 a 265 da edição americana *Childhood and Society* (Nova York: W. W. Norton and Company, 1963).

8. Minha impressão é que pessoas como LaRouche não exploram os outros conscientemente. O mais provável é que o próprio LaRouche esteja psicologicamente empacado em um nível adolescente de maturidade que o leva a se engajar em causas adolescentes e a procurar outros adolescentes perdidos. Veja capítulo 6.

9. Este diálogo é uma aproximação baseada nas minhas lembranças. Isso faz quinze anos, então é óbvio que não me lembro exatamente do que foi dito.

NOTAS 255

10. Resolvi procurar a origem da citação de Sagan e acabei descobrindo que, como muitas citações tiradas da internet, aquela era de outra pessoa, e dita cinquenta anos antes de Sagan. Aparentemente o primeiro registro é o do professor Walter Kotschnig, em 1940. Veja <https://quoteinvestigator. com/2014/04/13/open-mind/>. Acesso em: 21 mar. 2019.

11. Eric Hoffer, *Fanatismo e movimentos de massa* (Rio de Janeiro: Editora Lidador, 1968); páginas 3 a 11 da edição americana *The True Believer: Thoughts on the Nature of Mass Movements* (Nova York: Harper Perennial, 1951).

12. Na mesma fonte, páginas 16 a 21.

13. Na mesma fonte, páginas 26 a 45.

14. O interessante sobre Jesus é que os registros históricos sugerem que ele provavelmente começou como um extremista político, tentando liderar um levante contra a ocupação de Israel pelo Império Romano. Somente após sua morte a religião ideológica criada por ele se transmutou em algo mais espiritual. Veja Reza Aslan, *Zelota: A vida e a época de Jesus de Nazaré* (Rio de Janeiro: Zahar, 2013).

15. Esta noção deriva das ideias de Karl Popper sobre falsificabilidade. Popper, com base no trabalho de David Hume, basicamente disse que, não importa quantas vezes algo tenha ocorrido no passado, não há qualquer *garantia* lógica de que vá ocorrer de novo no futuro. Muito embora o Sol nasça a leste e se ponha a oeste todos os dias há milhares de anos e ninguém jamais tenha visto ocorrer o contrário, isso não *prova* que o Sol nascerá a leste amanhã. Só torna muito provável. Popper defendia que a única verdade empírica ao nosso alcance se daria não pela via da experimentação, mas da falsificabilidade. Nada pode ser provado, apenas *refutado*. Portanto, até mesmo algo mundano e óbvio como o Sol nascer a leste e se pôr a oeste ainda é uma crença baseada, em alguma medida, em fé, muito embora seja quase inteiramente certo de ocorrer sempre. As ideias de Popper são importantes porque demonstram por meio da lógica que mesmo fatos científicos dependem de um tantinho de fé. É possível repetir uma experiência um milhão de vezes e obter sempre o mesmo resultado, mas isso não garante que ela vai se repetir na vez seguinte. Em algum momento, passamos a nos fiar na crença de que aquilo continuará a ocorrer já que os resultados são estatisticamente significativos a ponto de ser loucura não crer neles. Mais a respeito das ideias

de Popper sobre falsificação em Karl Popper, *A lógica da pesquisa científica* (1959, repr. São Paulo: Editora Cultrix, 2013). O que acho interessante é a possibilidade de que doenças mentais indutoras de delírios, alucinações e que tais sejam fundamentalmente disfunções de fé. A maioria de nós dá por garantido o Sol nascer a leste e as coisas caírem no chão a determinada velocidade, sem a menor chance de sairmos flutuando porque a gravidade resolveu fazer uma pausa para um cafezinho. Mas uma mente com dificuldade de criar e sustentar fé no que quer que seja seria, em tese, torturada por estas possibilidades o tempo todo e acabaria enlouquecendo.

16. A fé também parte do pressuposto da realidade de toda essa merda e de que não somos apenas um cérebro num tanque imaginando todas as nossas percepções sensoriais — um cenário que os filósofos adoram. Para mergulhar de um jeito divertido na questão de ser ou não possível saber se algo de fato existe, veja *Meditações sobre filosofia primeira*, de René Descartes.

17. A palavra *ateísmo* pode significar uma série de coisas. Aqui, uso-a simplesmente para ressaltar que todos nós precisamos aceitar crenças e valores baseados na fé, ainda que não sejam no sobrenatural. Veja John Gray, *Seven Types of Atheism* (Nova York: Farrar, Straus and Giroux, 2018).

18. David Hume, *Tratado da natureza humana*. Hume escreve que "todo o conhecimento degenera em probabilidades; e estas probabilidades são maiores ou menores de acordo com nossas experiências da veracidade ou falsidade de nossa compreensão e de acordo com a simplicidade ou complexidade da questão" (1739, parte 4, seção 1).

19. Um valor-deus não é a mesma coisa que o "vazio do tamanho de Deus" de Pascal. Ele acreditava que, sendo os desejos do ser humano insaciáveis, apenas algo infinito poderia suprir esse vazio — e isso seria Deus. Um valor-Deus é diferente no sentido de ser apenas o ponto mais alto da hierarquia de valores de alguém. É possível sentir-se infeliz e oco e ainda assim possuir um valor-Deus. Aliás, é provável que seja esta a causa da infelicidade e do vazio.

20. Para uma discussão mais aprofundada sobre o quanto valores-Deus superficiais como o dinheiro afetam nossas vidas, veja M. Manson, "How We Judge Others Is How We Judge Ourselves", MarkManson.net, 9 de janeiro de 2014. Disponível em: <https://markmanson.net/how-we-judge-others>. Acesso em: 21 mar. 2019.

NOTAS 257

21. Como dinheiro, governo ou etnia, o "self" também é uma construção mental arbitrária baseada em fé. Não há prova da existência factual da sua experiência de "você". Ela é meramente o nexo da experiência consciente, uma interconexão entre juízo e sensibilidade. Veja Derek Parfit, *Reasons and Persons* (Cambridge, Reino Unido: Cambridge University Press, 1984), páginas 199 a 280.

22. Há uma série de formas para se descrever vínculos doentios com outra pessoa, mas escolhi o termo "codependência" por ser amplamente utilizado. A palavra deriva dos Alcoólicos Anônimos (AA). Alcoólatras observaram que o vício na bebida se assemelhava ao vício de amigos e familiares em oferecer apoio e cuidar deles. Os alcoólatras dependiam do álcool para se sentirem bem e normais, e os amigos e familiares eram "codependentes", pois sua autoimagem dependia do vício do alcoólatra. Desde então, a palavra passou a ser mais difundida — basicamente, qualquer pessoa que "se vicie" em dar apoio ou em receber validação de alguém pode ser descrita como codependente. Codependência é uma estranha forma de adoração onde se põe uma pessoa num pedestal, tornando-a o centro do seu mundo, a base de seus pensamentos e sentimentos e a raiz de sua autoestima. Em outras palavras, a outra pessoa se torna seu valor-Deus. Infelizmente, isso leva a relacionamentos extremamente destrutivos. Veja *Codependência nunca mais — Pare de controlar os outros e cuide de você mesmo* (São Paulo: Editora Viva Livros, 2013), e Timmen L. Cermak MD, *Diagnosing and Treating Co-Dependence: A Guide for Professionals Who Work with Chemical Dependents, Their Spouses, and Children* (Center City, MN: Hazelden Publishing, 1998).

23. Veja a discussão sobre a "guilhotina de Hume" na nota 33 do capítulo 2.

24. A Peste Negra matou de 100 a 200 milhões de pessoas na Europa no século XIV, reduzindo a população em 30% a 60%.

25. Isto é uma referência à infame Cruzada das Crianças de 1212, que, por escassez de fontes, é vista por alguns estudiosos como um evento contado de forma romanceada. Após múltiplas tentativas fracassadas de retomar a Terra Santa dos muçulmanos, os cristãos enviaram dezenas de milhares de crianças para a Itália como voluntárias, de onde partiram rumo à Terra Santa para converter muçulmanos pacificamente. Um líder carismático prometeu às crianças que o mar se abriria quando chegassem ao Mediterrâneo, possibilitando que caminhassem até Jerusalém. Alerta de spoiler:

258 F*DEU GERAL

não se abriu. O que ocorreu, em vez disso, foi que navios mercantes reuniram as crianças e as levaram até a Tunísia, onde a maior parte delas foi vendida como escrava.

26. Curiosamente, pode-se dizer que o dinheiro foi inventado como forma de quantificar e vigiar as lacunas morais entre as pessoas. Inventamos o conceito de dívida para justificar nossas lacunas morais — eu lhe fiz este favor e agora você me deve algo — e o dinheiro como uma maneira de rastrear e administrar essas dívidas nos mais variados campos de uma sociedade. Isso se chama "teoria do crédito" do dinheiro, proposta originalmente por Alfred Mitchell Innes em 1913, num artigo intitulado "O que é o dinheiro?". Mais a respeito de Mitchell Innes e da teoria do crédito em David Graeber, *Dívida — Os primeiros 5.000 anos* (Rio de Janeiro: Editora Três Estrelas, 2016), páginas 46 a 52 da edição americana *Debt: The First 5,000 Years, Updated and Expanded Edition* (2011; repr. Brooklyn, NY: Melville House Publishing, 2014). Para uma interessante discussão sobre a importância da dívida em nossa estrutura social, veja Margaret Atwood, *Payback — A dívida e o lado sombrio da riqueza* (Rio de Janeiro: Editora Rocco, 2009).

27. Ok, essa história das etnias é um pouco polêmica. *Existem* diferenças biológicas secundárias entre populações de ascendências distintas, mas diferenciar pessoas com base nelas também é um ato arbitrário pautado pela fé. Por exemplo, quem vai afirmar que todas as pessoas de olhos verdes não sejam em si de uma mesma etnia? Pois é. Ninguém. No entanto, se algum rei tivesse encasquetado centenas de anos atrás que gente de olhos verdes era uma raça diferente e merecia ser tratada de forma horrível, hoje em dia é provável que estivéssemos atolados em questões políticas referentes a "olhismo".

28. Tipo o que eu estou fazendo neste livro, sabe como é.

29. Provavelmente vale a pena mencionar que há uma crise de replicabilidade em curso nas ciências sociais. Não é possível replicar consistentemente muitas das grandes "descobertas" da psicologia, da economia ou mesmo da medicina. Portanto, ainda que pudéssemos administrar facilmente a complexa tarefa de medir populações humanas, continuaria a ser incrivelmente difícil encontrar evidências empíricas consistentes de que uma variável teve influência desproporcional sobre outra. Veja Ed Yong, "Psychology's Replication Crisis is Running Out of Excuses", *The Atlantic*, 19 nov. 2018. Dis-

NOTAS 259

ponível em: <www.theatlantic.com/science/archive/2018/11/psychologys-replication-crisis-real/576223/>. Acesso em 21 mar. 2019

30. Sempre fui fascinado pela forma como, de heróis, atletas viram vilões e depois heróis novamente. Tiger Woods, Kobe Bryant, Michael Jordan e Andre Agassi eram todos semideuses na mente das pessoas. Todos viraram párias depois de vir à tona algum comportamento inapropriado. Isso tem a ver com o que mencionei no capítulo 2 sobre superioridade/inferioridade virar do avesso facilmente já que o que permanece igual é a magnitude da lacuna moral. Seja o Kobe Bryant herói ou vilão, o que não muda é a intensidade de nossa reação emocional a ele. E esta é causada pelo tamanho da lacuna moral sentida.

31. Preciso mencionar Yuval Noah Harari e seu brilhante livro *Sapiens: Uma breve história da humanidade* (Porto Alegre: L&PM, 2015) pela descrição de governos, instituições financeiras e outras estruturas sociais como sistemas míticos que existem tão somente graças às crenças compartilhadas por uma população. Harari foi o primeiro a sintetizar muitas destas ideias e estou apenas indo na onda dele. O livro inteiro vale a leitura.

32. A propensão a criar pares e o altruísmo recíproco são duas estratégias evolutivas que vêm à tona na consciência sob a forma de ligações emocionais.

33. A definição de "experiência espiritual" que mais aprecio é a de experiência transegoica — no sentido de a identidade e a percepção do "self" transcenderem nossos corpos e consciências, expandindo-se ao ponto de incluir toda a realidade observável. Experiências transegoicas podem ser atingidas numa série de formatos: drogas psicodélicas, meditação intensa por longos períodos e momentos de amor e paixão extremas. Nestes estados elevados, "fundimo-nos" ao parceiro, experimentamos a sensação de ser um só, atingindo temporariamente o estado transegoico. Esta "fusão" com outra pessoa (ou com o universo) é a razão de experiências espirituais serem frequentemente percebidas como "amor", já que representam tanto a renúncia à identidade do ego quanto a aceitação incondicional de alguma entidade superior. Para uma explicação interessante a partir da psicologia junguiana, veja Ken Wilber, *No Boundary: Eastern and Western Approaches to Personal Growth* (1979; repr. Boston, MA: Shambhala, 2001).

260 F*DEU GERAL

34. À medida que uma nação se industrializa, a religiosidade despenca. Veja Pippa Norris e Ronald Inglehart, *Sacred and Secular: Religion and Politics Worldwide*, segunda edição (2004, repr. Nova York: Cambridge University Press, 2011), páginas 53 a 82.

35. René Girard, *Coisas ocultas desde a fundação do mundo* (Rio de Janeiro: Editora Paz e Terra, 2009), páginas 23 a 30 da edição americana *Things Hidden Since the Foundation of the World*, trad. Stephen Bann e Michael Metteer (repr. 1978; Stanford, CA: Stanford University Press, 1987).

36. Da mesma forma que a ciência é uma religião adoradora de evidências, o humanismo pode ser visto como a adoração ao "meio-termismo" de todos os povos — a inexistência de gente inerentemente boa ou má. Nas palavras de Aleksandr Solzhenitsyn, "a linha que separa o bem do mal corta o coração de cada ser humano".

37. Infelizmente, tais teorias de conspiração ainda vicejam nos Estados Unidos.

38. Estou dramatizando um pouco, mas sacrifícios humanos de fato ocorriam em praticamente todas as principais civilizações antigas e pré-históricas de que se tem notícia. Veja Nigel Davies, *Human Sacrifice in History and Today* (Nova York: Hippocrene Books, 1988).

39. Para uma discussão interessante a respeito de culpa inata e do papel do sacrifício humano, veja Ernest Becker, *Escape from Evil* (Nova York: Freedom Press, 1985).

40. Freud, *O mal-estar na civilização*: páginas 14 a 15 da edição americana *Civilization and Its Discontents*.

41. Na mesma fonte, página 18.

42. Manson, *A sutil arte de ligar o f*da-se*, páginas 23 a 29

43. E. O. Wilson, *Da natureza humana* (São Paulo: Edusp, 1981); páginas 169 a 192 da edição americana *On Human Nature* (1978; repr. Cambridge, MA: Harvard University Press, 2004).

44. Nossas habilidades de raciocínio desmoronam quando somos confrontados com questões de forte carga emocional (isto é, aquelas relativas a nossos valores mais básicos). Veja Vladimíra Cavojová, Jakub Skrol

NOTAS   261

e Magdalena Adamus, "My Point Is Valid; Yours Is Not: My-Side Bias in Reasoning About Abortion", *Journal of Cognitive Psychology 30*, nº 7 (2018): 656-659.

45. Aliás, talvez seja um merda ainda pior. Pesquisas mostram que quanto mais bem informado e culto um indivíduo é, maior é a polarização política que transparece em suas opiniões. Veja T. Palfrey e K. Poole, "The Relationship Between Information, Ideology, and Voting Behavior", *American Journal of Political Science 31*, nº 3 (1987): 511-530.

46. Esta ideia foi inicialmente publicada em F.T. Cloak Jr., "Is a Cultural Ethology Possible?", *Human Ecology 3*, nº 3 (1975): 161-182. Para uma discussão menos acadêmica, veja Aaron Lynch, *Thought Contagion: How Beliefs Spread Through Society* (Nova York: Basic Books, 1996), páginas 97 a 134.

CAPÍTULO 5: TER ESPERANÇA É FODA

1. A primeira vez que Nietzsche anunciou a morte de Deus foi em 1882, no livro *A gaia ciência*, mas a citação é em geral associada a *Assim falou Zaratustra*, que foi lançado em quatro partes entre 1883 e 1885. Depois da terceira parte, todas as editoras se recusaram a trabalhar no projeto, e por isso Nietzsche teve que juntar dinheiro para lançar a última de forma independente. Foi esse o livro que vendeu menos de quarenta exemplares. Veja Sue Prideaux, *I Am Dynamite!: A Life of Nietzsche* (Nova York: Tim Dugan Books, 2018), páginas 256 a 260.

2. Tudo que é dito por Nietzsche neste capítulo é uma citação real do seu trabalho. Esta frase vem de F. Nietzsche, *Além do bem e do mal* (São Paulo: Companhia de Bolso, 2005), página 92 da edição americana *Beyond Good and Evil*, trad. Walter Kaufmann (1887; repr. Nova York: Vintage Books, 1963).

3. A história de Nietzsche e Meta é livremente baseada em seus verões com algumas mulheres (as outras foram Helen Zimmern e Resa von Schirnhofer) em 1886 e 1887. Veja Julian Young, *Friedrich Nietzsche – uma biografia filosófica* (trad. Marisa Motta. Rio de Janeiro: Editora Forense, 2013); páginas 388 a 400 da edição inglesa *Friedrich Nietzsche: A Philosophical Biography* (Cambridge: Cambridge University Press, 2010).

262   F*DEU GERAL

4. Friedrich Nietzsche, *Ecce homo* (trad. Paulo César de Souza. São Paulo: Companhia de Bolso, 2008); página 39 da edição americana *Ecce Homo* (1890; trad. R.J. Hollingdale, repr. Nova York: Penguin Classics, 1979).

5. Alguns antropólogos chegam a chamar a agricultura, por conta de sua inevitável tendência a criar desigualdade e estratificação social, "o maior erro da história humana". Veja o famoso ensaio de Jared Diamond "The Worst Mistake in the History of the Human Race", *Discover*, maio 1987. Disponível em: <http://discovermagazine.com/1987/may/02-the-worst-mistake-in-the-history-of-the-human-race>. Acesso em: 22 mar. 2019.

6. A descrição inicial de Nietzsche das moralidades do mestre e do escravo vem de *Beyond Good and Evil*, páginas 204 a 237. Ele se dedica mais a cada moralidade em *Genealogia da moral* (1887). O segundo ensaio em *Genealogia da moral* (*On the Genealogy of Morality*. Nova York: Penguin Classics, 2014) foi aquele em que tive contato pela primeira vez com o conceito de "lacuna moral" discutido no capítulo 3. Nietzsche argumenta que cada uma de nossas moralidades individuais é baseada em um senso de dívida.

7. Haidt, *The Righteous Mind*, páginas 182 a 189.

8. Richard Dawkins, *O gene egoísta* (São Paulo: Companhia das Letras, 2007), páginas 189 a 200 da edição inglesa *The Selfish Gene: 30th Anniversary Edition* (Oxford: Oxford University Press, 2006).

9. É interessante que a maior parte das religiões politeístas não tinha essa obsessão com conversão, comum nas principais religiões monoteístas. Os gregos e romanos ficavam mais que à vontade em deixar as culturas locais seguirem as próprias crenças. Foi só com a moralidade do escravo que as Cruzadas religiosas começaram, provavelmente porque religiões com moralidade do escravo não conseguem lidar com culturas de crenças diferentes. A moralidade do escravo exige que o mundo seja igual e, por isso, ela converte tudo aquilo que destoa. Essa é a paradoxal tirania de qualquer sistema de crença de extremista. Quando a igualdade se torna o valor-deus, as diferenças de crenças não podem ser respeitadas. A única maneira de destruir a diferença de crença é pelo totalitarismo.

10. Veja Pinker, *Enlightenment Now*, páginas 7 a 28.

NOTAS 263

11. Meu principal problema com o livro de Pinker é que ele une revolução científica com Iluminismo filosófico. A revolução científica é anterior ao Iluminismo e independente das crenças humanistas deste. Por isso me certifiquei de apontar que a *ciência*, não as ideologias ocidentais, foi a melhor coisa que já aconteceu na história da humanidade.

12. Estimativas do crescimento do PIB per capita feitas pelo autor a partir de dados de Angus Maddison, *The World Economy: A Millennial Perspective*, Organisation for Economic Co-operation and Development (OECD), 2006, página 30.

13. Existem evidências de que a população torna-se mais religiosa imediatamente após tragédias naturais. Veja Jeanet Sinding Bentzen, "Acts of God? Religiosity and Natural Disasters Across Subnational World Districts," University of Copenhagen Department of Economics Discussion Paper Nº. 15-06, 2015. Disponível em: <http://web.econ.ku.dk/bentzen/ActsofGodBentzen.pdf>. Acesso em 26 mar. 2019.

14. Não há registro escrito do que Nietzsche pensava sobre o comunismo, mas ele certamente tinha ciência de sua existência, e considerando seu sentimento em relação à moralidade do escravo em geral, é provável que fosse contra. Suas crenças sobre esse assunto há muito são encaradas, de forma equivocada, como precursoras do nazismo, mas Nietzsche odiava o nacionalismo alemão que surgia naquela época e brigou seriamente com vários amigos (inclusive Wagner). A irmã e o cunhado de Nietzsche eram nacionalistas fervorosos e antissemitas. Ele considerava ambas as posturas estúpidas e ofensivas, e disse isso a eles. Na verdade, sua visão globalista do mundo era rara e radical à época. Ele acreditava fortemente no valor dos atos de cada pessoa e nada mais — nenhum sistema, nenhuma raça, nenhuma nacionalidade importava. Quando sua irmã lhe disse que estava se mudando para o Paraguai com o marido para fundar a Nova Germânia, uma nova sociedade com pessoas de sangue alemão puro, dizem que ele riu tanto da cara dela que os dois ficaram sem se falar por anos. Por isso é trágico (e irônico) que seus trabalhos tenham sido cooptados e mal interpretados pela ideologia nazista depois de sua morte. Sue Prideaux faz um relato chocante de como sua filosofia foi corrompida e do processo lento, de mais de cinquenta anos, para que seja lida como merece. Veja Prideaux, *I Am Dynamite!*, páginas 346 a 381.

264 F*DEU GERAL

15. A filosofia budista descreveria esses ciclos de criação e destruição de esperança como *samsara*, que é gerado e perpetuado graças ao nosso apego a valores mundanos e passageiros. Buda ensinou que a natureza fundamental da nossa psicologia é *dukkha*, um conceito intraduzível que pode ser compreendido como "insatisfação". Ele avisou que as insatisfações humanas nunca serão saciadas e que buscar resolver essas insatisfações é fonte de sofrimento constante. A ideia de abrir mão da esperança é bastante alinhada com a ideia budista de chegar ao *nirvana*, ou abrir mão de todos os apegos ou insatisfações psicológicos.

16. Nietzsche, *Ecce Homo*, páginas 96 a 104.

17. O mito da caixa de Pandora, como contado nessa seção, vem de Hesíodo, *Trabalhos e os dias*, linhas 560 a 612.

18. Isso é meio que uma piada, mas também meio que não. Para as horrendas origens do matrimônio no mundo antigo, veja Stephanie Coontz, *Marriage, a History: How Love Conquered Marriage* (Nova York: Penguin Books, 2006), páginas 70 a 86.

19. Aparentemente, a palavra grega usada por Hesíodo como "esperança" também pode ser traduzida como "expectativa enganosa". Assim, sempre houve uma interpretação pessimista e menos popular do mito baseada na ideia de que a esperança também pode levar à destruição. Veja Franco Montanari, Antonios Rengakos e Christos Tsagalis, *Brill's Companion to Hesiod* (Leiden, Holanda: Brill Publishers, 2009), página 77.

20. Nietzsche, *Ecce Homo*, páginas 37 e 38.

21. Friedrich Nietzsche, *A gaia ciência* (trad. Paulo César de Souza. São Paulo: Companhia de Bolso, 2012), §341, páginas 273 e 274 da edição americana *The Gay Science* (trad. Walter Kaufmann, 1882; repr. Nova York: Vintage Books, 1974).

22. O início de seu discurso sobre Deus estar morto vem da seção "O homem louco" de ibid., §125: 181–82.

23. Esse discurso "passional e longo" às vacas perto do lago Silvaplana aconteceu de verdade, segundo Meta von Salis. Talvez tenha sido um dos primeiros episódios de esquizofrenia de Nietzsche, que começaram a surgir por volta dessa época. Veja Young, *Friedrich Nietzsche: A Philosophical Biography*.

NOTAS 265

24. O restante das falas de Nietzsche nesse capítulo vem de Friedrich Nietzsche, *Assim falou Zaratustra*, trad. R. J. Hollingdale (1883; repr. Nova York: Penguin Classics, 2003), página 43. "[E]le é uma introdução a algo maior" é interpretação minha. O texto original diz: "[H]e is a *going-across*."

CAPÍTULO 6: A FÓRMULA DA HUMANIDADE

1. M. Currey, *Os segredos dos grandes artistas* (Rio de Janeiro: Editora Campus-Elsevier, 2013); páginas 81 e 82 da edição americana *Daily Routines: How Artists Work* (Nova York: Alfred A. Knopf, 2013).

2. Immanuel Kant, *Metafísica dos costumes* (São Paulo: Edipro, 2017); página 34 de *The Metaphysics of Morals* (org. Lara Denis, trad. Mary Gregor. 1797; repr. Cambridge: Cambridge University Press, 2017).

3. No ensaio de 1795 "A paz perpétua", Kant propôs um órgão governamental mundial. Veja Immanuel Kant, *A paz perpétua e outros opúsculos* (São Paulo: Edições 70, 2008), páginas 107 a 144 da edição americana *Perpetual Peace and Other Essays*, trad. Ted Humphrey (1795; repr. Indianápolis Hackett Publishing Company, 1983).

4. S. Palmquist, "The Kantian Grounding of Einstein's Worldview: (I) The Early Influence of Kant's System of Perspectives", *Polish Journal of Philosophy* 4, nº 1 (2010): 45–64.

5. É verdade, ele fez a sugestão hipoteticamente. Disse que, se fossem capazes de arbítrio e raciocínio, os animais deveriam ter os mesmos direitos dos humanos. Ele não acreditava que animais tivessem tais faculdades, no entanto — embora hoje exista uma forte percepção contrária. Para uma discussão a respeito, veja Christine M. Korsgaard, "A Kantian Case for Animal Rights", em *Animal Law: Developments and Perspectives in the 21st Century*, org. Margot Michael, Daniela Kühne e Julia Hänni (Zurique: Dike Verlag, 2012), páginas 3 a 27.

6. Hannah Ginsborg, "Kant's Aesthetics and Teleology", *The Stanford Encyclopedia of Philosophy*, org. Edward N. Zalta, 2014. Disponível em: <https://plato.stanford.edu/archives/fall2014/entries/kant-aesthetics>. Acesso em: 25 mar. 2019.

7. O debate era entre "racionalistas" e "empiristas", e o livro, o trabalho mais famoso de Kant, *A crítica da razão pura*.

266 F*DEU GERAL

8. Kant buscava construir todo um sistema ético pura e simplesmente por meio da razão. Tentou cruzar a divisão entre os valores do Cérebro Sensível e a lógica e os fatos que norteiam o Cérebro Pensante. Não vou entrar nos detalhes intrincados da ética kantiana aqui, pois seu sistema é bastante falho. Para este capítulo, apenas colhi o princípio e a conclusão que creio serem os mais úteis de sua ética: a Fórmula da Humanidade.

9. Leitores mais atentos vão reparar numa contradição sutil neste ponto. Kant buscava estabelecer um sistema de valores que existisse à parte dos juízos subjetivos do Cérebro Sensível. No entanto, o desejo de erguer um sistema de valores calcado pura e simplesmente na razão é, em si, um juízo subjetivo por parte do Cérebro Sensível. Em outras palavras, não seria possível dizer que o desejo de Kant de criar um sistema de valores que transcendesse as amarras da religião era, em si, uma religião? Essa era a crítica que Nietzsche fazia a Kant. Nietzsche *odiava* o sujeito e o considerava uma piada, na verdade. Julgava absurdo o sistema ético estabelecido por Kant e achava sua crença de ter transcendido a subjetividade baseada na fé, na melhor das hipóteses, ingênua, e, na pior, completamente narcisista. Portanto, leitores formados em filosofia considerarão estranho que a tese do meu livro dependa tanto de ambos, embora eu não veja nisso um grande problema. Acho que um acertou onde o outro errou. Nietzsche foi certeiro ao argumentar que toda crença humana é inerentemente prisioneira de nossas perspectivas e, portanto, calcada na fé. Kant, por sua vez, acertou ao defender que alguns sistemas de valores produzem resultados melhores e mais lógicos do que outros graças ao potencial universal de sua atratividade. Então, tecnicamente, sim, o sistema ético de Kant é outra forma de religião calcada na fé. Mas também considero que, assim como a ciência e seu hábito de depositar fé nas hipóteses mais embasadas em evidências produz os melhores sistemas de crenças, Kant encontrou a melhor base para se criar sistemas de valores — ou seja, devemos valorizar aquilo que compreende valores acima de tudo: a consciência.

10. Se quantificarmos o ato de ligar o foda-se, o estilo de vida de Kant provavelmente o tornaria campeão mundial na categoria. Veja Manson, *A sutil arte de ligar o f*da-se*, páginas 22 a 28.

11. Essa afirmação pode ser interpretada de várias formas. A primeira é que Kant teria obtido êxito em sair do espaço subjetivo dos juízos de valor do Cé-

NOTAS 267

rebro Sensível para criar um sistema de valores universalmente aplicável. Passados 250 anos, filósofos continuam a discutir se ele de fato conseguiu isso — a maioria diz que não (veja minha opinião na nota 9 deste capítulo). A segunda interpretação é a de que Kant pavimentou o caminho para uma era de pontos de vista morais não sobrenaturais — a crença de que a moralidade possa ser deduzida à parte das religiões espirituais. Isso é absolutamente verdadeiro. Kant estabeleceu as bases para uma filosofia moral atrelada à ciência que permanece de pé. A terceira interpretação é a de que eu estaria apenas enchendo a bola de Kant para manter as pessoas interessadas neste capítulo. Isso também é absolutamente verdadeiro.

12. É importante ressaltar que, neste capítulo, estou aplicando as ideias de Kant de formas que ele mesmo nunca fez. O capítulo é um estranho casamento triplo entre a ética kantiana, a psicologia organizacional e a teoria das virtudes. Aperte os cintos e boa viagem.

13. A estrutura deste capítulo é derivada (e fornece uma versão simplificada) dos trabalhos de Jean Piaget, Lawrence Kohlberg, Robert Kegan, Erik Erikson, Soren Kierkegaard e outros. Sobre o modelo de Kegan, minha definição de "infância" mapeia seus estágios 1 e 2 (Impulsivo e Imperial), minha definição de "adolescência" mapeia seus estágios 3 e 4 (Interpessoal e Institucional) e minha "vida adulta" mapeia seu estágio 5 (Institucional e Interindividual). Veja mais a respeito do modelo de Kegan em R. Kegan, *The Evolving Self: Problem and Process in Human Development* (Cambridge: Harvard University Press, 1982). Sobre o modelo de Kolhberg, minha "infância" mapeia o seu estágio pré-convencional do desenvolvimento moral (Orientação sobre Obediência e Castigo e Orientações Instrumentais), minha "adolescência" mapeia seu estágio convencional do desenvolvimento moral (Bom Menino/ Boa Menina e Orientações Sobre Lei e Ordem) e minha "vida adulta" mapeia seu estágio pós-convencional do desenvolvimento moral (Contrato Social e Orientações sobre Princípios Éticos Universais). Veja mais a respeito do modelo de Kohlberg em L. Kohlberg, "Stages of Moral Development", *Moral Education 1*, nº 51 (1971): 23–92. Sobre o modelo de Piaget, minha "infância" mapeia seus estágios sensório-motor e pré-operacional, minha "adolescência" mapeia seu estágio das operações concretas e minha "vida adulta" é livremente baseada em seu posterior estágio das operações formais. Veja mais a respeito do modelo Piaget de desenvolvimento moral em J. Piaget,

"A teoria de Piaget", *Piaget and His School*. Berlim e Heidelberg: Springer, 1976, 11–23.

14. O desenvolvimento de regras e papéis ocorre no estágio das operações concretas de Piaget e no estágio interpessoal de Kegan. Veja nota 13.

15. Kegan, *The Evolving Self*, páginas 133 a 160.

16. Crianças não desenvolvem o que chamamos de "teoria da mente" antes de três a cinco anos. A teoria da mente estaria presente quando uma pessoa já consegue entender que os outros têm pensamentos e comportamentos conscientes independentes dela. Trata-se de uma ferramenta necessária para a empatia e a maioria das interações sociais — é através dela que se compreendem a perspectiva e a linha de pensamento dos demais. Crianças com dificuldades no desenvolvimento da teoria da mente costumam ser diagnosticadas dentro do espectro do autismo ou portadoras de esquizofrenia, transtorno do déficit de atenção com hiperatividade ou algum outro problema. Veja B. Korkmaz, "Theory of Mind and Neurodevelopmental Disorders in Childhood", *Pediatric Research* 69 (2011): 101R–108R.

17. O filósofo Ken Wilber tem uma frase maravilhosa para descrever esse processo de desenvolvimento psicológico. Ele diz que os estágios posteriores do desenvolvimento "transcendem e incluem" os anteriores. Portanto, um adolescente ainda se pauta por seus valores baseados em prazer e dor, mas valores superiores calcados em regras e em papéis suplantam os mais baixos e infantis. Todo mundo continua gostando de sorvete, mesmo quando chega à fase adulta. A diferença é que o adulto, ao contrário da criança, é capaz de priorizar valores mais elevados e abstratos como honestidade e prudência, colocando-os acima do amor por sorvete. Veja K. Wilber, *Sexo, ecologia, espiritualidade: O espírito da evolução* (São Paulo: Editora Vida Integral, 2019), páginas 59 a 61 da edição americana *Sex, Ecology, Spirituality: The Spirit of Evolution* (Boston: Shambhala, 2000).

18. Lembrem-se, a partir da Segunda e da Terceira Leis de Newton Emo, que identidades mais fortes e robustas nos munem de mais estabilidade emocional face à adversidade. Uma das razões que explicam por que crianças são tão emocionalmente voláteis é a compreensão frágil e superficial que têm de si mesmas, tornando-as muito mais suscetíveis a eventos inesperados ou dolorosos.

NOTAS 269

19. Adolescentes são obsessivamente focados no que seus pares acham deles porque estão montando sua própria identidade com base em regras e papéis. Veja Erikson, *Childhood and Society*, páginas 260 a 266; e Kegan, *The Evolving Self*, páginas 184 a 220.

20. É aqui que começo a fundir o sistema moral de Kant com a teoria do desenvolvimento. Tratar pessoas como meios e não fins é representativo dos estágios 2, 3 e 4 na teoria do desenvolvimento moral de Kolhberg.

21. Albert Camus mandou bem quando disse: "Você nunca será feliz se continuar a procurar no que a felicidade consiste."

22. Novamente, fundindo os estágios 5 e 6 de Kolhberg com a exigência de Kant da "coisa em si" para a universalização moral.

23. De acordo com o modelo de desenvolvimento moral de Kohlberg, aos 36 anos, 89% da população atingiram o estágio adolescente do raciocínio moral; apenas 13% chegam ao estágio adulto. Veja L. Kohlberg, *The Measurement of Moral Judgment* (Cambridge: Cambridge University Press, 1987).

24. Da mesma forma que barganham com outras pessoas, adolescentes o fazem com suas próprias versões futuras (ou passadas). Essa ideia de que nossas identidades posteriores e anteriores sejam indivíduos independentes, separados de quem somos no presente, é proposta por Derek Parfit em *Reasons and Persons*, páginas 199 a 244.

25. Lembre-se: nossa autoestima deriva de quão bem adequamos a vida aos nossos valores (ou quão bem confirmamos as narrativas de nossa identidade). Um adulto desenvolve valores com base em princípios abstratos (virtudes), e sua autoestima derivará de quão bem ele adere a tais princípios.

26. Todos precisamos de uma quantidade "ideal" de dor para amadurecer e nos desenvolver. Dor em excesso é traumática — nossos Cérebros Sensíveis desenvolvem um medo irreal do mundo, o que impede crescimento e vivências futuras. Mas se protegidos dela em excesso, viramos uns reizinhos narcisistas, vivendo na ilusão de que o mundo possa (e deva!) girar em torno dos nossos desejos. Mas, se a dor vier na medida certa, aprendemos que (a) nossos valores atuais não estão nos valendo de nada e (b) temos capacidade e habilidade para transcendê-los e criar novos valores, mais elevados e abrangentes. Aprendemos que é melhor ter compaixão por todos, não

270 F*DEU GERAL

só pelos nossos amigos, que é melhor ser honesto em todas as situações, e não só naquelas que nos beneficiam, e que é melhor manter a humildade, mesmo quando temos certeza de que estamos certos.

27. No capítulo 3, aprendemos que abusos e traumas geram baixa autoestima, narcisismo e autoaversão. Tudo isso inibe nossa habilidade de desenvolver valores elevados e abstratos porque a dor do fracasso é constante e intensa demais — a criança precisa de todo o seu tempo e todas as suas forças para fugir dela. Crescimento exige comprometimento com a dor, como veremos no capítulo 7.

28. Veja J. Haidt e G. Lukianoff, *The Coddling of the American Mind: How Good Intentions and Bad Ideas Are Setting Up a Generation for Failure*. Nova York: Penguin Press, 2018, páginas 150 a 165.

29. Veja F. Fukuyama, *Confiança: As virtudes sociais e a criação da prosperidade* (Rio de Janeiro: Rocco, 1996); páginas 43 a 48 da edição americana *Trust: The Social Virtues and the Creation of Prosperity* (Nova York: Free Press Books, 1995).

30. Um ótimo exemplo desse fenômeno foi a comunidade Pickup Artist (PUA), um grupo de homens socialmente isolados e deslocados que convergiu, em meados dos anos 2000, para o estudo de comportamentos sociais no intuito de que mulheres gostassem deles. A coisa toda não durou mais que alguns anos porque, em última análise, tratava-se de homens infantilizados e/ou de mentalidade adolescente em busca de relacionamentos adultos, e não há estudo ou prática social capaz de gerar um relacionamento romântico incondicional, não calcado na negociação.

31. Outra forma de encarar isso é o popular conceito de "para o seu próprio bem": permitir à criança que vivencie a dor, pois, ao perceber tudo o que ainda importa perante a dor, ela poderá obter valores mais elevados e crescer.

32. Até aqui mantive uma postura ambígua quanto ao significado de "virtude". Isso se deve em parte ao fato de diferentes filósofos e religiões adotarem diferentes conceitos.

33. Kant, *Metafísica dos costumes*.

34. É importante ressaltar que o conceito da Fórmula da Humanidade proposto por Kant não se baseava em intuição moral nem na formulação ancestral de virtude — são ilações minhas.

NOTAS 271

35. Kant, *Metafísica dos costumes*.

36. E eis para onde os três confluem. A Fórmula da Humanidade é o princípio que sublinha as virtudes da honestidade, da humildade, da bravura etc. Tais virtudes definem os mais altos estágios do desenvolvimento moral (Estágio 6 de Kohlberg; Estágio 5 de Kegan).

37. A palavra-chave aqui é *meramente*. Kant admite ser impossível nunca usar alguém como um meio. Se tratássemos a todos de forma incondicional, seríamos forçados a tratar a nós mesmos condicionalmente, e vice-versa. Mas nossos atos direcionados a nós mesmos e aos outros são multifacetados. Posso tratar você como um meio e um fim ao mesmo tempo. Talvez estejamos trabalhando juntos num projeto e eu o encoraje a trabalhar por mais horas tanto por achar que será melhor para você quanto por acreditar que será melhor para mim. No que depender de Kant, tudo bem. É apenas quando manipulo você puramente por razões egoístas que entro na esfera do antiético.

38. A Fórmula da Humanidade de Kant descreve à perfeição o princípio do consentimento no sexo e nos relacionamentos. Não se esforçar em nome do consentimento explícito, seja da outra pessoa, seja o seu próprio, é tratar um dos dois ou ambos meramente como um meio na busca pelo prazer. O consentimento explícito significa tratar a outra pessoa claramente como um fim, e o sexo como um meio.

39. Em outras palavras, quem trata a si mesmo como meio também tratará os demais dessa forma. Quem não respeita a si próprio não respeitará os outros. Quem usa e destrói a si usará e destruirá os outros.

40. Extremistas ideológicos geralmente se voltam para algum grande líder. Extremistas espirituais costumam acreditar que o apocalipse se aproxima e que seu salvador descerá do céu para lhes servir uma xícara de café ou algo assim.

41. É possível que todos os valores-deus não aderentes à Fórmula da Humanidade acabem em paradoxo. Quem estiver disposto a tratar a humanidade como um meio para obter mais liberdade ou igualdade vai inevitavelmente destruir ambas. Mais a este respeito nos capítulos 7 e 8.

42. Por extremismo político, entenda-se qualquer movimento ou partido inerentemente antidemocrático, disposto a subverter a democracia em nome

272   F*DEU GERAL

de bandeiras religiosas ideológicas (ou teológicas). Para uma discussão sobre esses movimentos em diferentes partes do mundo, veja F. Fukuyama, *Identity: The Demand for Dignity and the Politics of Resentment*. Nova York: Farrar, Straus and Giroux, 2018.

43. Globalização, automação e desigualdade de renda são explicações populares bastante justificadas.

CAPÍTULO 7: DOR É A CONSTANTE UNIVERSAL

1. O estudo que essa seção descreve é de David Levari et al., "Prevalence-Induced Concept Change in Human Judgment," *Science*, June 29, 2018, 1.465–67.

2. Mudança de conceito induzida por prevalência mede como as nossas percepções são alteradas pela prevalência de uma experiência esperada. Vou usar "Efeito Ponto Azul" nesse capítulo de forma um pouco mais ampla para descrever *todas* as mudanças de percepção baseadas em expectativas, não só as induzidas por prevalência.

3. Sempre que vejo uma matéria sobre universitários surtando por causa de um palestrante do qual não gostaram e comparando falas ofensivas a trauma, eu me pergunto o que Witold Pilecki pensaria.

4. Haidt e Lukianoff, *The Coddling of the American Mind*, páginas 23 e 24.

5. Andrew Fergus Wilson, "#whitegenocide, the Alt-right and Conspiracy Theory: How Secrecy and Suspicion Contributed to the Mainstreaming of Hate", *Secrecy and Society*, 16 fev. 2018.

6. Émile Durkheim, *As regras do Metódo Sociológico* (São Paulo: Martin Claret, 2001), página 100 da edição americana *The Rules of Sociological Method and Selected Texts on Sociology and Its Method* (Nova York: Free Press, 1982).

7. Hara Estroff Marano, "A Nation of Wimps", *Psychology Today*, 1 nov. 2004, <www.psychologytoday.com/us/articles/200411/nation-wimps>. Acesso em 26 mar. 2019.

8. Essas três citações falsas de Einstein foram reunidas por M. Novak, "9 Albert Einstein Quotes That Are Totally Fake", *Gizmodo*, 14 mar. 2014. Disponível em: <https://paleofuture.gizmodo.com/9-albert-einstein-quotes-that--are-totally-fake-1543806477>. Acesso em 26 mar. 2019.

NOTAS 273

9. P. D. Brickman e D. T. Campbell, "Hedonic Relativism and Planning the Good Society," em M. H. Appley, org. *Adaptation Level Theory: A Symposium* (Nova York: Academic Press, 1971).

10. Pesquisas recentes mudaram isso ao descobrir que eventos extremamente traumáticos (como a perda de um filho) podem alterar de forma permanente nosso "nível padrão" de felicidade. Mas a felicidade "base" continua consistente ao longo de quase todas as nossas experiências. Veja B. Headey, "The Set Point Theory of Well-Being Has Serious Flaws: On the Eve of a Scientific Revolution?" *Social Indicators Research* 97, no. 1 (2010): 7–21.

11. O psicólogo de Harvard Daniel Gilbert se refere a isso como sendo o nosso "sistema imunológico psicológico": não importa o que aconteça conosco, nossas emoções, memórias e crenças se alteram e editam para nos manter no nível de felicidade "média, porém não totalmente satisfatória". Veja D. Gilbert, *Stumbling on Happiness* (Nova York: Alfred A. Knopf, 2006), páginas 174 a 177.

12. Estou me referindo à nossa experiência conjunta percebida. Basicamente, não questionamos nossas percepções; mas o mundo, quando, na verdade, nossas percepções muitas vezes se modificam, mesmo que o mundo continue o mesmo.

13. Isso não é exatamente um caso de Efeito Ponto Azul — chama-se "habituação à dor" —, mas os dois fenômenos têm um efeito parecido: nossas experiências não mudam, mas nossa percepção das experiências se altera de acordo com as nossas expectativas. Nesse capítulo, não falo do Efeito Ponto Azul exatamente do modo científico usado por pesquisadores que estudaram a mudança de conceito induzida por prevalência. Estou usando a expressão como uma analogia e um exemplo de um fenômeno psicológico maior: nossas percepções se adaptam às nossas tendências emocionais e expectativas prévias, não o contrário.

14. Veja J. S. Mill, *Utilitarianism* (1863).

15. P. Brickman, D. Coates, e R. Janoff-Bulman, "Lottery Winners and Accident Victims: Is Happiness Relative?" *Journal of Personality and Social Psychology* 36, no. 8 (1978): 917–27.

16. A. Schopenhauer, *Essays and Aphorisms*, trad. R. J. Hollingdale (Nova York: Penguin Classics, 1970), página 41.

274 F*DEU GERAL

17. Caso você me pergunte, acho que dividiram o Vietnã ao meio porque queriam evitar uma guerra como a que tinha acontecido na década anterior na Coreia. Acharam que, se dividissem o país também em dois, era provável que ficassem em paz. Alerta de spoiler: não funcionou.

18. Um alô ao departamento de Relações Internacionais da Boston University: essa é para vocês.

19. David Halberstam, *The Making of a Quagmire* (Nova York: Random House, 1965), página 211.

20. Zi Jun Toong, "Overthrown by the Press: The US Media's Role in the Fall of Diem," *Australasian Journal of American Studies* 27 (jul. 2008): 56–72.

21. Malcolm Browne, o fotógrafo responsável pelo registro, mais tarde falou: "Eu só continuei clicando e clicando e clicando, e isso me protegeu do horror daquele momento."

22. No capítulo 2, falamos sobre a Suposição Clássica, e como ela falha porque tenta reprimir o Cérebro Sensível em vez de tentar se alinhar a ele. Outra maneira de pensar na prática da antifragilidade é vê-la como um modo de se alinhar ao Cérebro Sensível, lidando com a dor da forma que você conseguir, por meio de força de vontade e atenção plena, capturando os impulsos do Cérebro Sensível e canalizando-os em uma ação ou um comportamento produtivos. Não é de se surpreender que a meditação tenha sido cientificamente comprovada como forma de aumentar a atenção e o autoconhecimento e reduzir vícios, ansiedade e estresse. A meditação é basicamente uma prática de gerenciamento da dor de viver. Veja Matthew Thorpe, "12 Science-Based Benefits of Meditation." *Healthline*, 15 jul. 2017. Disponível em: <www.healthline.com/nutrition/12-benefits-of--meditation>. Acesso em: 27 mar. 2019.

23. N. N. Taleb, *Antifragile: Things That Gain from Disorder* (Nova York: Random House, 2011).

24. Trata-se de um ótimo teste para descobrir se você deveria estar com alguém: estressores *externos* aproximam ou afastam vocês?

25. Posso estar sacaneando os aplicativos de meditação aqui, embora saiba que eles são boas introduções à prática. Mas não passam disso: introdução.

NOTAS 275

26. Eu sou o maior defensor da meditação do mundo, mas pareço nunca conseguir me forçar a sentar e fazer a merda da meditação. Uma boa técnica que um amigo, professor de meditação, me ensinou: quando estiver tendo dificuldade para meditar, simplesmente encontre uma quantidade de tempo que não te intimide. A maioria das pessoas tenta fazer dez ou quinze minutos. Se isso parecer demais, faça um acordo consigo mesmo de meditar por cinco minutos. Se *isso* parecer demais, baixe para três. Se isso parecer demais, baixe para um. (Todo mundo consegue fazer um minuto!) Basicamente, diminua a quantidade de minutos no seu "acordo" com o Cérebro Sensível até que esse tempo não pareça mais assustador. Mais uma vez, isso é só o Cérebro Pensante negociando com o Cérebro Sensível até que você consiga alinhar os dois na direção de algo produtivo. Essa técnica é ótima para outras atividades, inclusive. Malhar, ler, limpar a casa, escrever um livro (cof, cof)... Em qualquer caso, só diminua a expectativa até que a situação não seja mais assustadora.

27. Veja Ray Kurzweil, *The Singularity Is Near: When Humans Transcend Biology* (Nova York: Penguin Books, 2006).

28. Pinker argumenta que os ganhos em saúde e segurança físicas mais que compensam qualquer aumento em ansiedade e estresse. Ele também argumenta que a vida adulta exige doses maiores de ansiedade e estresse em virtude do aumento nas responsabilidades. Isso é provavelmente verdade — por exemplo, não voltaríamos à infância se a escolha nos fosse oferecida —, mas não significa que nossa ansiedade e nosso estresse não sejam problemas sérios. Veja Pinker, *Enlightenment Now*, páginas 288 e 289.

29. No meu livro anterior, é assim que defino uma "vida boa". Problemas são inevitáveis. Uma vida boa, portanto, é uma vida com bons problemas. Veja M. Manson, *A sutil arte de ligar o f*da-se*, páginas 26 a 36.

30. É por isso que o vício produz uma espiral negativa: nos entorpecer contra a dor também nos embota a capacidade de ver propósito e a nossa habilidade de encontrar valor nas coisas, gerando, portanto, mais dor e induzindo maior entorpecimento. O ciclo continua até que se chega ao "fundo do poço", um ponto de dor tão imensa que é impossível de entorpecer. A única forma de superá-la é enfrentá-la e crescer.

CAPÍTULO 8: A ECONOMIA DOS SENTIMENTOS

1. A história de Edward Bernays neste capítulo foi retirada do belo documentário de Adam Curtis, *The Century of Self*, BBC4, Reino Unido, 2002.

2. Ego, no sentido freudiano, é *isto*: nossas histórias conscientes sobre nós mesmos e nossa batalha infinita para mantê-las e protegê-las. Ter um ego forte é psicologicamente saudável, na verdade, pois torna a pessoa resiliente e confiante. O termo *ego* foi massacrado desde então pela literatura de autoajuda e transformado basicamente em sinônimo de narcisismo.

3. Nos anos 1930, creio que Bernays começou a se sentir mal porque foi ele quem de fato fez de Freud um fenômeno global. Freud estava duro, morando na Suíça, com medo dos nazistas, e Bernays não apenas vinha fazendo suas ideias serem publicadas nos Estados Unidos, como também as tornou populares, conseguindo que revistas de peso publicassem artigos mencionando-as. Se Freud é um nome consagrado hoje, isso se dá em grande parte às táticas de marketing de Bernays, coincidentemente baseadas em suas teorias.

4. Veja capítulo 4, nota 26.

5. Exemplos incluem Johannes Gutenberg, Alan Turing e Nikola Tesla.

6. A. T. Jebb e outros, "Happiness, Income Satiation and Turning Points Around the World", *Nature Human Behaviour* 2, nº 1 (2018): 33.

7. M. McMillen, "Richer Countries Have Higher Depression Rates", WebMD, 26 jul, 2011. Disponível em: <www.webmd.com/depression/news/20110726/richer-countries-have-higher-depression-rates>. Acesso em: 29 mar. 2019.

8. Eis uma teoria divertida que criei sobre guerra e paz: o pressuposto mais comum sobre as guerras é de que se iniciam porque um grupo de pessoas está vivendo uma situação tão dramática que não lhes resta opção senão lutar por sobrevivência. Vamos chamá-la de teoria de guerra do "Nada a perder". Ela costuma ser emoldurada em termos religiosos: o joão-ninguém enfrentando o sistema corrupto para conseguir seu lugar ao sol, ou o poderoso mundo livre unido para erradicar a tirania do comunismo. São narrativas que geram ótimos filmes de ação por serem facilmente digeríveis, histórias dotadas de valores que ajudam a unir os Cérebros Sensíveis das massas. Mas a realidade, evidentemente, não é tão simples.

NOTAS 277

As pessoas não iniciam revoluções simplesmente por serem subjugadas e oprimidas. Todo tirano sabe disso. Quem vive um estado perpétuo de dor passa a aceitá-la e até achar natural. Como um cão maltratado, o sofredor torna-se plácido e distante. Por isso a Coreia do Norte se mantém como está. Por isso os escravos nos Estados Unidos raramente se ergueram em revoltas violentas.

Permitam-me sugerir que as pessoas dão início a revoluções por prazer. Quando a vida se torna confortável, a tolerância delas ao desconforto e à inconveniência se torna tão baixa a ponto de enxergarem a mais irrisória das desfeitas como um absurdo imperdoável e, como resultado, elas ficam possessas.

Revolução política é um privilégio. Quem está faminto e desamparado centra o foco em sobreviver. Não tem energia ou ímpeto para se preocupar com o governo. Só pensa em como chegar até a semana seguinte.

Pode parecer loucura, mas não acabei de inventar isso. Teóricos políticos usam o nome "revoluções de aumento de expectativas". Na verdade, foi o famoso historiador Alexis de Tocqueville a apontar que grande parte dos que instigaram a Revolução Francesa não integrava as massas de miseráveis a "tomar a Bastilha". Era gente de condados e bairros prósperos. Da mesma forma, a Revolução Americana não foi instigada por colonos oprimidos, mas por prósperos donos de terras da elite, para quem o aumento dos impostos parecia uma violação de liberdade e dignidade (certas coisas nunca mudam).

A Primeira Guerra Mundial, que envolveu 32 países e matou 17 milhões de pessoas, começou porque atiraram num austríaco rico na Sérvia. O mundo, na época, nunca tinha sido tão globalizado e economicamente próspero. Líderes mundiais julgavam impossível um conflito global em larga escala. Ninguém se arriscaria em tão louca empreitada havendo tanto a perder.

Mas foi exatamente por isso que se arriscaram.

Ao longo do século XX, guerras revolucionárias eclodiram mundo afora, do leste da Ásia ao Oriente Médio, à África e à América Latina, não porque as pessoas se sentissem oprimidas ou estivessem passando fome, mas porque suas economias cresciam. E, ao serem apresentadas ao crescimento econômico, as pessoas descobriam que o ritmo de seus desejos superava a capacidade das instituições de supri-los.

278   F*DEU GERAL

Eis outra forma de encarar a questão: quando a dor em uma sociedade é demasiada (pessoas passando fome, morrendo, adoecendo etc.), a população entra em desespero, sente que não há nada a perder, diz "que se foda!" e começa a jogar coquetéis molotov em velhos de terno. Mas quando a dor em uma sociedade não é tanta, as pessoas passam a ficar mais e mais incomodadas por infrações cada vez menores, ao ponto de se tornarem violentas por causa de algo tão estúpido quanto uma fantasia de Halloween meio-que--ofensiva.

Assim como os indivíduos precisam de um nível moderado de dor (nem muito nem muito pouco) para crescer, amadurecer e se tornarem adultos com caráter forte, as sociedades também precisam (muito, e vira a Somália; muito pouco, e você se torna aquele babaca que encheu um monte de caminhões com armas automáticas e ocupou um parque nacional em nome da... liberdade).

Não esqueçamos a razão básica dos conflitos mortais: eles nos trazem esperança. Um inimigo mortal querendo matar você é a forma mais rápida de achar um propósito na vida e tornar-se presente. Nada nos impele tanto a formar comunidades. Dá às nossas religiões uma sensação cósmica de sentido que não se pode obter de nenhuma outra forma.

É a prosperidade que gera as crises de esperança. Seiscentos canais e nada para ver. Quinze *matches* no Tinder, e nenhuma pretendente promissora. Dois mil restaurantes abertos na cidade e estar de saco cheio da comida de todos. A prosperidade torna mais difícil encontrar sentido. Acentua nossa dor. E, em última análise, precisamos muito mais de sentido do que de prosperidade, caso contrário nos veremos de novo frente a frente com aquela maliciosa Verdade Desconfortável.

Mercados financeiros passam a maior parte do tempo se expandindo à medida que geram mais valor econômico. Mas chega um momento — quando os investimentos e as avaliações excedem a produção em si, quando muito dinheiro fica preso em esquemas de pirâmide de distração em vez de inovação — em que há uma contração do mercado, varrendo todo o "dinheiro fraco", derrubando muitas empresas supervalorizadas e deixando de trazer qualquer valor à sociedade. Quando o processo acaba, a inovação e o crescimento econômico, agora com o curso corrigido, podem continuar.

Na "Economia dos Sentimentos" há um padrão semelhante de expansão e contração. A tendência de longo prazo é pela redução da dor através

NOTAS 279

da inovação. Mas, em tempos de prosperidade, as pessoas se permitem mais e mais distrações, exigem falsas liberdades e tornam-se mais frágeis. Em dado momento, passam a ficar febrilmente incomodadas por coisas que há uma ou duas gerações teriam parecido frívolas. Surgem piquetes e protestos. As pessoas começam a costurar distintivos nas mangas, usar chapéus bizarros e adotar a religião *du jour* para justificar sua ira. Encontrar esperança fica mais difícil em meio a tamanha variedade de distrações. E chega uma hora em que tudo se intensifica a ponto de alguém fazer algo estúpido e extremo, como atirar num arquiduque ou jogar um 747 contra um edifício. E aí começa a guerra, matando milhares, se não milhões.

E quando o conflito se intensifica, surgem a dor e as privações reais. Economias entram em colapso. Pessoas passam fome. Surge a anarquia. E, nas piores condições, mais antifrágeis se tornam as pessoas. Antes, com TV a cabo e um trabalho sem perspectivas, elas não sabiam o que esperar da vida. Agora sabem exatamente: paz, consolo, descanso. E sua esperança acaba unindo uma população antes dividida, desigual sob o manto de uma única religião.

Quando a guerra acaba, com a imensa destruição gravada na memória recente de todos, as pessoas aprendem a desejar coisas simples: uma família estável, um trabalho fixo, um filho que esteja seguro — seguro de verdade. Não aquele nível "não deixa ele brincar lá fora sozinho" de segurança.

A esperança é restabelecida em larga escala. E tem início um período de paz e de prosperidade (ou algo assim).

Há um último componente nessa teoria maluca do qual não falei até agora: a desigualdade. Durante períodos de prosperidade, mais e mais crescimento econômico é movido por distrações. E como estas facilmente se inflam — afinal, quem não quer ver o novo filme dos *Vingadores*? —, a riqueza fica extremamente concentrada em poucas mãos. Essa disparidade crescente alimenta a "revolução de aumento de expectativas". Todos começam a achar que deveria ter uma vida melhor, e no entanto as coisas não são bem assim: não tão destituídas de dor como sonhavam. Portanto, todos tomam posição em suas trincheiras ideológicas — patrões moralistas aqui deste lado, escravos moralistas do lado de lá — e brigam.

E durante o combate e a destruição, ninguém tem tempo para distrações. Essas, na verdade, podem levar à morte.

280 F*DEU GERAL

Não, na guerra, só o que importa é levar vantagem. E para isso é preciso investir em inovações. Muitas das maiores inovações da história da humanidade foram alavancadas pela pesquisa militar. A guerra não só reequilibra a esperança e a fragilidade das pessoas, mas também é, infelizmente, a única força capaz de zerar a desigualdade na distribuição de riquezas. É outro ciclo de expansão e recessão. Embora neste caso não se trate de mercados financeiros ou da fragilidade das pessoas, mas de poder político.

A triste realidade é que a guerra é não apenas parte inerente da existência humana; aparentemente, é também um subproduto necessário dela. Não se trata de um defeito da evolução; é um de seus componentes. Dos últimos 3.400 anos, os humanos passaram 268 em paz. Nem 8% dos registros históricos.

A guerra é o efeito natural das nossas esperanças errôneas. É onde a solidariedade e a utilidade das nossas religiões são testadas. É o que promove a inovação e nos motiva a trabalhar e evoluir.

E é a única força capaz de levar as pessoas a pararem de pensar na própria felicidade antes de tudo, a desenvolverem um caráter verdadeiramente virtuoso e a habilidade de suportar a dor e de lutar e viver por outra coisa que não elas próprias.

Talvez tenha sido por isso que antigos gregos e romanos consideravam a guerra imprescindível à virtude. Exigia-se certa humildade e certa bravura inerentes não só para ser bem-sucedido no campo de batalha, mas também para ser uma boa pessoa. Os conflitos despertam o melhor em nós. E, de certa forma, virtude e morte sempre andam juntas.

9. Para ser honesto, eu inventei esse negócio de "era comercial". A referência é de fato, creio eu, à era pós-industrial, quando o comércio começou a se expandir rumo à produção de bens desnecessários. Encaro como semelhante ao que Ron Davison chama "Terceira Economia". Veja R. Davison, *The Fourth Economy: Inventing Western Civilization*, e-book autopublicado, 2011.

10. Este assunto é bem documentado. Veja Carol Cadwalladr, "Google, Democracy, and the Truth About Internet Search", *The Guardian*, 4 dez. 2016. Disponível em: <www.theguardian.com/technology/2016/dec/04/google-democracy-truth-internet-search-facebook>. Acesso em: 29 mar. 2019.

NOTAS 281

11. Não só esse tipo de vigilância é invasivo, mas é também o retrato perfeito de como uma empresa de tecnologia pode tratar seus clientes como meios em vez de fins. Por sinal, eu diria que a sensação perturbadora deriva justamente da sensação de estar sendo tratado meramente como um meio. Ainda que tais serviços de coletas de dados sejam uma "opção" nossa, nem sempre estamos completamente cientes disso; portanto, a sensação é de não termos consentido. É essa sensação que nos faz sentir desrespeitados, tratados como um meio, e por isso nos incomodamos. Veja K. Tiffany, "The Perennial Debate About Whether Your Phone Is Secretly Listening to You, Explained", *Vox*, 28 dez. 2018. Disponível em: <www.vox.com/the--goods/2018/12/28/18158968/facebook-microphone-tapping-recording--instagram-ads>. Acesso em: 29 mar. 2019.

12. Porque tortura não pega bem, sabe como é.

13. Barry Schwartz, *O paradoxo da escolha: Por que mais é menos* (São Paulo: Editora A Girafa, 2004), tradução da edição americana *The Paradox of Choice: Why More is Less* (Nova York: HarperCollins Ecco, 2004).

14. Vários dados comprovam quão incrivelmente efetivo isso é. Trata-se de mais um exemplo de como trabalhar *com* o Cérebro Sensível (nesse caso, assustando-o para que faça a coisa certa) e não contra ele. É tão efetivo que os pesquisadores autores do estudo original criaram um site chamado stickk.com que permite às pessoas estabelecer tais acordos com os amigos. Eu mesmo fiz uso dele para estabelecer um prazo para o meu último livro (e funcionou!).

15. Ele acabou perdendo para o mestre de xadrez porque, como se vê, o jogo tem centenas de milhões de jogadas em potencial e é impossível mapeá-lo inteiro, do início ao fim. Não cito fontes porque essa picaretagem não merece mais nenhuma atenção.

16. Robert Putnam, *Bowling Alone: The Collapse and Revival of American Community* (Nova York: Simon and Schuster, 2001).

17. F. Sarracino, "Social Capital and Subjective Well-being Trends: Comparing 11 Western European Countries", *Journal of Socio-Economics 39* (2010): 482-517.

18. Putnam, *Bowling Alone*, páginas 134 a 143.

19. Na mesma fonte, páginas 189 a 246.

282 **F*DEU GERAL**

20. Na mesma fonte, páginas 402 a 414.

21. Essa é uma forma mais ética e efetiva de encarar a liberdade. Veja, por exemplo, a polêmica na Europa quanto a mulheres muçulmanas poderem ou não usar *hijab*. Uma perspectiva de falsa liberdade diria que elas deveriam ser livres para *não* usá-lo, isto é, deveriam ter mais oportunidades para o prazer. Isso equivale a tratá-las como um meio para um fim ideológico. É como dizer que não têm o direito de escolher seus próprios sacrifícios e comprometimentos, que precisam subordinar suas crenças e decisões ao conceito de liberdade de alguma religião ideológica mais ampla. É um perfeito exemplo de como tratar pessoas como meios para o fim da liberdade mina a liberdade. A verdadeira liberdade significa permitir às mulheres escolher o que desejam sacrificar na vida, liberando, portanto, que usem os *hijabs*. Para um resumo da polêmica, veja "The Islamic Veil Across Europe", *BBC News*, 31 maio 2018. Disponível em: <www.bbc.com/news/world-europe-13038095>. Acesso em: 29 mar. 2019.

22. Infelizmente, com a guerra cibernética, as *fake news* e a possibilidade de interferência em eleições por meio de plataformas globais de rede social, isso nunca foi tão verdadeiro. O "poder suave" da internet permitiu que governos hábeis (Rússia, China) efetivamente influenciassem as populações de países rivais sem precisar pisar em seus territórios. Faz total sentido que, na era da informação, as dificuldades mais significativas do mundo fossem relativas à informação.

23. Alfred N. Whitehead, *Process and Reality: Corrected Edition*, org. David Ray Griffin e Donald W. Sherburne (Nova York: The Free Press, 1978), página 39.

24. Platão, *Fedro*, 253d.

25. Platão, *A república*, 427e e 435b.

26. A "teoria das ideias" de Platão aparece numa série de diálogos, mas o exemplo mais célebre é a metáfora da caverna, que ocorre em *A república*, 514a a 520a.

27. Vale ressaltar que a definição ancestral de *democracia* difere da moderna. Em tempos remotos, *democracia* significava que a população votava em tudo e praticamente não tinha representantes. O que chamamos hoje de democracia é tecnicamente uma "república", pois há represen-

NOTAS 283

tantes eleitos que tomam as decisões e determinam os procedimentos. Dito isso, não creio que essa distinção modifique em nada a validade dos argumentos desta seção. Um declínio na maturidade da população se refletirá em representantes eleitos de pior espécie, ou os "demagogos" de Platão, políticos que tudo prometem e nada entregam. Tais demagogos se dedicam então a desmontar o sistema democrático enquanto o povo aplaude já que passou a enxergar o sistema em si como o problema, e não suas más escolhas na eleição de líderes.

28. Platão, *A república*, 564a-566a.

29. Na mesma fonte, 566d-569c.

30. Democracias declaram guerra com menos frequência do que autocracias, afirmando a hipótese da "paz perpétua" de Kant. Veja J. Oneal e B. Russett, "The Kantian Peace: The Pacific Benefits of Democracy, Interdependence, and International Organizations, 1885-1992," *World Politics* 52, nº 1 (1999): 1-37. Democracias promovem o crescimento econômico. Veja José Tavares e Romain Wacziarg, "How Democracy Affects Growth," *European Economic Review 45*, nº 8 (2000): 1341-1378. Pessoas têm vidas mais longas em democracias. Veja Timothy Besley e Kudamatsu Masayuki, "Health and Democracy," *American Economic Review 96*, nº 2 (2006): 313-318.

31. É interessante como sociedades de baixa confiança se fiam mais em "valores familiares" do que outras culturas. Uma forma de encarar isso é pensar que quanto menos esperança as pessoas têm em suas religiões nacionais, mais buscarão por ela em suas religiões familiares, e vice-versa. Veja Fukuyama, *Confiança*, páginas 61 a 68.

32. Essa é uma explicação do paradoxo do progresso na qual não cheguei a me embrenhar: a de que, a cada melhora na vida, temos mais a perder e menos a ganhar do que antes. Como a esperança se baseia na percepção do valor futuro, quanto mais as coisas melhoram no presente mais difícil se torna imaginar esse amanhã, e mais fácil imaginar que nele haverá grandes perdas. Em outras palavras, a internet é ótima, mas apresenta também vários modos de uma sociedade entrar em colapso e tudo ir para o inferno. Assim, paradoxalmente, cada aperfeiçoamento tecnológico também introduz novos meios para que matemos uns aos outros e a nós mesmos.

CAPÍTULO 9: A RELIGIÃO FINAL

1. Em 1950, Alan Turing, pai da ciência da computação, criou o primeiro algoritmo de xadrez.

2. Acontece que é incrivelmente difícil programar a funcionalidade do "Cérebro Sensível" em um computador, ao passo que a funcionalidade do Cérebro Pensante já superou a capacidade humana há muito tempo. Isso porque nossos Cérebros Sensíveis operam usando nossas redes neurais inteiras, enquanto nossos Cérebros Pensantes só fazem cálculos simples. Provavelmente estou cagando a explicação toda, mas é uma reviravolta interessante no desenvolvimento de IAs — assim como estamos sempre lutando para entender nossos Cérebros Sensíveis, também temos dificuldade em recriá-los em máquinas.

3. Nos anos posteriores à primeira derrota de Kasparov, tanto ele quanto Vladmir Kramnik jogaram contra vários programas de xadrez e empataram. Mas, em 2005, os programas de xadrez Fritz, Hydra e Junior destruíram os principais grandes mestres, às vezes sem perder um só jogo. Em 2007, os grandes mestres humanos ganharam vantagens e podiam escolher a abertura, mas ainda assim perdiam. Em 2009, ninguém mais estava tentando. Não fazia sentido.

4. Isso é verdade, embora não literalmente. Em 2009, o software de xadrez para celulares Pocket Fritz ganhou do Deep Blue em uma competição de dez partidas. Fritz ter vencido, apesar de ter menos capacidade de computação, significa que é um software superior, não que é mais poderoso.

5. Michael Klein, "Google's AlphaZero Destroys Stockfish in 100-game Match", Chess.com, 7 dez. 2017. Disponível em: <www.chess.com/news/view/google-s-alphazero-destroys-stockfish-in-100-game-match>. Acesso em: 28 mar. 2019.

6. O shogi é considerado bem mais complexo porque o jogador pode controlar as peças do oponente, o que traz ainda mais variações possíveis que no xadrez.

7. Para uma discussão sobre o potencial desemprego em massa causado pela IA e pela automação tecnológica, dê uma olhada no excelente livro de

E. Brynjolfsson e A. McAfee, *Race Against the Machines: How the Digital Revolution Is Accelerating Innovation, Driving Productivity, and Irreversibly Transforming Employment* (Lexington: Digital Frontier Press, 2011).

8. K. Beck, "A Bot Wrote a New Harry Potter Chapter and It's Delightfully Hilarious", Mashable, 17 dez. 2017. Disponível em: <https://mashable.com/2017/12/12/harry-potter-predictive-chapter>. Acesso em: 28 mar. 2019.

9. J. Miley, "11 Times AI Beat Humans at Games, Art, Law, and Everything in Between," *Interesting Engineering*, 12 mar. 2018, <https://interestingengineering.com/11-times-ai-beat-humans-at-games-art-law-and-everything-in-between>. Acesso em: 28 mar. 2019.

10. Da mesma forma que hoje é quase impossível imaginar a vida sem Google, e-mail ou celulares.

11. Evolutivamente falando, os humanos abriram mão de muita coisa para viabilizar seu cérebro grande. Comparados a outros primatas, e especialmente a outros mamíferos, somos lentos, fracos e frágeis, e temos sentidos péssimos. Mas a maior parte do que nos falta em capacidades físicas foi perdido para permitir um maior uso de energia pelo cérebro e um maior período gestacional. Então, de fato, deu tudo certo no fim.

12. Veja D. Deutsch, *The Beginning of Infinity: Explanations that Transform the World* (Nova York: Penguin Books, 2011).

13. Bem, tecnicamente, a maioria nem existia até a gente surgir, mas imagino que seja meio que a ideia.

14. Haidt, *The Righteous Mind*, páginas 32 a 34.

15. O auto-ódio é uma referência à culpa inerente que vem com a existência, que discutimos no capítulo 4. A autodestruição é, bem, autoexplicativa.

16. Cenários tão surreais na verdade são bem sérios e foram avaliados no livro de Nick Bostrom, *Superintelligence: Paths, Dangers, Strategies* (Nova York: Oxford University Press, 2014).

17. Michal Kranz, "5 Genocides That Are Still Going on Today", *Business Insider*, 22 nov. 2017. Disponível em: <www.businessinsider.com/genocides-still-going-on-today-bosnia-2017-11>. Acesso em: 28 mar. 2018.

18. "Hunger Statistics", Food Aid Foundation. Disponível em: <www.foodaidfoundation.org/world-hunger-statistics.html>. Acesso em: 28 mar. 2019.

19. Calculado pelo autor, baseado em estatísticas da National Coalition Against Domestic Violence. Disponível em: <https://ncadv.org/statistics>. Acesso em: 28 mar. 2019.

1ª edição	MAIO DE 2019
reimpressão	MAIO DE 2019
impressão	GEOGRÁFICA
papel de miolo	PÓLEN SOFT 80G/M^2
papel de capa	CARTÃO SUPREMO ALTA ALVURA 250G/M^2
tipografia	MINION